# 실미도

백동호 장편소설

## 2

밝은세상

*저자와의 협의에 의해
인지 첨부를 생략합니다.*

## 실 미 도 2

--------------------

지은이  백 동 호
펴낸이  김 석 원
펴낸곳  도서출판 밝은세상
초판 1쇄 인쇄일  1999년 7월 5일
초판 13쇄 발행일  1999년11월  8 일
주소  140 - 133 서울시 용산구 청파동 3가 132 - 80
TEL  (대표) 704 - 2818
      (편집부) 713 - 8728
FAX  704 - 2819
하이텔 ID  PALEUN
출판등록  1990. 10. 5 (제 10 - 427호)
ⓒ 백동호, 1999, Printed in Korea

--------------------

※ 잘못 만들어진 책은 교환해 드립니다.

**값 7,500원**

ISBN 89 - 85570 - 97 - 8  04810

ISBN 89 - 85570 - 95 - 1  (세트)

# 실미도
## 2

## 작가의 말

'원한 맺힌 사람의 피는 천년이 지나도 벽옥(碧玉)처럼 푸르리라'는 글을 남기고 요절한 중국의 미치광이 시인 이하(李賀)를 생각해봅니다.

축복받지 못한 생명으로 태어나 끔찍한 아동학대를 겪어야 했던 저는 스무 살 무렵, 세상을 다 살아낸 것처럼 썩은 냄새를 피우고 다녔습니다. 이제 제 나이 마흔을 껑충 넘기고 보니 '인생은 얼마나 깊은 것인가' 새삼 숙연하고 부끄럽습니다.

이 소설은 공소시효가 지나지 않아서 《대도》 출판 때에는 말할 수 없었던 사건과, 악마의 섬 실미도 출신으로서 국제적 킬러로 살아온 강인찬, 그리고 여자 금고털이 염채은이 얽혔던 사연을 정리한 것입니다.

'실미도 군 특수범 난동 사건'의 취재에 응해주신 많은 분들께 감사를 드립니다.

1999년 초여름, 서울 마포에서

백 동 호

차 례

▽

# 실미도 · 2

# 실미도 · 1

# 대 결

　교도소 뒷산에서 밤새껏 울어대던 소쩍새가 어둠을 싣고 날아간
뒤 새벽이 밝아오고 있었다. 일찌감치 잠이 들었다가 밤 열 시 무렵
설핏 깨어난 백동호는 뜬눈으로 날을 새웠다. 그날 따라 생각이 많
았던 것이다. 장대풍이 틀림없이 누군가를 보낼 것이며 올 때가 되
었다는 예감 때문이었다.

　물건을 돌려주고 염채은의 행방을 대지 않으면 죽이겠다는 위협
을 하겠지. 어떻게 대처를 해야 하나. 시원한 해결책이 있을 리 없
었다.

　니기미 씨팔, 당해서 못 당할 일이 없다는 말도 있지 않은가. 일
단 기다려보는 수밖에 도리가 없지.

　백동호는 고민해서 될 일이 아닌 것은 덮어두는 낙천적 성격이
었다. 복잡한 현실을 잊기 위해서라도 공부를 더욱 열심히 하기로
했다. 닥친 운명을 피하지 않겠다는 각오였다. 하지만 마음 한구석

의 불안은 식은 잿더미 속 불기같이 잔재하고 있었다.

결국 다시 잠들지 못한 그날은 아침부터 슬픈 바이올린의 선율처럼 가는 비가 내리기 시작했다. 낮게 드리워진 은회색 하늘에서 하염없이 내리는 비.

백동호는 검정고시 과학 교재를 꺼내놓고 중얼중얼 암기하고 있었다. 점심 무렵, 사동 현관 철문이 열리고 누군가 들어오는 듯했다. 신경쓰지 않았다. 그러나 경상도 사투리의 낯선 목소리에 불길한 예감이 머리를 스쳤다. 꽤나 시끄럽고 불량기있는 목소리였다.

"하이고, 교도소는 쪼매한데 되게 살벌하네. 담당님, 안녕하십니까?"

"어디서 이감 온 거야?"

"김해에서 왔습니다."

"두 사람 다?"

"예."

"이상하네. 보통 독거수들은 한 번에 둘이 오지 않는데."

"지가 그걸 우찌 알겠습니까? 가라면 가고 있으라면 있어야 하는 것이 수형자 신세 아니겠습니까?"

"몇 방이야?"

"내는 십이 방, 여기 우리 행님은 십삼 방입니다."

"목찰(죄명, 나이 등이 적힌 문패의 일종) 가져왔지?"

"예."

"꽂아놓고 얼른 들어가."

본무 담당이 감방 문을 열어주는 소리가 들렸다.

김해 교도소라면 거의 부산 구치소에서 형이 확정된 사람들이다. 더구나 한꺼번에 두 명이 이렇게 먼 청주로 이감을 왔다. 냄새가 나는군. 방에 들어갈 때까지 한마디도 하지 않았던 사내가 시끌벅적한 놈의 형님이라고 그랬지. 드디어 전쟁의 시작인가……

백동호는 갇힌 짐승처럼 좁은 감방을 서성거렸다. 내가 지금 공연히 지레짐작으로 심란해 하는지도 모른다. 운동이나 세면 때 지켜보면 알 수 있겠지. 그때 십육 방, 청주 건달 하정일의 목소리가 우렁우렁하게 들려왔다.

"담당님, 운동 시간 넘었는데요."

"비가 오는데 무슨 운동?"

"이 정도 비면 운동할 수 있습니다."

"운동을 내가 시켜줘? 여기뿐 아니라 오늘 다른 곳에도 운동 담당 배치가 없을 거야. 단념해."

"아니, 그러면 안되지요. 독거수에게는 밥보다 운동이 더 인삼녹용인데 이 정도 비 때문에 안 시켜요? 관구주임 면담 좀 합시다."

"어이, 하정일. 왜 그래? 얌전히 징역 살면 어디가 덧나?"

"내가 틀린 말 한 것 아니잖습니까? 한 평도 안되는 독방에서 운동하는 기쁨으로 징역을 삽니다. 포기하라니 열 안 받게 생겼습니까? 담당님 선에서 안되면 관구주임을 불러달라니까요."

하정일은 조직간의 이권 다툼으로 들어온 스물세 살의 애송이 건달이었다. 브레이크 없는 장갑차 같은 놈이라서 한번 주장을 펴면 끝장을 보았다. 본무 담당은 공연히 시끄러운 문제를 만들기 싫었던지 짜증을 내며 말했다.

"가만있어봐. 인터폰으로 운동 담당 보내줄 수 있는지 알아볼게."

십 분 후, 사방 청소부가 복도에 대고 외쳤다.

"각방 운동 준비!"

독거수들은 왁자지껄 운동장으로 향했다. 어제부터 땅콩 열 봉지, 오징어 서른 마리가 걸린 내기 권구가 진행중이었던 것이다. 이십대와 삼십대 수형자의 격돌이었다. 가뜩이나 호승심 강한 사람들에게 내기까지 걸렸으니 열기는 사뭇 뜨거웠다.

조금 전 김해 교도소에서 이감을 온 정형진과 양석두는 평행봉 옆에서 사람들을 둘러보고 있었다. 양석두가 평행봉 위에 올라앉으며 말했다.

"행님은 누가 백동호 같습니까?"

"저기 책 들고 고개 숙여 걷는 놈."

"행님도 그렇게 생각하십니꺼? 지도 그런데예. 생긴 가닥지는 도둑이 아니라 꼭 건달 큰형님인데, 어울리지 않게 공부는 또 디지게 열심이구마."

"이따가 목찰을 보면 저놈이 백동호가 맞는지 아닌지 알 수 있겠지."

"확인되는 대로 담궈(찔러)버릴까요?"

"아니다. 일단 물건을 돌려받는 것이 우선이다. 이야기를 해보고, 안되면 그때 가서 깨뜨리자."

"행님, 저 자슥 이리로 오고 있습니다."

"……."

백동호는 양석두와 정형진의 옆을 무심한 척 지나쳤다.

이놈들은 염채은 사건으로 나를 찾아온 것이 틀림없다. 그렇지 않고서야 내가 가까이 가면 대화가 끊어지고 예사롭지 않은 시선을 보낼 필요가 없지 않은가.

놈들이 정말로 칼잡이라면 문제가 심각하다. 역도산이 힘이 부족해서 죽은 것이 아니다. 졸지에 달려든 잔챙이 야쿠자의 칼에 죽

12

었다. 더구나 나는 칼을 마주 들고 싸울 수도 없다. 이유야 어찌되었든 놈들을 죽이고 추가징역을 받을 수는 없지 않은가. 일단 놈들의 정체에 대해서 조사를 해보자. 내가 과민반응을 보이고 있는 것일지도 모르니까. 놈들이 칼잡이가 맞다면 먼저 물건을 돌려달라는 통첩을 보내겠지. 며칠의 여유가 있다. 천천히 침착하게 생각하자.

백동호는 자신도 모르게 주먹을 불끈 쥐고 있었다.

"운동 끝!"

운동 담당의 외침소리에 권구를 하던 사람들이 아쉬운 탄성을 발하며 항의했다.

"담당님, 오늘은 왜 이렇게 빨리 끝납니까? 이제 일회전 남았는데 끝마치게 해주십시오."

"안돼. 여기는 오늘 운동이 안 잡혔는데 배치부장이 이십 분만 시켜주래서 온 거야. 밤새껏 근무한 나도 퇴근을 해야지."

운동 담당의 완강한 거부에 빨래판이 앞으로 나섰다. 빨래판이란 면도칼이나 유리 조각으로 온몸을 자해한 흉터가 우툴두툴 빨래판 같아서 붙여진 별명이었다.

"아따, 담당님. 그 좋은 맘 어디에다 영치시키고 이렇게 빡빡합니까? 딱 오 분만 부탁합시다. 일회전 남았다니까."

"빨리 안 들어가?"

"담당님, 아버지가 송곳 공장을 운영합니까? 왜 이렇게 뾰쪽하게 굴어요?"

"이 사람, 지금 시비 거는 거야 뭐야?"

백동호는 운동장의 말다툼을 무관심하게 지나치며 계속 영어 단어장에 눈을 주고 있었다. 아니, 그렇게 보였을 뿐이다. 그는 정형진과 양석두의 죄수 번호를 머릿속에 입력했으며, 그들의 정체를 파악하기 위한 궁리를 하고 있었다.

결국 권구 연장전은 열리지 못했다. 빨래판이 동료들의 만류에 담당과의 말다툼을 그만둔 것이다.

"자, 빨리들 들어가요."

담당이 재촉을 했지만 재소자들은 느릿느릿 움직였다. 백동호는 출입문에 들어서며 흘끗 뒤돌아보았다. 놈들이 여전히 자신을 눈으로 쫓고 있었다.


이틀 뒤, 하늘은 여전히 음산하고 불쾌한 표정이었다. 백동호는 국어책에 눈길을 주고 있었지만 마음이 심란해서 무엇을 읽고 있는지조차 몰랐다. 책을 덮고 방안을 서성였다. 또 비가 오려는지 암울한 검회색 하늘에서 습기찬 바람이 불어오고 있었다.

"각방, 연기소독을 시작합니다. 식기나 음식물을 잘 챙겨놓고 복도로 나올 준비하세요."

사방 청소부의 외침소리에 백동호는 마지못해 방안을 정리했다. 복도에 나오니 흰 가운을 입은 의무과 간병이 벌써 세면장을 소독하고 있었다. 복도 창문으로 빗방울이 들이치기 시작했다. 그는 비 내리는 교도소를 심드렁하게 바라보았다.

"무슨 생각을 그렇게 하십니까?"

고개를 돌려보니 정형진이었다. 드디어 올 것이 오고야 만 것이다.

"왜, 내게 무슨 할말이 있소?"

"여기서는 곤란하니까 저기 계단으로 갈까요?"

복도 끝 이층으로 올라가는 계단에는 아무도 없었다. 그들은 세

번째 계단에 나란히 앉았다.

"할말이 뭐요?"

"우선 내 소개부터 하겠습니다."

"잠깐! 이름은 정형진, 나이는 나보다 여섯 살이 적은 61년 5월 생, 합기도 3단, 부산 해운대 신흥 폭력조직인 대끼리파 행동대장 이며, 두목 박대길을 습격했던 상대 조직원을 납치해서 손도끼로 팔을 잘라버리고 징역 7년을 선고받았음. 조직으로부터 모종의 임 무를 띠고 후배 양석두와 함께 이틀 전 이곳으로 이송을 왔다. 그런 정도는 나도 알고 있으니 본론만 간단히 하시오."

정형진은 느닷없는 기습을 받은 표정이었다.

"나에 대해서 어떻게 그리 잘 압니까?"

"나는 관심이 있는 것이면 무엇이든 알아내는 재주가 있거든. 그 러니까 본론부터 말해요."

"좋습니다. 염채은의 행방을 대고 장 회장님의 물건을 돌려주시 오."

"먼젓번 문순철이란 사람이 찾아왔을 때, 나는 사건과 전혀 관계 도 없고 염채은이 어디 있는지 알지도 못한다고 분명히 말했다. 그 런데 믿지를 않더니 이렇게 당신을 보냈군."

"모르쇠로 버틴다고 될 일이 아닙니다. 성경에도 천하를 얻고도 목숨을 잃으면 무슨 소용이냐고 안합디까?"

"이 사람도 답답하기는 마찬가지군. 나는 정말 모르는 일이라니 까."

"나도 백동호 씨가 쌍둥이 형의 소식을 들은 뒤 지금은 마음 잡 고 검정고시 공부를 하고 있다는 소문은 들었습니다. 처음 왔을 때 만 해도 피차 살벌한 분위기를 각오했는데 며칠을 지켜보니까 말로 해도 통할 사람 같아서 이렇게 인간적으로 얘기를 안합니까?"

"……."

"앞으로 이틀간 여유를 줄 테니까 잘 생각해보고 좋은 대답 주시오."

정형진은 최후 통첩을 마치고 몸을 일으켰다.

백동호는 이날 밤 늦게까지 잠을 못 이루었다. '모든 문제에는 답이 있다.' 그 답을 찾아 생각에 생각을 거듭하던 백동호는 마침내 결론을 얻은 듯 한 장의 그림과 함께 양재공장의 후배 김성중에게 편지를 썼다. 그리고 콩나물공장 반장 신장식, 독거사동의 도고 영감에게 보내는 편지도 썼다.

아침 세면 시간, 백동호는 도고 영감을 슬쩍 불렀다.

"영감님, 부탁 하나 드릴게요."

"아이고, 백 선생이 내게 부탁을 할 것이 뭐 있겠소. 해보시오. 뭐든 들어드릴 테니까."

"이 편지를 읽고 그대로 좀 해주세요."

백동호는 수건 속에 숨긴 편지를 슬며시 건네주었다. 도고 영감은 심상치 않다고 느꼈는지 얼른 감방으로 들어가서 펼쳐보았다.

영감님, 머리 꼬리 자르고 가운데 토막만 말씀드립니다.
뜻밖의 일로 제 목숨이 위태롭습니다. 저를 죽이려고 하는 놈들은 며칠 전 김해 교도소에서 이감을 온 두 놈입니다. 십이 방, 십삼 방에 있는 놈들 말입니다. 아마 칼을 숨겨 왔을 것이며, 기회를 봐서 저를 찌를 것 같습니다.
언제 어느 곳에서 습격할지 모르기 때문에 저 혼자서 놈들을 경계하기란 불가능합니다. 예를 들어 아침에 놈들이 세면장에 먼저 들어가서 문 뒤에 숨어 있다면, 저는 멋모르고 들어서다가 칼침을 맞을 것입니다. 운동이 끝나고 들어갈 때도 마찬가지고요. 그럴 때 영감님이 제가 보이는 곳에 서서 놈들의 동태를 알려주는 것입니다.

놈들이 숨어 있으니 '위험하다'는 신호를 할 때는 손으로 입을 막고, '괜찮다'는 신호는 가슴을 만지세요. 영감님과 제가 이런 방법으로 의사소통하는 것을 놈들이 눈치채면 안되니까 오늘부터는 알은 체를 하지 마세요. 영감님이 도와주셔야만 제가 살 수 있습니다. 좋은 일 한번 하세요.

제 부탁을 승낙하시면 내일 아침 세면 시간 때 왼손목에 수건을 둘둘 말아들고 계십시오.

그리고 이 편지는 찢어서 뺑끼통에 버리세요.

그럼, 도와줘야지. 도와줘야 하고 말고. 내가 매맞을 때 말려준 것이 몇 번이며 편지 대필은 또 얼마나 해준 사람인데, 도와줘야지.

도고 영감은 이 빠진 늙은이 도토리묵 먹듯 중얼중얼거리며 편지를 찢어 변소에 버렸다.

오전 점호가 끝난 뒤 백동호는 본무 담당을 불렀다.

"담당님, 보안서무 면담을 좀 하고 싶은데요."

"왜?"

"개인적인 일로 상담을 하려구요. 급하니까 지금 인터폰을 좀 쳐주십시오."

김상길 담당은 인터폰을 받자마자 와주었다. 친구 동생인 그는 백동호가 어려울 때마다 변함없이 도와주고 있었다.

"동호 형, 왜?"

"너 지금 시간있냐?"

"응, 별일 없는데."

"잘됐다. 나 좀 교무과에 데려다 줘라."

"그러지 뭐. 교무과는 왜?"

"이유는 묻지 마라."

"알았어. 나와."

백동호는 교무과에서 국제 기드온협회가 발행한 〈마태복음〉 22권, 〈로마서〉 22권, 교리공부 소책자 22권 등 성경을 한보따리 얻어서 들고 나왔다. 돌아오는 길에 콩나물공장과 양재공장에 편지를 전했으며, 의무과에서 물파스 다섯 개를 빌렸다.

김상길 담당은 백동호의 종잡을 수 없는 행동에 의혹이 서린 얼굴로 말했다.

"아니, 성경책은 뭐하려고 그렇게 똑같은 것을 많이 가져가?"

"교무주임하고 상담을 하고 오는 길에 그냥 가져가는 거야. 독거수들이 스물두 명이잖아. 한 권씩 나눠주려고."

"그러면 물파스는?"

"쓸 데가 좀 있어서."

"동호 형은 예나 지금이나 하는 짓이 꼭 도깨비 같다니까."

"자꾸 말시키지 마라. 괴롭다."

아닌게아니라 백동호의 얼굴은 굳어 있었다. 그에게는 목숨이 왔다갔다하는 일 아니던가.

다음날 백동호는 운동장 철봉대에 기대서서 영어책을 펴들고 있었다. 초가을의 따가운 햇살이 그의 얼굴에 접착제처럼 달라붙었다. 아니나다를까, 정형진이 다가왔다.

"백동호 씨, 생각해보았소?"

백동호는 생뚱한 표정으로 반문했다.

"뭘?"

"당신 지금 농담 따먹기 하는 거요?"

"내 대답은 엊그제 했잖아. 검정고시 시험이 얼마 남지 않아서 그러니 그만 가라. 공부하게."

"그럼 우리의 대화는 이것으로 끝났군."

"공부 방해하지 말라는 말 못 들었냐?"

"쯧쯧쯧…… 너는 이 순간부터 사형선고를 받은 거다. 공부는 해서 뭐하냐, 곧 죽을 놈이. 불쌍한 자식."

"후후, 잡지도 못한 호랑이 가죽 흥정하는 꼴이구나. 공순이 콜걸 되니 눈꼴 사나운 콧대만 높아지더라고, 얼빵한 건달 손목 하나 자르고 들어오니까 눈에 뵈는 게 없는 것 아니냐? 거지 발싸개 같은 소리 하지 말고 빨리 꺼져."

"하, 미치겠네. 너 정말 명 재촉하냐?"

"이 자식이 가라니까 퐁당퐁당 말대답이네."

"……."

정형진이 측은한 표정으로 돌아섰다. 백동호는 어느 개가 짖냐는 얼굴로 책에 눈을 주었다.

양석두가 씩씩대는 정형진에게 쫓아왔다.

"행님, 이바구가 잘 안된 모양이지요?"

"그래. 저 자식 죽여버리자. 좆을 보니 개라고, 입 열기는 그른 놈이다."

"알겠습니다. 내일 아침 세면장에서 담궈버릴랍니더."

담당이 손나팔로 운동 끝을 외치고 있었다. 살기등등한 정형진과 양석두는 사람들 틈에 섞여 번호를 부르며 사동으로 들어갔다. 맨 마지막으로 처진 백동호는 복도 창문을 흘끗 살폈다. 도고 영감이 가슴을 긁고 있었다. 놈들이 감방에 들어갔으니 염려하지 말라는 신호였다.

감방에 들어간 양석두는 징역 보따리에서 양말을 한 짝 꺼냈다. 면과 나일론이 절반씩 섞인 관 지급품이었다. 그는 작은 못으로 양말 중간의 올을 뽑아올리더니 끊어지지 않도록 조심조심 잡아당겼다. 실을 잡아당길 때마다 불에 구워진 북어 껍질처럼 오그라들던 양말은 이윽고 두 개로 갈라졌다.

양석두는 갈라진 양말 조각에서 실을 풀어 감더니 그것을 네 겹으로 해 꼬았다. 가늘기는 하지만 제법 질긴 끈이 만들어졌다. 다시 징역 보따리에서 이송 올 때 가지고 온 세탁 비누를 꺼내들고 변소로 들어갔다.

양말 실로 꼬아 만든 끈 한쪽을 철창에 묶더니 팽팽하게 잡아당기며 세탁 비누를 실 위에 올려놓았다. 그리고 힘을 주며 앞뒤로 슬근슬근 잡아당겼다. 나무를 톱질하듯 세탁 비누는 손쉽게 잘라지고 있었다. 세탁 비누 속에서 나온 것은 김해 교도소 영선에서 몰래 제작한 사제 칼이었다. 제법 큰 줄칼(야스리)을 그라인더에 갈아 만든 그것은 면도를 해도 될 만큼 예리한 날이 서 있었다.

교도소 철공장이나 영선 같은 곳에서는 이런 정도의 칼은 얼마든지 만들 수가 있었다. 하지만 만든 사실이 발각되거나 소지하고 있다가 들키면 큰일 난다. 손발이 꽁꽁 묶여 징벌을 먹는 것은 물론 출역도 취소된다. 남은 징역 내내 요시찰로 낙인 찍혀 괴롭게 살아야 하는 것이다.

이렇게 만든 칼로 누군가를 해친다면 문제는 훨씬 더 심각해진다. 본인은 물론 사고를 예방하지 못한 직원도 감봉 내지는 파면이다. 그럼에도 불구하고 교도소에서는 칼로 사람을 찌르는 일이 종

20

종 벌어진다.

양석두는 칼 두 자루의 손잡이 부분에 양말을 감았다. 그 위를 다시 실로 꽁꽁 묶었다.

변소를 나온 그는 감방에 벌렁 누웠다. 초등학교 5학년 때부터 우상이었던 건달 삼촌의 영향으로 고등학교를 중퇴하고 시작한 조직 생활. 피어보지도 못하고 징역만 배띠미(많이) 했지만 후회는 없었다. 사나이 가는 길이니까.

다음날 아침 세면 시간, 양석두는 수건 속에 감춘 칼 한 자루를 정형진에게 건네주었다.

"행님, 우리는 세면장 문 뒤에서 씻고 있다가 놈이 들어와 얼굴에 비누칠을 하면 담궈버립시다."

"그래. 부상만 입히고 말면 안된다."

"하모요. 걱정 마이소."

"일단 놈이 쓰러지면 너는 목을 찔러라. 나는 심장을 찌르겠다."

"알겠습니다. 장사 한두 번 하는교."

백동호는 아직 나오지 않고 있었다. 그들은 일찌감치 세면장에 들어가 기다렸다.

한편 그들의 동태를 은밀히 살피던 도고 영감은 가슴이 덜컥했다. 양쪽으로 나눠서 세수를 하는 그들은 비누칠은 전혀 하지 않은 채 시늉만 내고 있었다. 더구나 수건에다가 무언가를 둘둘 말아서 허리춤에 찔러넣고 있었다. 아마 칼일 것이었다.

도고 영감은 마치 자신이 위험에 처한 듯 안절부절 못했다. 하지만 백동호는 좀처럼 감방을 나오지 않더니 결국 사람들이 다 들어갈 때까지 오지 않았다. 도고 영감은 안도의 한숨을 내쉬었다.

정형진과 양석두는 잔뜩 긴장했다가 맥이 탁 풀렸다.

"행님, 이 자슥이 겁을 묵은 모양입니더."

"지가 운동이라도 나오겠지. 이따가 준비하고 나와라."

"알겠습니더."

그러나 백동호는 운동도 나오지 않았다. 그는 세면, 운동뿐 아니라 목욕, 의무과 등 감방 밖으로 나오는 기쁨을 일절 포기하고 있었다. 그저 감방 안에서 묵묵히 공부만 하는 것 같았다. 이제나저제나 기회만 노리던 정형진과 양석두가 오히려 초조해지기 시작했다. 도대체가 맞닥뜨려야 죽이든 살리든 할 것 아닌가.

삼일째 되는 날 운동 시간, 참다 못한 정형진이 백동호의 감방 앞에 섰다. 백동호는 여전히 공부를 하고 있었다. 정형진은 목소리에 한껏 빈정거림을 담았다.

"야, 이 자식아. 그렇게 꼬리를 내릴 거면 왜 큰소리는 탕탕 쳤냐? 징벌사동의 희한한 싸움꾼(강인찬)하고 친하다는 소문이던데, 그놈이 내려올 때까지 기다리고 있는 거냐?"

백동호는 눈길 한번 돌리지 않고 책을 보고 있었다. 정형진이 다시 말했다.

"왜, 내가 정곡을 찔렀냐?"

백동호가 고개를 들었다. 얼굴에는 여유로운 미소가 담겨 있었다. 허세인지는 몰라도 겉으로 보기에는 한껏 상대를 깔보는 자신만만한 얼굴이었다.

"정형진, 내가 제일 싫어하는 말이 뭔지 아나? 똥이 무서워서 피하랴, 더러워서 피하지, 라는 속담이다. 얼른 듣기에는 그럴 듯하지만 이 말은 부딪칠 용기가 없는 사람들이 자신의 비겁함을 감추기 위해서 많이 쓰더라. 무서워서 피하거나 더러워서 피하거나, 맨날 그래야 되는 거라면 그 똥을 삽으로 떠내 버리고 당당하게 지나다녀야 한다는 것이 내 소신이다. 하지만 아직은 네놈들과 내가 부딪칠 때가 아니다. 나도 작전이라는 것이 있거든. 인찬이 형이 징벌방에서 내려오기 전에 네놈들은 내게 피곤죽이 되도록 매를 맞을 거다. 물론 처벌은 니놈들만 받고 나는 정당방위가 되겠지. 지금이라도 나를 노리는 짓을 그만둔다면 용서하마."

"하이고, 주둥이는 여전하구만. 삼일운동 때 이불 속에서 만세를 부른 놈들은 다 살아남았다더라."

"눈먼 강아지 호랑이가 무서운 줄 알려면 물려봐야 한다더라."

"그러니까 너는 호랑이고 우리는 눈먼 강아지라 이거지? 참 웃기는 호랑이 다 보네. 눈먼 강아지 무서워서 밖에도 못 나오고."

"말장난하기로 하면 나도 한 장난 하는데 그만하자. 싸가지없는 놈하고 하려니 짜증난다."

아닌게아니라 복도 끝에서 운동 담당이 짜증이 잔뜩 난 목소리로 고함을 쳤다.

"거기, 무슨 얘기가 그렇게 길어? 운동 안할 거야?"

정형진은 마누라를 친구에게 뺏긴 놈처럼 붉으락푸르락 상기된 얼굴로 운동장을 향했다. 양석두가 그런 정형진의 눈치를 살피며 다가와 말했다.

"행님, 놈이 뭐라 합디까?"

"곧 우리를 피곤죽으로 두들겨 팰 테니 기다리라고 하더라."

"뭐라꼬요? 이 자슥을 그냥……."

그들은 말없이 운동장을 걸었다. 다혈질의 양석두가 못 참겠다는 듯 씩씩거리며 말했다.

"행님, 언제까지 기다릴 수는 없다 아닙니꺼? 본무 담당을 인질로 잡고 감방 열쇠를 빼앗아서 쳐들어갑시다. 어차피 추가징역은 피할 수 없다 아닙니꺼?"

"……."

"그리합시더, 행님."

"아니다. 큰형님께서 공연히 문제를 확대하지 말고 처리하라고 하셨다. 시비 끝에 일을 저지른 것이란 변명의 여지가 있어야 한다. 그러지 않으면 살인이 된다."

"행님은 모른 체하이소. 내 혼자서 감당하겠습니더. 우리가 꼭 백동호란 놈에게 놀림을 당하고 있는 것 같아서 못 참겠습니더."

"놈도 사람인 이상 겁이 나 있을 거다. 이번주 토요일에 위문공연이 있다고 그랬지? 그때는 본무 담당까지 사동 전체가 가야 하니까 놈도 안 나올 수가 없을 거다. 공연이 시작되면 커튼 치고 실내등도 끌 테니까 깜깜할 것 아니냐. 도둑놈들은 모두 여자 출연자 구경에 헤벌레할 것이고. 그때 뒤에서 양옆구리를 찌르는 거다. 소란해진 틈을 타서 뒤로 슬쩍 빠져 시치미를 떼면 어느 놈이 그랬는지 알게 뭐겠냐?"

"좋습니다…… 그런데 검신기를 우찌 통과하지요?"

교회당으로 가는 길목에는 쇠붙이를 지니고 통과하지 못하도록 하는 문이 있다. 칼은커녕 바늘 하나까지 적발이 된다. 양석두가 눈을 가늘게 하며 말했다.

"행님, 차라리 놈이 위문공연을 보려고 감방을 나오자마자 복도에서 해치웁시다."

"섣불리 접근해서 싸움을 하거나 놈이 아래층 위층으로 도망다니며 시간을 끌면 실패할 수가 있다. 비상벨을 누르면 기동타격대(경비 교도대)는 삼 분이면 도착할 거다. 첫공격에서 실패하면 다음에는 영영 기회가 없다. 무조건 기습으로 단번에 끝내야 한다. 칫솔대를 갈아서 송곳을 만들자. 외국 영화에서 보니까 교도소에서 조직끼리 암살을 하는데 그것으로 찌르더라. 몇 번 찌른 뒤 얼른 뽑지 못하게 깊이 박아넣고 손잡이를 분지르면 된다."

"그것으로 뭬지겠는교?"

"그럼! 쇠 송곳이나 플라스틱 송곳이나 찔러서 들어가면 마찬가지 아니냐."

"차라리 대나무를 구해서 예리하게 깎으면 어떻습니꺼?"

"그것도 좋지. 육이오 때 대창으로 사람들 많이 찔러 죽이는 것 영화로 봤다. 하지만 그럴 대나무가 있나?"

"사방 청소부에게 젓가락 만든다며 오징어나 네댓 마리 주면 그럴 듯한 것으로 여러 개 가져오지 않겠습니꺼? 어차피 공장에는 있을 테니까요."

"그러면 니가 알아서 구해봐라."

"아마 오늘내로 구해질 수 있을 겁니더. 부지런히 갈아두겠습니더."

"만약을 위해서 서너 개쯤 만들어라."

과연 대나무를 구하는 것은 어렵지 않았다.

양석두는 굵고 튼튼한 것으로 골라서 변소 시멘트 벽에 틈틈이 갈기 시작했다. 하루에 두 개씩 만들 수가 있었다. 마무리는 사제 칼로 다듬고 수건에다 치약을 묻혀 광까지 냈다. 날카로운 그것은 사람뿐 아니라 돼지나 소도 찔러 죽일 수 있을 만큼 살벌했다.

살인 계획이 착착 진행되는 동안 백동호는 여전히 두문불출한 채 검정고시 공부에 몰두하고 있었다.

벼르고 벼르던 토요일은 마침내 오고야 말았다.

"각방 교회당 준비! 위문공연입니다."

사방 청소부의 고함소리에 독거수들이 우르르 복도로 몰려나왔다. 영화 상영은 한 달에 한두 번 있지만 위문공연은 2년 만에 처음 있는 경사였다. 모두가 들뜬 얼굴일 수밖에 없었다.

백동호는 가능한 늑장을 부리며 감방을 나왔다. 정형진과 양석두는 선두 그룹에 서 있었다. 먼저 나온 도고 영감이 슬금슬금 뒷걸음질로 백동호에게 다가와서 속삭였다.

"백 선생, 교회당에서도 봐주어야지?"

"아닙니다. 어차피 실내가 어두워서 잘 보이지도 않을 것입니다. 쇼나 감상하세요. 그리고 설마 교회당에서 습격을 하겠어요?"

"그래도 되는감? 위험할 텐데."

"아무튼 지금은 괜찮습니다. 이따 입방을 할 때나 서둘러 들어가서 망 좀 봐주세요."

"그런데 저놈들이 어째서 백 선생처럼 좋은 사람을 해치려고 하는겨?"

"오해 때문입니다. 곧 풀리겠지요."

교회당을 향해 걷는 독거수들은 저마다 기대에 차 농담과 웃음이 만발했다. 백동호만이 몹시 굳은 얼굴이었다.

교회당은 먼저 온 공장 사람들로 가득 차 있었다. 1천 명이 넘는 재소자들은 제각기 친한 사람끼리 짝을 지어 앉아서 오징어, 사탕 등을 나눠 먹다가, 아는 사람과 눈이 마주치면 인사를 하느라 왁자지껄했다. 그야말로 도둑놈(수형자의 통칭) 천지였다.

"조용히 합시다. 조용히 해요."

교무과 직원이 마이크를 잡고 장내를 정리했다. 하지만 도둑놈들에게는 씨가 먹히지 않았다. 정형진과 양석두의 두 줄 뒤에 앉은 백동호 역시 아는 사람들과 인사를 나누느라 여념이 없었다. 잠시 후 인원 파악이 끝나자 창문에 커튼이 가려졌다. 실내등이 꺼지고 무대에 환한 불이 들어왔다.

오인조 밴드의 팡파르가 울리자 재소자들이 와아 박수를 쳤다. 무대 뒤에서, 한때는 인기 절정이었으나 이제 밤무대로 물러난 남자 가수 정원의 목소리가 들려왔다.

"마른 잎이 하안잎 두잎 떨어지는 지난 가을날……."

마이크를 잡은 채 무대에 등장한 정원은 노래가 끝나자 허리를 깊숙이 숙였다.

"안녕하십니까? 잠시나마 여러분과 함께 즐거운 시간을 보내려고 달려온 정원 인사드립니다."

"와와─ 짝짝짝─."

"다른 때 다른 장소라면 제가 와이담도 하고 노래도 몇 곡 더 부른 뒤 다음 순서를 진행하겠지만, 오늘은 여러분이 원하시는 것이 무엇인지 잘 알기 때문에 곧바로 다음 순서로 넘어가겠습니다. 밤무대의 여왕 이진주 씨를 소개합니다."

"와와─ 우우우─."

재소자들의 함성과 함께 가슴이 깊이 파인 까만 드레스의 여가수가 김수희의 '남행열차'를 부르며 나타났다. 팬티가 보일락말락 할 정도로 옆이 터진 드레스, 미끈한 다리가 보는 이들로 하여금 침을 꼴깍 삼키게 했다.

노래는 최진희의 '눈물에 젖은 승차권'으로 이어지고 있었다. 재소자들은 조금이라도 더 자세히 보려고 까치발을 하거나 긴 의자의 등받이 위에 엉덩이를 걸치기 시작했다. 무질서한 어둠 속, 백동호는 정형진과 양석두를 찾았다. 그러나 사람들에게 가려서 잘 보이지 않았다. 도고 영감은 침을 흘리며 여가수의 쏟아질 듯 풍만한 젖가슴에 넋을 잃고 있었다. 사내, 그것도 교도소의 재소자들은 모두 수캐 넋을 지니고 있을 수밖에 없었다.

이진주는 두 곡을 더 부른 뒤에야 무대 뒤로 사라졌다. 이어서 여성 트리오 '휘파람새'가 트럼본을 들고 나왔다. 아슬아슬한 미니스커트의 세 미녀는 간간이 트럼본을 불면서 노래를 불렀다.

"오메, 미치겄네."

"끄응!"

재소자들의 신음과 교성이 교회당을 넘실거렸다. 양석두가 대나무 송곳을 꺼내들며 정형진에게 속삭였다.

"행님, 지금 시작할까예?"

"조금만 더 기다리자."

"퍼뜩 해치우고 맙시다."

"기다리라니까."

'휘파람새'가 들어간 뒤 개그맨 엄용수가 나왔다.

"우와, 실물로 보니 참 주먹만하네."

"열여섯인가 스무 살인가, 어린 영계랑 산다면서?"

엄용수는 정치인과 유명인사의 성대 묘사와 몇 가지 개그로 웃음을 끌어냈다. 하지만 재소자의 관심은 다른 것에 있었다. 스트립 쇼를 한다고 해서 후끈 달아 있는데 말장난에 놀아날 여유가 없었던 것이다.

이윽고 기다리고 기다리던 순서가 돌아왔다. 색소폰이 목놓아 흐느끼고 섹시한 여자 두 명이 나풀나풀 걸어나오더니 살큼 고개를 숙였다.

"와우— 휙 휙—."

박수와 함성, 휘파람이 교회당을 뒤흔들었다. 사흘 굶은 허기에는 보리개떡도 천하진미가 되고 홀아비 3년이면 쩨보도 천하일색으로 보이는 것이거늘, 삭막한 교도소에서 스트립 댄서의 등장은 그야말로 대 사건이었다.

여자들이 요염한 몸짓으로 엉덩이를 돌렸다. 얇은 옷을 하나씩 벗어던질 때마다 재소자들의 신음은 차라리 탄식으로 변해갔다. 정형진은 슬그머니 고개를 뒤로 돌렸다. 백동호 역시 수컷이었다. 스트립 댄서의 몸놀림에 넋을 잃고 있는 것 같았다. 그는 양석두의 옆구리를 건드리며 속삭였다.

"시작하자. 너는 그쪽, 나는 이리로 가서 놈의 뒷줄 양옆에서 만나자."

"알겠습니더."

그들은 은밀하게 움직였다. 열광하는 함성과 번쩍이는 조명 속에서 그들의 움직임을 눈여겨 보는 사람은 없는 것 같았다. 사부작 사부작 백동호의 뒤로 접근한 그들은 어둠 속에서도 반짝이는 눈짓을 주고받았다. 신속하게, 그리고 깊이 찔러야 한다는 의사소통이었다.

스트립쇼는 절정에 이르러서 댄서의 백옥 같은 젖가슴이 보일락 말락, 코딱지만한 브래지어를 끄를 듯 말 듯하고 있었다. 누군가 끄응, 신음을 뱉었다. 대나무 송곳을 움켜쥔 양석두와 정형진이 번개처럼 달려들었다. 송곳이 백동호의 양옆구리를 파고들기 직전, 그들은 느닷없이 누군가에게 떠밀려서 벌렁 나자빠지고 말았다.

"어어!"

우당탕, 두 사람이 넘어지자 넋을 잃고 있던 다른 재소자들도 도

미노 현상처럼 줄줄이 쓰러졌다.

"에이 씨팔, 이거 뭐야?"

"어떤 새끼야?"

넘어진 사람들은 저마다 비명을 지르며 정형진과 양석두를 나무랐다. 백동호는 주변의 소란을 모르는 것처럼 여전히 무대의 스트립 댄서를 바라보고 있었다. 정형진과 양석두는 눈가에 시퍼런 불꽃을 피우며 몸을 일으켰다. 이렇게 된 이상 그냥 물러설 수는 없었다.

"이 새끼, 죽여버리겠다. 와아악ー."

고함을 치며 달려들었다. 그러나 그들은 앞을 막아서는 건장한 사내 네 명에 의해서 제지당했다. 양석두의 목소리가 살기를 띠고 있었다.

"뭐꼬? 이 자슥들아, 비켜라."

건장한 사내들 가운데서 콩나물공장 반장 신장식이 한 발 앞으로 쓰윽 나섰다. 그리고 특유의 점잖은 어조로 말했다.

"형씨들, 피차 소란 피워서 좋을 것 없으니까 쇼나 봐."

정형진과 양석두는 어처구니없다는 표정을 지었다. 이런 준비를 하고 있었다니. 우리가 놈을 얕보았구나.

백동호는 그제서야 빙긋 미소를 지으며 그들을 쳐다보았다. 아무런 말도 없는 것이 더욱 얄미웠다. 그러나 분하지만 물러날 수밖에 없는 상황이었다. 양석두가 이를 뿌드득 갈았다.

"행님, 이게 우찌 된 일인교?"

"역시 만만치 않은 놈이다."

"하! 돌아버리겠네."

"이렇게 되면 할 수 없다. 입방할 때 사동 현관문 뒤에 숨어 있다가 놈이 들어오면 담궈버리자."

그들이 새로운 습격을 논의하는 동안 뒷자리의 백동호 역시 신장식과 밀담을 나누고 있었다.

"고맙다, 장식아."

"며칠 전 형님의 편지를 받았을 때 많이 놀랐습니다. 앞으로 어떻게 하실 것입니까? 저놈들 폼을 보니 계속 형님을 노릴 것 같은데요. 제가 아이들 몇을 붙여드릴게요. 독거사동에도 우리 청주 애들이 있으니까요."

"…… 그럼 이따가 입방할 때나 신세를 좀 지자. 저 자식들이 열받은 김에 사동에서 달려들 가능성이 있거든."

"염려하지 마십시오."

"고맙다."

신장식은 함께 있던 후배 하정일과 윤영현을 돌아보며 말했다.

"너희들 지금 상황이 어떻게 돌아가고 있는지는 대충 알겠지?"

"예."

"입방할 때 동호 형님을 앞뒤에서 호위해드려라."

"알겠습니다."

"오늘뿐 아니라 앞으로도 사동내에서 각별히 신경을 써드려. 내가 형제처럼 생각하는 분이니까. 너희도 동호 형님 알지?"

"예, 알고 있습니다. 사실은 장식이 형님의 연락을 받고서 아까 사동에서부터 동호 형님 곁에서 호위해 왔습니다."

백동호는 신장식의 배려에 새삼 가슴이 뭉클했다. 그들의 우정은 1년 전 백동호가 타일 기능사 2급 훈련 과정을 마치고 인쇄공장으로 출역하기 전 잠깐 머물렀던 미지정에서 시작되었다. 비록 같은 방에서 함께 생활은 했지만 신장식은 제법 이름난 건달이고 백동호는 금고털이며, 나이도 백동호가 열 살이나 더 많기 때문에 우정을 나눌 만한 공통점은 없었지만, 서로에게 묘한 매력을 느껴 급속히 친해졌다.

어쨌거나 백동호를 비롯한 몇몇에게는 심란했던 위문공연이 끝났다. 정형진과 양석두는 잽싸게 먼저 교회당을 나갔다. 사동 출입문 뒤에 서 있다가 습격할 작정이었다.

재소자들은 흥분이 채 가시지 않은 얼굴로 교회당을 나왔다. 아마 오늘 밤 이불 속에서 똘똘이를 흔들다가 화장지깨나 없어질 것이었다.

정형진과 양석두는 사동 출입문 뒤에 숨어서 이를 갈았다. 사람들이 들어오면서 이상하다는 듯 힐끔거렸다. 하지만 그런 것을 신경 쓸 겨를이 없었다. 이 새끼, 너 오늘 밤 밥 숟갈 놓을 줄 알아라. 양석두가 문틈으로 밖을 내다보았다.

"행님, 오고 있습니다. 문 회장 바로 뒤입니다. 문 회장 앞에는 빨래판이구요."

"오냐. 알았다."

그들은 긴장으로 끈적한 손바닥의 땀을 바지에 문질렀다. 잠시 후 장석근이 현관문을 통과했다. 이어서 들어오는 문세일. 이제 백동호가 들어올 차례였다. 그들은 한껏 눌려진 용수철처럼 튀어오를 준비를 했다. 자, 하나, 둘…….

그러나 백동호는 문앞에서 멈칫했다. 도고 영감이 복도 저편에서 연신 손으로 코를 만지며 안절부절 못하고 있었던 것이다. 백동호는 뒤따라 오던 신장식의 후배들에게 눈짓을 했다. 그들은 등을 마주하고 서더니 말했다.

"문 뒤에 누가 있나? 자, 우리 들어갑니다."

옆걸음질로 들어가는 두 사람. 백동호는 그 사이에 샌드위치처럼 끼어 있었다. 활짝 열려진 출입문은 세 사람이 한번에 들어가도 별무리가 없었다. 정형진과 양석두는 또 한번 허탈한 표정으로 습격을 포기할 수밖에 없었다.

그날 이후, 백동호는 가끔 운동을 나오는 것 말고는 바깥 출입을 일절 하지 않았다. 물론 운동을 할 때는 신장식의 후배들이 그림자처럼 호위를 해주었다.

운동장에는 까슬까슬한 초가을 바람이 모래 먼지를 일으키고 있었다. 백동호 일행은 즐겁게 담소를 하며 걷는 도중에도 정형진과 양석두가 다가오면 경계 태세를 노골적으로 드러내고는 했다. 서로를 마주 보고 걸어올 때면 바라보는 눈빛에 적의가 서릴 수밖에 없는 사이였다. 뒤에서 습격을 하려 해도 좀처럼 기회를 주지 않았다. 정형진과 양석두는 초조함을 넘어 미치고 팔딱 뛸 것 같은 심정이 되어갔다.

"행님, 오늘은 기어코 해치울랍니더. 참는 것도 한도가 있다 아닙니꺼."

"음……."

"망설일 것이 뭐 있습니꺼. 이제 이판사판 아닌교?"

"석두야, 내 생각은 좀 다르다. 저 자식은 감방을 나설 때마다 항상 수건을 들고 있다. 그 속에는 칼이 있을 것 같다. 게다가 청주 건달들이 호위를 하는데 무모하게 일을 벌이면 씹도 씹같이 못하고 좆에 풀칠만 하는 것 아니겠냐? 큰형님에게 도움을 청했으니 며칠만 기다리면 좋은 수가 날 거다."

"내는 그때까지 못 참겠습니더. 밉다 밉다 하니까 고깔을 모로 쓰고서 요래도 밉소 혀를 내밀더라고, 저 자슥 간간이 우리랑 눈이 마주치면 알 듯 모를 듯한 웃음을 짓는데 사람 환장할 일 아닙니꺼. 해볼 테면 해봐라, 이 겁쟁이들아. 그렇게 말하는 것 같아서예.”

“나는 어쩐지 저놈이 지금 우리의 습격을 유도하는 것 같은 생각이 든다.”

“배때기에 철판을 간 것도 아닌데 쑤시면 되는 기라요. 어차피 추가징역은 각오 안했는교? 행님은 지켜만 보이소. 내가 해치울랍니더.”

그들이 얘기를 나누는 동안 백동호 일행이 다가오고 있었다. 단숨에 찌를 수 있을 만큼의 거리가 되었을 때도 백동호는 여전히 미소 띤 얼굴로 얘기를 나누고 있었다.

“…… 그때는 컴퓨터가 없으니 잘만 하면 초범으로 될 수가 있었거든. 아무튼 왜 거짓말을 하냐며 준엄하게 꾸짖자 도둑놈은 이렇게 대답했어. ‘아니, 판사님! 거 뭐 좋은 거(전과)라고 있다 그러겠습니까?’”

“하하, 그거 동호 형님 얘기 아닙니까?”

“아니라니까…….”

그들을 노려보던 양석두가 뛰어들려는 순간, 신장식의 후배가 먼저 가로막으며 어깨를 부딪쳤다. 그는 상대를 찍어누르듯 건달 특유의 시비조로 말했다.

“씨팔, 왜 이렇게 넓은 운동장에서 거리적대고 지랄이야?”

짧은 눈싸움 끝에 양석두의 입술이 파르르 떨렸다.

“카! 참말로 미치겠네. 이 자슥들을 몽땅 직이뿔 수도 없고…….”

“크크크, 직이뿌러? 어디 칼맛 좀 볼까? 아님 우리가 먼저 보여줄까?”

"너그들 정말 죽을라고 빽 쓰나?"

"똥개도 제 집 앞에서는 오십 점을 따고 들어간다는데 어디서 굴러왔는지도 모르는 놈 공갈에 우리가 넘어가 줘야 하니?"

"도대체 느그들은 백동호 이 자슥하고 뭔 관계가 있는데 이렇게 충성을 바치노?"

"말조심해, 이 새끼야. 형님에게 이 자식이라니!"

또 다시 살기를 담은 눈길이 오고갔다. 백동호가 그제서야 빙그레 웃는 모습으로 끼어들었다.

"어이! 나는 말야, 너희들이 호박잎에 청개구리 오르듯 폴짝대는 모습이 보기 싫어서 오늘 운동을 마지막으로 당분간 잠수할 거야. 내게 다급한 볼일이 있으면 지금 아니면 기회가 없을 걸."

그때 행여라도 싸움이 날까 싶어서 지켜보고 있던 운동 담당이 다가오며 말했다.

"거기! 지금 반상회하는 거야, 싸우는 거야?"

그들은 서로를 경계하며 말없이 흩어졌다.


정형진은 굳은 얼굴로 보안과 상담실에 들어섰다. 수사접견이었다. 형사 문순철과 함께 온 대끼리파 두목 박대길 역시 굳은 얼굴로 앉아 있었다. 정형진이 구십도 인사를 했다.

"형님, 오셨습니까?"

그러나 박대길은 고개조차 까딱하지 않고 노려보았다. 무언의 강한 질책이었다. 정형진은 뻘쭘한 얼굴로 엉거주춤 서 있었다. 무거운 침묵이 계속되자 문순철이 화장실에 가는 것처럼 자연스럽게 일어섰다.

상담실에는 박대길과 정형진 둘만이 남았다. 규칙상으로는 교도

관이 입회를 해야 하지만, 수사접견의 경우 형사와 재소자가 자유
롭게 얘기하도록 입회를 하지 않는다. 때문에 그들의 대화는 꺼릴
것이 없었다. 박대길이 노여움을 담은 목소리로 말했다.

"앉아라."

"예, 형님."

"……너 무슨 일을 이따위로 하냐?"

"죄송합니다."

"벌써 한 달이 지났잖아. 일이 지연되는 이유가 뭐야?"

"……."

"너 징역을 살더니 많이 약해진 것 같다."

"그런 게 아닙니다. 백동호를 호위하는 놈들이 있습니다."

"호위라니?"

"백동호는 요즘 거의 감방 밖을 나오지도 않을 뿐더러, 어쩌다가
운동이나 세면을 나오면 신장식이라는 청주 건달의 후배들이 그림
자처럼 호위를 해줍니다."

"신장식?"

"예. 청주 파라다이스파의 행동대장인데, 백동호와는 미지정에
서 공부를 함께 하며 의형제가 되었다 합니다."

"놈이 몇 살이나 되었는데?"

"스물네 살이라 하던데요."

"이런 밥통 같은 놈. 애송이 하나 때문에 일을 지연시키고 나까
지 오라고 했단 말야?"

"나이는 어려도 대단합니다. 그놈아가 청주 시내에서 '모여라'
한번 하면 수백 명이 사시미를 들고 집합한다고 합니다. 얼마 전에
검정고시 시험을 보러 청주 중학교에 나갔을 때, 후배 오십 명이

36

검은 양복 차림으로 중학교 정문 양쪽에 도열해 있었답니다. 시험이 끝나는 아홉 시간 동안 계속 부동 자세로요."

"알았다. 내가 조치를 취해주지."

"감사합니다, 형님."

화장실에 갔던 문순철이 들어오고 있었다. 다시 일상적인 얘기가 오고갔다.

박대길은 교도소를 나오자 곧바로 청주 관광호텔로 직행했다. 신장식의 선배들을 만나보기 위해서였다.

이틀 뒤 공장수의 저녁 입방 시간, 백동호는 여전히 검정고시 공부에 몰두하고 있었다.

"동호 형님, 뭐하세요?"

고개를 들어보니 신장식이 시찰통 앞에 서 있었다.

"어! 장식아, 이제 오냐?"

"예."

"무슨 일 있냐? 안색이 좋지 않구나."

"……."

"왜 그래?"

"동호 형님, 죄송하지만 내일부터 동생들이 형님과 함께 하지 못할 것 같습니다."

"……."

"어제 밖에서 연락이 왔는데 이 일에서 손을 떼라는 겁니다. 아마 부산에서 우리 식구들에게 협조를 요청한 것 같습니다. 저야 어차피 이 길을 가야 하니까 형님이 이해해주십시오."

"…… 그랬구나. 할 수 없지. 예견된 일이었다."

"미안합니다."

"미안하기는. 그 동안 정말 고마웠다."

"칼이나 하나 만들어다 드릴까요?"

"아니, 됐다. 그런 방법으로 해결하려면 진작에 무슨 일이 벌어졌지. 사실은 나도 칼처럼 보이라고 수건 속에다가 막대기를 넣어 다녔거든. 놈들을 찌르고 추가징역을 받고 싶지는 않다."

"그럼 어쩌시려고요?"

"걱정하지 마라. 나도 더 이상 이렇게 지내기도 한계에 부딪혔으니 곧 결말이 날 거다."

"아무튼 죄송합니다."

"하하하, 너야 어쩔 수 없는 일이지 뭐. 들어가 쉬어라."

신장식은 끝내 굳은 얼굴을 풀지 못하고 갔다.

백동호의 지랄같이 심란한 가슴을 하늘은 아는지 모르는지, 그날부터 삼일을 연속 비가 내렸다. 그 동안 운동은 없었고, 백동호는 다른 일에도 방문 밖을 나서지 않았다.


오랜 비가 그친 뒤 하늘은 진청색 바다같이 맑았다. 정형진과 양석두가 백동호를 발견한 것은 운동장에서였다. 설마 운동을 나오리라고는 생각도 못하고 무심코 방을 나섰던 것이다.

"행님, 저 자슥 운동을 나왔네요. 무슨 배짱인지 모르겠습니다. 아무튼 절호의 기회인 것 같습니다."

"그러게 말이다. 너 연장 가지고 나왔냐?"

"어데요. 검방(감방을 검사하는 일) 때문에 꽁꽁 숨겨놨습니다. 가지고 나오겠습니다."

운동장에는 땅탁구를 하는 사람, 족구를 하는 사람, 짝을 지어 걷는 사람 등 제각각이었다. 백동호는 사동 벽에 기대서서 과학책을 읽고 있었다. 평상시와 다름없는 운동장 풍경이었지만 사람들은 묘한 긴장을 느끼는 듯했다.

눈치 하나로 세상을 헤쳐온 어둠의 인생들. 그들은 누가 내 밥의 콩을 빼먹지 않으면 남의 일에는 참견하지 않는 것이 불문율이었다. 때문에 모두들 모르는 척하고는 있지만 자칫 살인이 벌어질지도 모르는 지금 상황을 피부로 느끼고 있는 것이었다. 특히 그 동안 호위를 해주던 신장식의 후배들은 백동호를 대하기가 미안해서인지 멀찌감치에서 땅탁구를 치며 힐끔거렸다.

백동호의 반대편 담벼락에서 정형진과 속닥이를 맞추던 양석두가 결심이 선 듯 운동 담당 앞으로 다가가고 있었다.

"담당님, 사동으로 좀 들여보내 주이소."

"왜?"

"어제부터 설사를 만났는데 지금 죽겠습니다."

아닌게아니라 그는 오줌 마려운 계집 시외버스 안에서 조바심치듯 오만상을 찌푸리고 있었다.

"할 수 없지. 대변 본 뒤 운동 또 나올 거야?"

"미안하지만 그렇게 좀 해주이소. 독거수에게는 햇빛이 영양제 아닌교."

운동 담당은 선선히 승낙을 했다. 독거사동 복도 옆에 나 있는 철문이 열리자 양석두는 되게 급한 것처럼 어기적거리며 들어갔다. 그는 본무 담당에게 설사를 만난 사정을 다시 한번 설명한 뒤 자신의 방 뺑끼통으로 직행했다.

엉덩이를 까내린 양석두는 대포알(변기의 냄새가 올라오는 것을 막기 위해서 솜이나 쓰레기 등을 비닐로 감싸 만든 자루) 손잡이 끈을 끌렀다. 하루에 한 번씩 검방을 하는 교도관들도 이 지저분한 대포

알은 만지지 않기 때문에 담배나 흉기 따위를 숨기기에는 안성맞춤이었다.

대포알 깊숙이에서 칼을 꺼낸 양석두는 후련하게 대변을 본 사람처럼 감방을 나왔다.

"담당님, 저 운동 다시 나갑니더."

"그래."

양석두는 운동장에 발을 들여놓으며 백동호를 흘끔 바라보았다. 여전히 책을 보고 있었다. 양석두는 슬며시 정형진에게 다가갔다.

"행님, 갖고 왔습니다."

"내 것은 없어서 어떡하냐?"

"한 자루만 있으면 됩니다. 행님은 지원만 해주이소. 지금 담궈버릴까요?"

"결투가 벌어지면 안된다고 몇 번이나 말 안했냐? 비상벨을 누르면 무장한 경비 교도대가 삼 분내로 도착한단 말이다. 그때까지 쇼부가 안 나면 어쩔래? 이따가 입방할 때 출입문 양쪽 뒤에서 기다리자. 놈이 들어서면 내가 달려들어서 끌어안을 테니 너는 마음놓고 찔러라. 살아나지 못하도록 깊이 여러 번 찔러야 한다."

"알겠습니다."

"저놈이 눈치 못 채도록 입방할 때 따로따로 들어가자."

도고 영감은 모처럼 운동을 나온 백동호가 무슨 일을 당할까 걱정스러운 얼굴로 정형진 일행의 근처를 얼쩡거렸다. 속삭이는 모양새가 아무래도 일을 저지르려는 것이 분명했다. 그 사실을 알려주고 싶지만, 백동호에게 함부로 접근했다가는 놈들에게 눈치채일 것 같았다.

도고 영감은 그저 위험하다는 신호로 계속 코를 만졌다. 그러나 백동호는 무심한 눈길을 한번 주었을 뿐 여전히 책에 몰두하는 것 같았다.

"운동 끝!"

운동 담당의 외침소리에 따라 독거수들이 들어가면서 순서대로 번호를 외쳤다. 스물두 명의 독거수 중에 정형진은 두번째, 양석두는 다섯번째로 들어갔다. 백동호는 맨 뒤로 처져 있었다.

열다섯…… 스물, 스물하나. 이제 마지막으로 백동호가 들어설 차례였다. 그는 다시 한번 복도 저편 창문을 바라보았다. 도고 영감이 헬쑥하게 질린 얼굴로 연신 코를 만지고 있었다. 출입문 뒤에 숨어 있다는 신호였다. 백동호가 망설이는 발걸음을 옮겼다.

오후의 햇살은 긴 그림자를 먼저 들여보내고 있었다. 그림자는 머리에 이어서 어깨와 가슴이 들어서고 있었다. 정형진과 양석두는 긴장으로 숨을 멈추었다. 칼을 든 손에는 힘이 바짝 들어가 있었다.

"백동호 씨, 빨리 들어가."

모두 들어가는가를 감시하고 있던 운동 담당이 뒤에서 재촉했다.

"예."

백동호는 대답을 하고서도 잠시 머뭇거렸다. 출입문 뒤의 정형진 일행이 이를 악물었다. 하나, 둘, 셋. 백동호는 셋을 세고서도 심호흡을 한번 더 길게 했다.

"왜 이렇게 꾸물대? 빨리 들어가라니까."

"알았다니까요. 자아, 들어갑니다."

백동호는 몸을 바싹 낮추며 야구 선수의 슬라이딩처럼 뛰어들었다. 양손에 물파스를 잡은 그는 바닥에서 엎어진 몸을 뒤집었다. 이런 돌발 사태를 예상하지 못한 듯 정형진과 양석두가 놀란 눈을 치뜨며 당황한 표정을 지었다. 백동호는 물파스 총을 힘차게 내쏘았다. 일직선으로 뻗어나간 물파스는 정확하게 눈 언저리를 맞췄다.

"아아악!"

그들은 두 눈을 감싸며 펄쩍펄쩍 뛰었다. 고춧가루보다 훨씬 강력한 물파스가 눈에 범벅이 되었으니 정신을 차릴 수가 없는 것은 당연했다.

벌떡 일어선 백동호는 주먹으로 정형진의 옆구리를 세차게 때렸다. 발로는 양석두의 사타구니를 걸어찼다. 그리고 누가 말릴 틈도 없이 복도 중간의 담당 책상으로 달렸다. 요구르트를 마시던 본무 담당이 놀란 몸을 일으키고 있었다. 눈으로는 도대체 무슨 일이냐고 묻고 있었지만 미처 말이 되어 나오지 않는 상황이었다. 백동호는 담당의 의자를 잡아들며 소리쳤다.

"비상벨 눌러! 저 새끼들이 지금 나를 죽이려고 하니까."

백동호는 나무 의자를 들고 다시 정형진 일행에게 달려갔다. 그들은 아직도 눈을 감싸며 어쩔 줄 모르고 있었다. 의자로 양석두의 뒤통수를 힘껏 후려갈겼다. 얼마나 세찬 공격이었던지 의자가 산산이 부서졌다.

백동호는 부서진 의자의 막대기 두 개를 양손에 집어들었다. 이번에는 정형진의 허벅지를 후려쳤다. 쓰러지는 등을 또 한번 힘껏 때렸다.

"으아악!"

처절한 비명이 복도 가득히 울려퍼졌다. 비상벨도 악을 쓰며 울기 시작했다. 기동타격대가 도착하려면 앞으로 이삼 분 가량 여유가 있었다. 이 새끼들, 미친 듯이 몽둥이를 휘둘렀다. 바람을 가르

42

는 몽둥이가 몸 위에 떨어질 때마다 정형진과 양석두의 비명이 잦아들더니 마침내 쭉 뻗어버리고 말았다.

몽둥이 두 개가 손잡이만 남도록 부러지자 이번엔 발과 주먹으로 이미 기절한 두 사람을 번갈아가며 두들겼다. 복도에는 피가 낭자했다.

"백동호, 그만해!"

보안주임의 성난 목소리가 들렸다. 어느새 경비 교도대가 현장을 에워싸고 있었다. 백동호는 거친 숨을 몰아쉬며 때리던 동작을 멈추었다. 보안주임은 너 잘 걸렸다는 듯 백동호를 노려보다가 경비 교도대에게 명령을 내렸다.

"이 새끼들 몽땅 묶어."

백동호가 숨을 헐떡이면서 거칠게 항의를 했다.

"주임님은 할 줄 아는 말이 몽땅 묶으라는 것밖에 없습니까? 나는 피해자고, 이건 목숨을 구하기 위한 정당방위일 뿐입니다. 또다시 죄 없는 사람을 묶어서 지하실로 데려간다면 이것은 다분히 감정적 분풀이가 아닙니까?"

"뭐?"

보안주임은 어이가 없다 못해 기가 탁 막혔다. 세상에 아무리 뻔뻔해도 그렇지. 두 사람을 초주검이 되도록 두들겨놓고서 자신은 피해자이며 정당방위라고 주장하다니……. 경비 교도대조차 멍하니 백동호를 바라보았다.

백동호는 나를 묶기만 해보라는 듯 당당하게 서 있었다. 보안주임을 비롯한 모두는 난처한 모양이었다. 먼젓번 만화방이 라이타를 때려 죽였을 때 백동호를 잘못 건드렸다가 워낙 씨겁을 한 경험이 있기 때문이었다. 하지만 보안주임은 자존심 때문인지 다시 한

번 명령을 내렸다.

"뭐하고 있어? 묶으란 말야."

"이런 니기미 씨팔. 정말 묶겠다는 거야? 그렇게는 못하겠어. 씨팔놈들아, 자신있으면 한번 묶어가 봐."

백동호가 완강하게 소리쳤다. 그때 꿈틀거리던 양석두가 눈을 떴다. 그는 상황을 대번에 알아차렸으며, 엎어진 가슴에 자신의 칼이 있다는 것을 깨달았다. 슬며시 칼을 움켜쥐었다. 백동호가 단호한 어조로 말하고 있었다.

"일단 쓰러진 놈들은 의무과로 데려가고, 나는 주임님에게 사건의 자초지종을 설명하게 해주시오. 그 설명을 듣고도 내가 보안과 지하실로 가야 한다면 할 수 없지만 그러지 않을 것으로 믿습니다."

주임을 대하는 백동호의 태도가 불손하다고 느꼈는지 경비 교도대 하나가 대뜸 수갑을 채우려 했다.

"이것 못 봐! 일단 얘기부터 들어보라고 했잖아. 놔, 씨팔놈아!"

언성이 높아져 주위가 그 쪽으로 쏠리는 동안 양석두가 일어서고 있었다. 얼굴이며 몸에 온통 피칠갑을 한 그의 손에는 섬뜩하게 날이 선 칼이 쥐어져 있었다. 부릅뜬 눈으로 비틀거리는 그 모습은 처절하기까지 했다.

보안주임은 백동호의 등뒤로 다가오는 양석두를 보자 놀란 눈을 치켜떴다.

"위험해!"

보안주임의 외침소리에 백동호가 반사적으로 고개를 돌리는 순간 양석두가 몸을 날렸다. 한 손으로 백동호의 목을 끌어안은 그는 혼신의 힘을 다해서 옆구리를 찔렀다. 백동호는 그 충격으로 앞으로 쓰러졌다. 양석두가 쓰러진 몸 위에 올라타 앉았다.

"우아와— 죽어라, 죽어!"

양석두는 백동호의 가슴과 배에 힘차게 칼질을 계속했다. 누가 말릴 새도 없이 순식간에 일고여덟 번의 무자비한 칼질이 이루어졌다. 백동호는 반항하지도 못하고, 두 손으로 목을 가린 채 창자가 끊어지는 듯 처절한 비명을 질렀다.

다급해진 경비 교도대원 한 명이 진압봉으로 칼질을 계속하는 양석두의 뒤통수를 후려쳤다.

"퍽!"

그 한 대로 양석두는 쭉 뻗어버렸다. 백동호가 죽지 않았으면 중상일 것이라 판단한 보안주임이 더듬거리며 말했다.

"빠, 빨리 의무과로 데려가. 사회 병원으로 가야 하니까 응급차도 대기시키고, 빨리빨리!"

경비 교도대가 축 늘어진 백동호를 안아들었다. 그리고 의무과를 향해 막 뛰려는 순간, 외침소리가 들렸다.

"잠깐! 나 좀 내려줘."

중상을 입은 백동호의 목소리가 너무나 우렁찼다. 구경하던 사람들의 눈이 휘둥그래졌다. 백동호가 씽긋 웃으며 경비 교도대의 품에서 내려섰기 때문이다. 이럴 수가 있다니. 마치 귀신을 보는 듯한 표정이었다. 그러고 보니 그토록 여러 번 힘차게 찔렸으면서도 피를 한 방울도 흘리지 않고 있었다.

백동호는 천천히 겉옷을 벗었다. 방탄 조끼. 굳이 이름을 붙인다면 방탄 조끼였다. 관에서 지급되는 겨울 조끼의 안과 밖 전체에 틈새가 전혀 없이 주머니가 만들어져 있고, 그 주머니마다에는 국제 기드온협회에서 발행하는 〈마태복음〉과 〈로마서〉 등 성경책이 빼곡이 들어 있었다. 모두 60권이 넘었다. 오늘 같은 습격에 대비해서 진즉 만들어두었던 것이다.

백동호는 그 조끼를 마저 벗었다. 그리고 여전히 웃음 지으며 말했다.

"주임님, 저는 하느님의 말씀을 갑옷 삼았는데 어찌 세상의 칼이 뚫을 수 있겠습니까? 아멘."

둘러섰던 모든 사람들은 황당해서 벌린 입을 다물지 못하고 있었다. 누군가 웃음을 터뜨렸다. 그리고 폭소는 강물처럼 흘렀다.

정형진이 최후통첩을 한 첫날, 교무과에서 기드온협회 성경을 잔뜩 가져온 백동호는 양재공장에서 맞춘 조끼에 그것을 넣고 다녔다. 그후 신장식의 후배들에게는 심장과 배 등 중요 부분만 성경으로 가린 조끼를 따로 마련해주었다. 신장식의 후배들이 정형진과 양석두의 습격 위험 앞에서도 그렇게 당당했던 것은 하느님의 말씀(?)을 믿었기 때문이었다.

백동호는 신장식의 후배들이 더 이상 호위를 못해줄 상황이 올 것을 미리 예상하고 있었다. 그것을 기다렸다가 단독으로 정형진과 양석두를 해치워야 정당방위가 성립된다는 계산으로 오늘을 만들어왔던 것이다.

과연 백동호의 예언대로 정형진과 양석두는 참혹하게 부서진 몰골로 의무과에 실려갔다. 다친 곳 하나 없이 멀쩡한 백동호는 징벌사동 관구실(조사실)로 연행되었다. 물론 묶이지 않고 수갑만 찬 상태였다.


정형진과의 진검 승부에서 승리를 거둔 백동호가 수갑을 차고 징벌사동 관구실에서 보안주임과 마주 앉아 있을 무렵, 제주도의 염채은은 거실에 앉아서 저물어가는 성산포를 창 가득히 들여놓고 있었다.

갸름한 턱을 다소 둥그런 맛이 나도록 깎고 콧날도 조금 낮춘
그녀는 예전의 윤곽 뚜렷한 서구형 미인이 아니라 동양적 부드러
운 이미지를 지니고 있었다. 머리는 굵은 웨이브 파마, 타원형의
칠보 안경, 이제 염채은은 지구상에서 영원히 사라졌으며 뺑소니
차량에 사망한 불우의 여인 김선희가 부활해 있었다.

서울의 어느 부자가 노후를 보내기 위해 지었다는 그녀의 집은
건평 삼십육 평으로 아담한 크기였다. 하지만 넓은 정원의 잔디가
곱고, 창가에서 코앞의 바다를 원도 한도 없이 바라볼 수가 있었다.

이생진의 시집 《그리운 바다 성산포》를 펼쳐들고 몇 구절을 읽
던 염채은은 가만히 눈을 감았다. 눈꺼풀이 덮힘에 따라 세상이 어
두워졌다. 그 어둠 속 추억의 강 저편에 등불을 켜들고 서 있는 남
자, 백동호의 모습이 환하게 다가왔다.


…… 충무로 퍼시픽 호텔에서 백동호와 보낸 첫날밤은, 여고 시
절 봉고차에 납치되어 윤간을 당한 후유증으로 섹스 혐오증에 걸
려 있던 염채은에게 최초로 황홀감을 안겨준 밤이었다. 그때부터
그들은 틈만 나면 입술이 닳도록 키스를 했고 섹스에 몰입했다.

성적 궁합이 잘 맞는 연인. 둘 다 시간이 넉넉하다. 게다가 백동
호는 용돈을 무한정으로 쓸 수 있을 만큼 경제적으로 여유가 있다.
어찌 여행을 떠나지 않을 수가 있으랴.

그들은 전국을 유람한 뒤 부산에서 카 페리호를 탔다. 제주도에
도착한 것은 1985년 8월 초순이었다.

아침 여덟 시, 우선 해안도로를 따라 제주도를 한 바퀴 돌았다.
용바위에서 깊고 진한 입맞춤, 한라산을 올랐다가 내려오니 어느

새 어둠이 깔려 있었다.

성산포의 바다를 향한 횟집에서 광어와 소주를 시켰다. 창 밖 어둠 속에서 파도가 하얗게 부서지고 있었다. 스무 평 남짓한 홀, 앞쪽의 신혼부부 한 쌍이 사랑에 겨워 어깨를 기대고 있었다. 왼쪽 두 칸 건너에는 대학생으로 보이는 청년 서넛이 바다에 취하고 술에 취하고 이야기에 취해서 왁자지껄했다.

염채은의 손을 잡은 채 소주를 홀짝거리던 백동호가 말했다.

"채은아, 눈 감아봐. 시 하나 들려줄게."

백동호는 이생진의 《그리운 바다 성산포》를 나직하게 읊조렸다. 무척 긴 시였다. 염채은은 꿈꾸는 듯한 표정으로 귀를 기울이고 있었다.


(……)
가장 살기 좋은 곳은
가장 죽기도 좋은 곳……
저 세상에 가서도 바다에 가자
바다가 없으면
이 세상 다시 오자


낭송이 끝나고도 한동안 눈을 감고 있던 염채은이 새삼스럽다는 듯 백동호를 바라보며 말했다.

"어머, 너무 좋다. 이렇게 긴 것을 어떻게 다 외웠어요?"

"교도소에서."

"정말?"

"그래. 안양 교도소 독방에 있을 때 첫사랑이 고무신을 거꾸로 신었거든. 무엇이든 열중하지 않으면 미쳐버릴 것 같아서 성경과 불경을 달달 외웠지. 시집도 수십 권을 읽으며 마음에 드는 것은 다 암송했어. 아무튼 나는 그때 성산포를 읊조리며, 나중에 그곳에서 살고 싶다고 생각했지."

"아저씨, 나도 여유가 생기면 꼭 성산포에 와서 살 거다. 이렇게 마음에 드는 곳은 처음이야."

술이 알딸딸하게 오른 그들은 횟집을 나왔다. 그리고 승용차 안에서 손을 꼭 잡고 밤 바다를 오래오래 바라보았다.

나는 내 말만 하고
바다는 제 말만 하며
술은 내가 마시는데
취하긴 바다가 취하고……
기도보다 더 잔잔한 바다
꽃보다 더 섬세한 바다……

성산포의 밤은 그렇게 깊어만 가고, 까만 바다 저편에 가물가물한 불빛의 배 한 척이 지나갔다. 염채은이 가만가만 노래를 불렀다. 둘다섯의 '밤배'였다.

노래가 끝나고 다시 침묵, 이윽고 백동호가 말했다.

"채은아, 만약에 지금 네가 소매치기를 그만둔다면 무얼 하고 싶니?"

"분위기 좋은 커피숍이나 작은 보석가게를 하고 싶어요. 그래서 처음에는 열심히 저금도 하고 그랬는데, 나중에는 친구들하고 어울려 다니며 쓰기 바빠서 돈이 모아지지 않더라고요."

"지금 얼마쯤 있는데?"

"싫어요. 그만 해요, 그 얘기."

"여지껏 내가 적당히 얼버무리기만 했는데, 나 정말 대도야. 그러니까 내가 널 좀 도와준다고 별로 어려워지지는 않아."

"아저씨 전공은 뭔데요?"

"금고털이."

"정말이야?"

"그렇다니까."

"영화에서처럼 청진기를 대고 여는 거예요?"

"아니, 굳이 청진기를 대지 않아도 감각으로 다 열려. 보통 이삼 분이면 열 수 있는데, 한번 헷갈리면 오래 걸려. 그럴 때는 차라리 금고의 다이얼을 파괴하기도 하고, 또 뒤를 뜯어내기도 해. 이삼십 분 걸리지. 아무튼 어떤 경우에도 금고를 앞에 두고 그냥 나오는 법은 없어."

"재미있겠다. 혼자서 해?"

"응. 나는 어렸을 때부터 뭐든 혼자가 좋았어. 금고털이를 하기 전에는 식구일(여럿이 같이 하는 일)도 해보았는데, 혼자가 좋더라구."

"그래도 망 봐주는 사람은 있어야 될 거 아냐. 그걸 내가 할게, 나도 시켜줘요."

"안돼. 여자가 할 일이 못돼. 위험하고 힘드는 일이야."

하지만 염채은은 뜻밖의 관심을 보이며 그날부터 집요하게 백동호를 조르기 시작했다.

"아저씨는 그 동안 저를 보고 정직하게 살라는 둥 집에 들어가라는 둥, 고리타분한 얘기는 한마디도 안했어요. 그만치 저를 이해해

준다는 것으로 믿고 싶어요. 하지만 아저씨도 설마 제가 이 짓을 계속하다가 교도소에 들락거리는 것을 바라지는 않지요? 만약 제가 이 생활을 계속한다면 틀림없이 소매치기 전과를 몇 번 더 기록하다가 청송 감호소까지 가게 될 거예요. 그렇게 생각 안하세요? 제가 이제 와서 집으로 들어가겠어요, 그렇다고 유흥업소에 취직해서 남자들에게 끔찍한 시달림을 받겠어요? 아니면 공장에 취직해서 하루 열 시간씩 고된 일을 하겠어요? 자립할 만한 돈이 좀 주어진다면 정말 손 끊고 착실하게 살게요. 저도 이제 도둑질이라면 신물이 난다구요."

"그러니까 내가 그것을 할 수 있게 도움을 준다고 했잖아."

"그건 싫어요. 왜 싫으냐고 물으면 뚜렷하게 댈 만한 이유가 별로 없지만, 하여튼 아저씨에게 돈을 받는 것은 내키지 않아요. 아저씨가 세상의 통념이나 일반적인 상식으로 저를 대하는 것은 아니잖아요. 저는 같이 있는 친구들이 놀랄 만큼 대담한 여자예요. 깡다구도 있고, 어릴 때부터 운동을 해서 남자 못지않은 체력이 있어요. 게다가 금고털이 경험은 없지만 어떤 일이 벌어졌을 때 상황을 봐가며 제 몸 하나 추스를 감각도 있어요. 소매치기니까요. 세상의 많은 금고 중에 아저씨가 눈독을 들인 것은 절대로 손대지 않을게요. 그러면 아저씨가 저에게 금고 터는 방법을 안 가르쳐주실 이유가 없잖아요. 그리고 제가 금고털이로 버는 돈의 일부는 기술 지도료로 아저씨에게 드릴게요, 네? 아저씨이, 좀 가르쳐줘요. 만약 제가 소매치기는 해도 되고 금고털이는 하면 안되는 이유를 대서 저를 납득시킨다면 이런 부탁을 하지 않을게요."

백동호는 그날 완강하게 거절했다. 그러나 염채은은 포기하지 않았다.

열흘 뒤, 마침내 기가 질린 백동호가 두 손을 들고 말았다.

"좋아, 가르쳐주지. 그러나 나에게 금고털이 기술을 배우기 전에 몇 가지 약속을 해야 돼."

"뭐든지 할게요."

"첫째, 만약 사고가 나면 나를 원망하지 말 것. 그럴 경우, 나는 너에게 금고털이 기술을 가르쳐준 적도 없으며 아예 만나지도 않았던 사람이 될 것. 어떤 경우에도 나는 그런 일로 자신을 노출시키지 않을 작정이니까 말야."

염채은은 고개를 끄덕거렸다.

"둘째, 오직 혼자만 그 기술을 알고 있어야지, 아무리 친한 사람이라도 기술을 가르쳐주거나 공범을 하지 말 것. 셋째, 금고털이 수업을 마쳐서 독립하면 옛친구를 만나지 말고 새 생활을 시작할 것. 그것은 우리도 이별을 한다는 뜻이다."

백동호의 입에서 이별이라는 단어가 나오자 염채은은 움찔했다. 꼭 그래야만 하느냐, 많이도 망설이던 그녀는 결국 유부남과의 불확실한 사랑보다 확실한 미래, 금고털이 기술을 선택했다.

백동호는 한 달 동안 성의껏 기술을 전수시켰다. 뒤를 뜯는 시범을 보이기 위해서 범행도 같이 해주었다. 그리고 그녀가 한 사람의 금고털이로서 앞가림을 하게 되었을 때, 백동호는 이별을 선언했다.

서울 남산 자락의 하얏트 호텔 앞……. 바람이 불었다. 습한 바람이 불더니 비가 내렸다. 비바람에 쓸려 초가을의 가로수들은 낙엽을 간간이 흩날렸다. 하염없이 내리는 빗줄기, 그 날리는 낙엽 아래에서 그들은 헤어졌다. 자동차에서 내린 염채은은 우산을 펴들고 울면서 오래오래 손을 흔들었다. 비바람이 세차게 불어 낙엽 몇 잎이 우산 위로 내렸다.

백동호는 백미러로 그 모습을 보면서 염채은의 앞날에 행복이 저렇게 우수수 내리기를 바랐다. 점점 작아지던 그녀가 빗줄기에 가려 보이지 않았다. 이제 저렇듯이 그녀를 보지 못하리.

자동차가 멀리멀리 떠난 뒤, 염채은은 나중에 펴보라며 백동호가 건네준 편지 봉투를 열어보았다. 봉투에는 5백만 원권 자기앞 수표 두 장과 시 한 편이 들어 있었다.

한 여인 앞에
산처럼 남고 싶다.

그 여인이 마음놓고
와 안겨 울 수도 있고,
마음놓고 바라보며 위안도 받을 수 있는
그런 산처럼 남고 싶다.
그 여인이 마음놓고 떠날 수도 있게,
이젠 아주 아무렇지도 않다는 듯이
빙긋이 웃어 보이며,
찢긴 가슴 바위 속을 눈물로
가득히 채울 수 있는
그런 산처럼 남아 있고 싶다.

물론, 나도, 그 여인이 마음놓고
와 안겨 웃을 수도 있고, 마음놓고
바라보며 그리워할 수도 있는

그런 산처럼 남아 있고 싶지만,
그것은 영 분에 넘치는 일이라
그저 한 가지, 노자 삼아 떠날 수 있게,
나 숨지면, 눈물이나 몇 방울
보내주지 않을까 하다가,
아니, 아예 그런 욕심까지 끊어버리고
제 타는 눈물로나 배를 띄워 떠나갈
그런 산처럼 나는 남아 있고 싶다.

다만, 그 여인이 마음놓고
와 안겨 울 수도 있고, 마음놓고
바라보며 위안도 받을 수 있는
그런 산처럼 남고 싶다.

오직 한 여인 앞에
산처럼 남고 싶다.

　　　　　　　　　　　　　　　　− 〈눈물 연가〉, 나혁채

　그랬다. 그 이별 이후 다시 만나 또 헤어진 지금, 염채은에게 백
동호는 한결같이 산처럼 든든하게 남아 있는 남자였다.
　눈을 뜬 염채은이 거실 소파에서 몸을 일으켰다. 전화벨이 울리
고 있었던 것이다.
　"여보세요."
　"사장님, 한국보안공사입니다. 가게에 무인경보 장치의 설치가
끝났습니다. 지금 시험 작동중인데 나와보셔야지요?"

"네, 그럴게요."

염채은은 빨간색 도요다 승용차에 몸을 실었다. 신제주를 향한 해안도로에는 낙엽이 곱게 물들어 있었다.

제주도청 근처, 아직 개업하지 않은 금은방 '성산포'는 열두 평 크기였다. 그 중 여덟 평은 고급 소파, 오디오, 대형 TV, 특별히 주문 제작된 금고 등이 차지하고, 매장 면적은 네 평 남짓이었다. 돈이야 평생을 쓰고도 남을 만큼 있으니 취미 삼아 운영할 작정이었다. 그래도 귀금속과 시계 등의 기초를 배워야 했기에 서울을 비행기로 오가며 보석 감정, 시계 학원을 삼주 동안 다녔다. 가게를 운영하기 위한 노하우도 어느 정도 익혔고, 처음 얼마 동안 돌봐줄 종업원도 구해두었다.

염채은의 승용차가 도착하자 도난경보기 설치를 끝낸 보안공사의 직원이 미소로 반겨주었다.

"어서 오십시오, 사장님."

"수고하셨어요."

"수고는요, 당연히 해야 할 일인데요. 개업은 언제 하실 건가요?"

"다음주 화요일요. 개업식을 하지 않고 그냥 문을 열 거니까 화환 같은 건 보내지 마세요."

"왜 개업식을 안하시려고요?"

"번거로워서요. 경보기 작동법이나 알려주시죠."

보안공사 직원은 경보기에 대해서 열심히 설명했다.

그가 돌아간 후, 홀로 남은 염채은은 응접 소파에 앉아서 담배를 피워물었다.

1킬로그램짜리 금괴 사십여 개를 제값 다 받고 처분하기 위한 '성산포'의 개업 준비는 끝났다. 하지만 서두를 필요는 없었다. 금괴는 앞으로 많은 시간이 지나야 조금씩 나올 것이다.

참으로 멀고 먼 길을 돌아서 여기까지 온 것 같았다. 백동호가 아동학대 피해자를 위한 재단을 설립하고 싶어했다는 것이 떠올랐다. 좀더 세월이 흐른 뒤, 그의 몫은 그러한 목적으로 쓰는 것이 어떨까 하는 생각이 들었다.

그러나 백동호와 염채은의 목숨을 위협하는 장대풍의 분노는 이제 겨우 예고편이 끝났을 뿐이었다. 그들에게 평생 동안 잊지 못할 불지옥의 고통을 안겨준 본영화는 아직 시작도 하지 않은 것이다.

# 다시 시작되는 시련

징벌사동 조사실에는 무거운 침묵이 흐르고 있었다. 백동호는 침통한 얼굴로 창 밖을 바라보았다. 높은 담장 너머로 슬픈 짐승의 눈동자 같은 해가 지고 있었다. 운동장의 단풍 든 은행나무는 소슬한 가을 바람에 수런수런 먼 길 떠날 준비를 하는 것 같았다.

인간 한평생 마음 편하게 살다 가면 그만인 것을, 나는 무엇 때문에 이리도 아등바등 욕심을 내다가 피 튀는 싸움을 하는 것일까. 생각하면 할수록 싸늘한 통증이 가슴을 찌르고 있었다.

착잡하기는 맞은편에 앉아 있는 보안주임도 마찬가지였다. 백동호의 긴 침묵이 사태를 자신이 원하는 대로 해결하기 위한 무언의 협박으로 느껴진 것이다. 먼젓번 만화방 사건 때 하마터면 사표를 낼 뻔했다. 그때 당한 수모를 생각하면 자다가도 벌떡 일어날 만큼 분이 풀리지 않는다. 이번에는 또 어떤 약점을 잡고 생난리를 칠 것인가. 세상에서 가장 못할 짓이 사람 싫은 것, 그는 보기만 해도 짜증나는 백동호와 또 다시 부딪쳐야 하는 현실이 역겨웠다.

한동안 미움 담긴 눈으로 백동호를 지켜보던 보안주임이 검은 유리창을 쨍그랑 깨뜨리고 얼굴을 내밀 듯 퉁명스럽게 말했다.

"백동호, 도대체 어떻게 된 일인지 말해봐."

"……."

"의무과로 실려간 녀석들이 왜 너를 죽이려 했지?"

"……."

"내가 지금 무슨 생각을 했는지 알아?"

"무슨 생각을 했는데요?"

"이 괴물 같은 놈을 이송 보내든지 아니면 내가 사표를 내든 해야지 더러워서 근무 못하겠다는 생각…… 도대체 인생을 왜 그렇게 살아?"

"후후, 내 인생이 어때서요?"

"끊임없이 좋지 않은 일을 꾸며야 직성이 풀리는 사람 같아서 하는 말이야. 지금도 나는 아무런 잘못이 없다, 발뺌을 하고 있지만 사실은 원인 제공을 해놓고 교묘하게 비켜가고 있다는 느낌이 든다. 백동호는 놈들이 칼을 소지하고 있는 것, 또 언제 어떻게 습격을 할 것인지 다 알고 있었겠지. 어째서 신고해서 관의 보호를 받지 않고 문제를 이렇게 확대시킨 거야?"

"심증은 있었지만 물증이 없었습니다. 심증만으로 신고를 했다가 칼을 못 찾아내거나, 놈들이 아니라고 부인하면 어떻게 합니까? 나만 밀고자에다가 겁쟁이라는 오물을 뒤집어쓸 것 아닙니까? 또라이나 피해망상증 환자 취급을 받을지도 모르지요."

"……."

"그리고 나의 신고와는 상관 없이 관에서 먼저 칼을 적발했어야

58

하는 것 아닙니까? 도대체 이송을 올 때 발가벗겨서 똥구멍까지 검사를 하고 하루에 한 번씩 검방을 하는데도 수형자가 살인 흉기를 지니고 있었다는 것이 말이 됩니까?"

"……내 그럴 줄 알았지."

"뭘 알아요?"

"칼을 물고 늘어질 줄 알았다고. 백동호는 이번 사건으로 처벌을 받거나 불이익을 당하면 이에 불복, 행형법 제6조에 의한 법무부장관 청원서를 쓰겠다고 하겠지. 또 정당방위를 주장하며 살인 미수에 대한 재판을 요구하면 칼을 적발하지 못한 교도소의 책임이 거론된다, 그러니 나를 건드리지 말아라, 이런 협박을 하고 있는 것 아닌가?"

"하하하, 주임님 혼자서 북 치고 장구 치고 노래까지 다 부르는군요."

"칼을 적발하지 못한 약점 말고도, 먼젓번에는 민정당사 금고털이와 필로폰 문제를 써먹었으니 이번에는 또 뭐야?"

"쩝……그게 무슨 뜻입니까?"

"몰라서 묻는 거야?"

"더위 먹은 소 달만 보아도 헐떡이고, 고슴도치에 놀란 호랑이 밤송이를 보고 절한다던가요? 먼젓번 내게 씨겁을 하셨던 모양인데, 입장을 바꿔놓고 생각해봅시다. 그때 당신이 나처럼 억울하게 맞았다면 어떻게 했겠습니까?"

"당신?"

"그렇소. 당신."

"……."

다시 무거운 침묵이 흘렀다. 어쩔 수 없는 현실 때문에 피차 적당히 넘어갔던 만화방 사건의 감정이 그들의 마음을 닫아놓고 있었던 것이다.

운동장의 낙엽 하나가 또르르 말려 굴러가고 있었다. 백동호는 그때 왜 뜬금없이 윤심덕이 노래한 '사의 찬미'가 떠올랐던 것일까? 그는 운동장에 눈길을 준 채 나지막한 목소리로 노래를 부르기 시작했다.

"광막한 광야를 달리는 인생아 너는 무엇을 찾으려 하느냐, 이래도 한세상……"

"야, 임마. 백동호, 지금 뭐하는 거야?"

밉다 밉다 하니까 고깔을 삐딱하게 쓰고서 요래도 밉소, 혀를 낼름한다던가. 백동호는 보안주임의 화난 얼굴은 쳐다보지도 않고 노래를 계속하고 있었다.

"…… 건방진 자식!"

보안주임이 깊은 한숨과 함께 담배를 피워물었다.

사람 둘을 피투성이로 만든 놈이 징벌사동 조사실에 묶여와 제멋대로 노래를 부르다니, 도대체 있을 수가 있는 일인가. 그런데도 후환이 두려워서 뺨 한대 못 때리고 소리만 지르고 있다. 자존심이 상하다 못해 모멸감마저 느껴졌다. 마음 같아서는 나중에야 삼수갑산을 갈망정 보안과 지하실로 한번 더 끌고 가서 치도곤을 안겨주고 싶었다.

백동호는 여전히 창 밖을 바라보며 노래를 끝마쳤다. 운동장에는 돌개바람이 불어와 흙먼지를 자욱이 일으키고 있었다. 한동안 우두망찰 멍하게 앉아 있던 그가 쓴웃음을 지으며 말했다.

"나를 또 한번 지하실로 데려가고 싶습니까? 하지만 그렇게 못할 걸요……"

"백동호, 원하는 것이 뭐야?"

"후후, 더 이상 염장 질러대지 말고 빨리 조사를 끝내자, 이런 말입니까? 표정이 참는 것도 한계가 있다, 그런 것 같군요. 나도 솔직히 말하면 주임님과 언제 또 한번 부딪치기를 바라왔습니다."

"……."

"주임님."

"왜?"

"도원명의 '귀거래사'를 아십니까?"

"나는 무식해서 그런 것 몰라."

"아시겠지만 당나라의 유명한 시인입니다. 그 사람이 벼슬을 할 때, 한번은 인편으로 시골집에 편지를 보냈습니다. 편지 말미에 이렇게 씌어 있었지요. '이 편지를 가져간 아이를 잘 대접해주어라. 비록 환경이 여의치 못해서 이런 일을 하고 있지만 어느 집의 귀한 아들인 것은 분명하다.' 얼마나 멋진 말입니까? 미우면 때려주어도 괜찮은 인간은 세상에 하나도 없습니다."

"백동호, 지금 네 행실은 선반 위에 올려놓고 말은 바로 하자는 것인가? 너는 사람을 둘이나 입병시켜놓은 혐의로 여기 와 있는 거다."

"덤벼들지 못하게 꽁꽁 묶어놓고 잔혹하게 때린 게 아니라 그것은 대결이었습니다. 더구나 주임님처럼 도덕적, 정신적 우월감을 가지고 하찮은 인간을 징벌하는 기분도 아니었고요."

"지금 나를 훈계하는 건가?"

"아니, 부탁드리는 것입니다. 주임님은 궁금하지도 않겠지만 저는 아동학대의 피해자였습니다. 다섯 살 때 마당에 내던져져서 다리가 골절되었지요. 여덟 살 때는 도끼로 손을 찍혔으며, 몽둥이로 맞아 이가 부러지기도 했습니다. 저항할 수 없는 상대에게 행하는 폭력은 잔인한 것 아닙니까? 저는 그런 폭력을 경멸하며, 절대로 지지 않고 싸울 것입니다. 시험 삼아서 한번 더 나를 묶어보시죠. 피를 토하고 죽어도 잘못했다고 빌지는 않을 테니까."

"……."

"저는 아동학대, 그 끔찍한 마음의 상처를 스스로 치료하는 데 성공한 행운아입니다. 하지만 보안과 지하실에서 어린 시절의 악몽이 되살아나더군요."

"……."

"주임님, 우리 옛일은 잊읍시다. 그리고 이유야 어찌 되었건 또다시 물의를 일으켜 죄송합니다. 응분의 처벌을 받겠습니다. 앞으로의 수형 생활은 좀더 겸손하고 성실하게 할 것도 약속드립니다."

"…… 허허, 이것 참!"

"처벌을 받기 전 두 가지 부탁을 드리겠습니다."

"말해봐."

"첫째는 지금 의무과에 있는 정형진과 양석두를 만나게 해달라는 것입니다."

"그건 왜?"

"아무리 저를 죽이려 했지만 결과적으로 놈들이 피해를 입었으니까 사과를 하고 싶습니다. 지금 하지 못하면 앞으로는 영원히 기회가 없을 것 같아서요. 관에서 우리가 다시 부딪치는 일이 없도록 떼어놓을 테니까요."

"또 하나는?"

"제가 징벌을 먹는 동안 강인찬과 함께 있도록 해주십시오."

"둘은 안돼."

"둘이서 있게 해주십시오. 징벌방은 규정상 홀수로 넣게 되어 있는 것은 알고 있습니다. 하지만 그것은 동성연애 따위를 방지하기 위해서이지 큰 의미는 없지 않습니까? 먼젓번에도 우리 둘만 있었고요."

"그것은……."

"후후, 그때는 우리의 상처를 다른 재소자에게 보이지 않으려고 그랬을 테지요. 주임님이 긍정적으로 검토하시면 어려운 일은 아니지 않습니까? 부탁드립니다."

"의무과에 있는 녀석들이 왜 백동호를 죽이려 했는지 아직 대답을 안했어."

"70년대에 제가 충주 소년원 요장(총반장)을 했습니다. 당시 전국의 소년원에서 꼴통으로 낙인 찍히면 모두 충주 소년원으로 보냈지요. 요장이 하는 일이란 말썽 많은 놈들을 몽둥이로 가르치는 것이었습니다. 정형진은 그때 제게 엄청 맞았습니다. 이번에 다시 만나니 그 원한이 되살아났던 것 같습니다. 죽여버리겠다며 이를 갈더군요."

"…… 어째 석연치 않은 해명인데?"

"믿으셔도 됩니다."

"어찌 되었든 자네가 이렇게 나오니 고맙기도 하고, 한편으로는 무슨 꿍꿍이가 또 있는 게 아닐까 의심이 가네."

"……."

보안주임은 백동호의 진술을 다 믿지는 않았다. 무언가 숨기는 것이 있다. 그러나 공무원 중에서도 교도관은 가장 경직된 체제 속에서 근무를 한다. 소장이나 보안과장이 매기는 근무 평점이 평균치를 밑돌지 않으려면 부탁을 들어주고 적당히 넘어가는 것이 상

책이었다. 더구나 약점을 잡고 협박하는 것이 아니라 인간적으로
사정을 하니 마음이 풀리기도 했다.

　의무과의 정형진과 양석두는 온몸에 붕대를 감고 누워 있었다.
여름 생색은 부채요, 겨울 생색은 달력이라던가. 징역 선물은 역시
먹을 것과 담배였다. 백동호는 우유, 사과, 빵을 한 보따리 들고 병
실에 들어섰다. 그들은 뜻밖의 방문에 놀란 것 같았다. 백동호가
호의적인 웃음을 보이며 말했다.
　"몸은 좀 어떻습니까?"
　"……."
　"피차 개인적 감정이 있어서 벌어진 일은 아니니 이해해주시오.
당신들이 내 입장이라고 해도 똑같이 행동했을 것 아니오."
　"……."
　"내가 이렇게 찾아온 이유는 당신들이 조사를 받을 때 왜 나를
죽이려고 했는가, 이유를 상의하고 싶어서입니다. 당신들이 살인
미수로 재판을 받거나 징벌을 먹는다 해도 나는 후련하지도 않고,
이익 되는 것도 없습니다. 말해보시오. 어떻게 했으면 좋겠소?"
　"……."
　"한 가지 분명하게 밝혀둘 것은 나는 부산 J수산 일과는 전혀
관계 없고, 또 염채은이 어디 있는지도 모른다는 겁니다. 혹시 당신
들에게 지시를 내린 사람을 만나면 꼭 이 말을 전해주시오. 싸움의
원인은, 복잡하게 하면 당신들에게도 곤란할 테니, 정형진 씨가 옛
날 소년원에서 내게 엄청 매를 맞아서 원한에 사무쳤다고 해둡시
다. 나는 70년대 중반에 충주 소년원에서 요장을 했소. 아마 그렇게
대답하면 보안과에서 더 이상 추궁하지는 않을 겁니다. 그리고 당

신들도 알다시피 나는 이제 모든 과거와 결별하고 공부를 시작했습니다. 내가 어둠을 벗어나서 새 인생을 살아갈 수 있도록 마음으로나마 나를 용서하고 도와주면 고맙겠습니다."

"……."

"그리고 주제넘은 말이기는 하지만, 두 사람은 건달이라는 자부심이 대단하던데 지금 자신이 어떻게 살고 있는지 한번 생각을 해보세요. 일본에 아사이 헤이코(朝日平吾)라는 건달이 있었습니다. 그는 1920년대 일본의 악명 높은 재벌 야쓰다 겐지로를 '하늘을 대신하여 천벌을 내리노라. 돈보다 더 중요한 것이 이 세상에 있다는 것을 가르쳐주마'라고 준엄하게 꾸짖은 뒤 난도질하여 살해하고, 자신은 그 자리에 조용히 앉아 할복 자결을 했습니다(1921. 9. 28). 이 사건으로 당시 일본의 정치인과 재벌들은 공포에 질려 언행을 극히 조심하며 살았고요. 그는 비록 살인자며 건달이지만 한 많은 서민의 소망을 풀어준 영웅으로 칭송을 받았지요. 필로폰 제조업자의 하수인으로 억울한 금고털이나 죽이려 하면, 건달이라는 이름이 수치스럽다고 생각되지 않습니까?"

"……."

"사회 같으면 사과하는 의미로 술 한번 거하게 사겠지만 징역이라서 도리가 없군요. 담배나 한 대씩 나눠 피우고 헤어집시다."

백동호는 변소에 들어가, 담뱃불을 붙여서 한 모금 빨다가 놓고 나왔다.

"정형진 씨, 들어가십시오."

부부싸움 끝에 만족할 만한 섹스를 나누면 감정이 풀리듯, 징역살이에서 담배 한 대의 위력은 사회 사람들이 도저히 이해를 못할 만큼 대단하다. 백동호는 그들이 담배를 피우고 나오자 틈틈이 피우라며 열 개비를 매트리스 밑으로 슬그머니 넣어주었다.

이런저런 얘기 끝에 조금 마음이 풀린 듯 정형진이 말했다.

"백동호 씨, 우리는 설득할 수 있을지 몰라도 장 회장님은 안될 것입니다. 그분이 그만한 위치에 오르기 위해서는 어떤 성격과 과거를 가졌을지 짐작되지 않습니까? 당신이 그분을 설득할 수 있는 방법은 두 가지뿐일 거요. 물건을 돌려주고 염채은의 행방을 대든가, 아니면 그분을 죽이든가 말이오."

"……."

백동호는 한동안 생각에 잠겼다가 몸조리 잘하란 말을 남기고 일어섰다.


강인찬은 방문을 열고 들어서는 백동호를 보자 화들짝 놀라며 말했다.

"동호야, 무슨 일이냐?"

"후후, 형님이 보고 싶어서 왔습니다. 실미도 얘기도 마저 들을 겸 해서요."

"농담하지 마. 왜 왔냐?"

백동호는 그 동안 있었던 부산 J수산 장대풍의 비밀금고 사건과 염채은의 관계, 그리고 조금 전에 있었던 살인 미수까지 모두 말했다. 얘기를 듣고 난 강인찬은 몹시 걱정스러운 표정을 지었다.

"그래서 이제 어떻게 할 작정이냐?"

"구멍을 보고 쐐기를 깎으랬다고, 놈들이 어떻게 나오는가를 보고 대응해야지요."

"그렇게 엄청난 돈이 얽혀 있다면 쉽사리 끝날 것 같지 않구나. 물건을 돌려주는 게 어때?"

"돌려준다고 보복이 없다는 보장이 어디 있습니까? 그리고 이제
와서 물건을 돌려주자는 것은 경우에도 안 맞습니다. 채은이도 이
일을 목숨 걸고 해냈을 테니까요. 만약 그녀에게 일이 생겼다면 저
를 물고 들어가지는 않았을 것입니다. 그녀도 제가 배신하지 않을
것이라 믿겠지요. 일단은 제가 감당하는 수밖에 도리가 없습니다."

"음…… 지금 그 여자는 니가 처한 상황을 아니?"

"당연히 모르겠지요."

"어디 있는지 찾을 수는 있냐?"

"새로 만든 주민등록으로 아마 제주도에서 살고 있을 겁니다."

"주민등록을 새로 만들어?"

"예, 그런 게 있습니다. 형님, 저도 이 사건 마무리를 어떻게 해야
할까 궁리중입니다. 너무 염려하지 마세요. 징벌을 먹지 않을 수도
있었습니다. 생각할 시간이 필요해서 자원하다시피 이리로 온 겁
니다. 형님도 볼 겸 해서요. 설마 징벌방까지 또 다른 칼잡이가 올
수는 없으니까 피난이기도 하구요."

"신중하게 생각해서 결정해라. 너는 현명하니까 알아서 잘하겠
지만, 내 판단으로는 물건을 돌려주기 전에는 끝날 일이 아니다."

"휴우…… 그렇기는 합니다. 그나저나 몸은 좀 괜찮으세요?"

"응, 너는 어떠냐?"

"저도 이제는 완전히 풀렸습니다."

"너나 나나 골병 든 거지. 세월 흐르면 이런 일들 때문에 후유증
이 있을 거다. 지금 몸조리를 잘해야 돼."

"팔자가 그런 것을 어떻게 합니까?"

"그건 그렇고, 아까 이 방 사람이 둘이나 다른 방으로 전방을 갔
는데, 네가 오려고 그렇게 한 거냐?"

"예, 보안주임에게 부탁을 했거든요."

"참 재주도 좋다. 너라면 이를 갈 텐데 어떻게 구워삶았나?"

"인간적으로 호소를 했지요."

"인간적? 하하, 동네 개들이 모여서 밤하늘 보며 웃겠다. 너하고 보안주임하고 인간적으로 얘기했다고?"

"귀신은 경문에 막히고 사람은 인정에 막힌다지 않습니까? 그 사람도 인간이니까요. 형님, 저 요즘 죽느냐 사느냐 한 달도 넘게 긴장을 계속했더니 맥이 탁 풀립니다. 한숨 자야겠는데요."

"그럴 거다. 푹 자라."

"깨어나면 실미도 얘기나 마저 해주세요."

"아무 생각 말고 잠이나 자."

"예. 저 잘게요."

눈을 감자마자 곯아떨어졌다.

백동호는 그로부터 무려 삼일 동안 눈 뜨면 먹고, 먹고 나면 곧바로 잠을 잤다. 잠하고 원수진 사람 같았다.


해운대의 호화 룸살롱 '오륙도' 사장 박대길은 청주 교도소에 심어놓은 연락책 민○○ 담당에게 전화로 백동호 살인 미수 사건의 전말을 들었다.

수화기를 내려놓는 그의 표정은 들판에서 똥 싸다가 주저앉은 사람 같았다. 백동호에게 물파스로 눈을 쏘이고 입병을 하도록 두들겨 맞았단다. 칼로 찔렀더니 하느님 말씀으로 방패를 삼아? 어처구니가 없고 기가 탁 막혔다. 장 회장에게 무어라 변명을 하며 또 얼마나 길길이 날뛸 것인가. 감당이 불감당이었다.

밥통 같은 놈들……. 어금니를 지그시 깨물며 생각에 잠겨 있던 그는 문순철에게 전화를 걸었다.

"문 반장님? 하! 미치겠습니다."

"왜 그래, 박 사장? 무슨 일 있어?"

박대길은 청주에서 일어난 일을 대충 설명했다.

"허허! 백동호, 그 자식 물건이네."

"도대체 이 일을 어떻게 하면 되겠습니까?"

"그런 문제는 박 사장이 알아서 해야지 나라고 뾰족한 수가 있나. 한번 실패했다고 끝난 게 아니잖아. 교도소에 있는 놈이 도망갈 리도 없고."

"그게 아니라 장 회장님에게 보고할 일이 아득해서입니다. 천둥벼락이 안 내리겠습니까?"

"그러겠지."

"솔직히 저는 장 회장님 후원으로 이 바닥에서 컸습니다. 개구리가 올챙이 적 생각을 못한다면 할말은 없지만, 저도 이제 적지 않은 식구를 거느린 우두머리 아닙니까? 이런 일로 보고를 갈 때마다 탁 죽어버리고 싶습니다. 사람이 있거나 말거나 주먹질이고 커피잔이 펑펑 날아다니면 제 체면은 뭐가 되고, 어떻게 아랫사람을 다스릴 수 있습니까? 성질 같아서는 제가 청주로 가서 백동호 이 자식을 탁 죽여버리고 싶습니다."

"……."

"문 반장님, 저 좀 도와주십시오."

"그런 일에 내가 도와줄 일이 뭐 있어?"

"청주 일을 문 반장님이 먼저 가서 말씀해주십시오. 천둥이 칠 때는 피하고 봐야지요. 저는 급한 일 때문에 서울이나 제주도에 가 있는 것으로 하겠습니다. 은혜 잊지 않고 꼭 갚아드릴 테니 부탁 좀 합시다."

"허허, 그럼 내게도 불호령이 떨어질 걸. 나도 곧 잡을 것 같았던 염채은을 대책 없이 찾아다니고 있는 신세잖아. 지난 일이기는 하지만 서울에서 염채은을 놓친 것도 박 사장 책임이 커."

"죄송합니다. 아무튼 반장님은 회장님과 친구 아닙니까? 한번만 수고해주세요."

"알았어. 술이나 한번 사."

"아이고, 언제든지 오기만 하십시오. 때깔나는 가시내에다가 코가 삐뚤어지도록 모시겠습니다."

전화를 끊은 박대길은 안도의 한숨을 쉬었다. 우선 급한 불은 끈 것이다. 화가 조금 가라앉으면 그때 가서 죽여줍쇼, 나타날 작정이었다.


거실에 들어서는 문순철에게 장대풍은 버럭 소리부터 질러댔다.

"문 반장, 도대체 우찌 된 일이고? 금방 잡을 것처럼 큰소리 뻥뻥 치더니 벌써 몇 개월이 지나가도록 강원도 포수처럼 소식도 없으니……."

"그것은 내게 화낼 일이 아니지. 다 잡은 것을 놓친 것이 장 회장 부하들이잖아? 위로금은 못 줄망정 그러지 마, 섭섭하니까. 나도 지금 최선을 다하고 있다."

"휴우, 그 말도 맞다. 다 잡은 것을 놓쳤지. 내가 울화병 때문에 아무래도 오래 못 살지 싶다. 속이 곰삭은 멸치젓인 기라. 백동호 족치러 간 놈들도 소득이 없나, 왜 연락이 안 오는지 모르겠다."

"음…… 그 얘기 말인데, 실패했다는 것 같아."

"뭐라꼬?"

"오히려 형편없이 당해서 의무과에 입병을 했대. 백동호는 무사한 모양이야."

"허허, 문 반장, 니 박대길이가 부탁해서 지금 여기 온 것이제? 퍼뜩 가봐라. 이러고 있을 시간에 가서 염채은이란 계집 잡을 궁리나 한번 더 해라."

"장 회장, 아랫사람들을 너무 그렇게 고양이가 쥐 다루듯 하지 마라. 다들 최선을 다하고 있다. 일이 꼬일 수도 있지."

"일이 꼬여? 그것을 말이라고 하나? 항구에 배가 도착하면 사람들은 그 배가 풍랑에 얼마나 시달렸던가는 관심 보이지 않는다. 무엇을 싣고 왔는가가 중요한 기다."

"알았다. 내일 서울에 갈 작정이니 돈이나 좀 줘라."

문순철은 퉁명스럽게 던져주는 돈봉투를 들고 장대풍의 집을 나섰다. 다시 혼자 남은 장대풍은 위스키를 홀짝거리며 생각에 잠겼다. 염채은, 백동호, 이 쌍년놈들을 생각하면 할수록 분노가 치밀어 올랐다.

"우와아악―."

벌떡 일어나서 거실의 탁자를 뒤집었다. 술병과 탁자의 유리가 요란한 소리를 내며 부서졌다. 재떨이를 거울에 집어던졌다. 그래도 솟구치는 화를 어찌할 수가 없었다.

씩씩대며 실내를 서성이던 장대풍은 갑자기 무슨 생각이 들었던지 백동호에 관한 조사철을 꺼내왔다. 내가 살아 있는 한 이것들을 결코 용서하지 않을 것이다. 차라리 참기름 짜는 기계에 봉알을 끼우고 견디는 게 낫지 내 돈을 가지고 가? 그는 수화기를 들었다.

"내 장 회장이다. 퍼뜩 이리 온나. 뭐라꼬, 서울이라꼬? 박대길, 니 지금 성난 호랑이에게 돌팔매질하나? 잔머리 굴리지 말고 총알처럼 달려와라. 문 반장 먼저 보내놓고 내 눈치 보는 것 다 안다. 한 시간 안으로 도착하지 않으면 니부터 직이뿔 끼다."

박대길의 도착은 그로부터 사십 분 후였다. 그는 시아버지 앞에서 방귀 참는 며느리처럼 묘하게 일그러진 얼굴로 들어섰다. 장대풍은 말없이 노려보기만 했다. 그것이 박대길의 마음을 더욱 졸아붙게 했다.

"박대길, 니 많이 컸다."

"죄, 죄송합니다, 회장님."

"청주 소식 알고서 문 반장부터 보내면 내 화가 가라앉을 줄 알았나?"

"…… 몸둘 바를 모르겠습니다."

"우째 하나같이 이 모양이고? 흐유…… 새로운 지시를 내릴 끼다. 이번에는 실수 없이 하거라."

"알겠습니다, 회장님."

"충남 서산에서 백동호의 딸이 유치원에 다니고 있다 카더라. 가서 찾아봐라."

"예."

"세상에 자식 사랑하지 않는 부모가 어디 있겠냐마는, 백동호 이 놈은 고아 출신이라서 제 자식은 여느 사람보다 더 끔찍이 예뻐할 끼다. 딸이냐 염채은이냐, 둘 중 하나를 선택하라면 누구를 선택하겠노?"

"알겠습니다, 회장님. 당연히 딸을 선택하겠지요."

"납치부터 할 것까진 없다. 아이 모르게 사진이나 몇 장 찍어오나. 알아듣도록 쓴 편지와 함께 사진을 보내도 대답이 없으면……."

"……."

72

"그 다음은 우찌해야 되겠노?"

"제, 제가 알아서 처리하겠습니다, 회장님."

"…… 먼젓번, 백동호를 처리하지 못하면 니하고 인연을 끊겠다던 말 기억하나?"

"마지막 기회로 알고 목숨을 바치겠습니다, 회장님."

"…… 일 봐라."

박대길은 공손히 허리를 굽혔다. J수산 비상 계단을 내려오는 그의 등에는 식은땀이 흥건하게 흐르고 있었다.


무려 삼일 동안 실컷 잠을 자고 난 백동호는 겨우 제 페이스를 찾은 듯 보였다.

아랫목에서 잠자고 웃목에서 똥 싸는 징벌방 생활. 하루 스물네 시간 중 일 분도 방 밖을 나가지 못한다. 세면, 운동, 면회, 심지어는 읽을 책도 없다. 햇빛도 들어오지 못하게 창문이 가려져 있다. 밖에 비가 오는지 눈이 오는지도 모르고 사는 날이 대부분이다. 규정상 하루 종일 정자세로 앉아 있어야 하지만 이미 꼴통으로 소문난 백동호에게 그것을 강요하는 직원은 없었다.

아침 식사를 마친 백동호는 팔굽혀펴기를 하더니 물 적신 수건으로 몸을 닦아냈다. 벽에 기대어 앉은 강인찬이 빙그레 미소를 지으며 말했다.

"이제 좀 살 만하나? 생기가 도는 것 같다."

백동호는 강인찬의 옆에 털썩 주저앉았다.

"왠지 불안합니다. 계속 잠을 자면서도 악몽에 시달렸어요. 밖에서 무슨 일이 벌어지고 있는 것 같은 느낌 말입니다. 그럴 리야 없겠지만 설마가 사람 잡는다지 않아요?"

"스무고개하냐? 쉽게 얘기해봐."

"형님도 아시잖아요. 제게 여섯 살 된 딸이 하나 있다는 거요. 이혼한 아내의 친정집에서 살고 있거든요."

"그런데?"

"이 자식들이 혹시 협상의 무기로……."

"에이, 설마. 어린것이 무슨 죄가 있다고 그렇게까지 비인간적으로 굴겠냐?"

"아닙니다. 뚜렷한 증거 없이도 저를 살해하려고 날뛰던 놈들이잖아요. 꿈에 자꾸 딸이 보였거든요."

"정말 그렇다면 환장할 일이지."

"환장할 정도만 되겠습니까? 만약 제 딸에게 무슨 일이 생긴다면……."

말을 멈춘 백동호의 눈이 이글이글 불타올랐다. 그리고 가슴 깊은 곳에서 우러나오는 낮은 목소리로 씹어뱉었다.

"탈옥해서 장대풍을 죽여버릴 겁니다."

"괜히 쓸데없는 상상으로 자신을 괴롭히지 마."

"…… 으휴, 실미도 얘기나 해주십시오."

"하하, 어째 그 얘기가 안 나오나 했다."

"소용없는 잡념에 빠지는 것보다는 형님 얘기가 낫지요. 생각은 밤에 하겠습니다."

"그래, 그 일은 두고두고 신중하게 생각해라. 먼저 내가 어디까지 얘기했냐?"

"원석규던가, 평행봉하고 철봉대 다시 만들 소나무 베러 가서 기간병을 때렸다고 소대장 여섯 명에게 몽둥이로 맞아 죽은 훈련병 얘기요."

"그래, 원석규였다…… 김일성 암살을 위한 '혹부리' 작전 개시 준비 완료. 모두 죽음을 각오한 비장한 결의로 출발을 기다리다가 허망하게 취소되는 일들이 반복되는 동안 세월은 덧없이 흘러만 갔다. 그 세월 동안 일어났던 숱한 사건과 구타의 반복, 두견새 목에서 피 꺼내 먹듯 살아온 개개인의 한 많은 과거는 모두 접어두자. 작전이 취소되었으면 훈련이나 시키지 말지 훈련은 그대로, 급식비는 형편없이 깎였다. 배가 고파서 못 살겠더라. 1970년 10월 30일, 실미도의 종점을 예고하는 무시무시한 일이 벌어졌지. 실미도가 좁기 때문에 우리는 해상 침투나 모의 전투훈련을 무의도에서 실시했다. 그것이 화근이었어……."

북한 인민군 차림의 훈련병들은 무의도 호룡곡산에 숨어들었다. 잠복호(비트)를 구축, 흔적도 없이 땅속으로 잠적하는 훈련이었다. 두 시간 뒤부터 기간병들이 수색을 시작한다. 생포되면 현장에서 소총 개머리판으로 떡이 되도록 맞은 뒤 꽁꽁 묶여서 실미도로 귀대해야 한다. 귀대 뒤에는 또 혹독한 기합이 기다리고 있었다.

잠복훈련은 오랜 시간을 좁은 땅속에서 숨어 있어야 하기 때문에 온몸이 굳거나 쥐가 난다. 개미나 벌레가 옷 속으로 들어와 물어도 손을 움직여 잡을 수조차 없다. 차라리 매를 맞아도 땅 위가 낫지, 땅속에서 이렇게 하루를 보내는 것은 정말 못할 짓이었다.

잠복호는 위치 선정을 잘해야 한다. 땅을 파낸 흙은 배낭에 담아서 멀리 떨어진 곳에 구덩이를 만들어 파묻거나 바다 절벽 아래로 버리고, 입구는 작은 나무나 풀로 위장을 한다. 유사시에는 도주가 용이해야 하고 머리를 내밀어 전방을 살필 수 있어야 한다. 이와 같은 조건을 갖추어 완벽하게 구축된 잠복호는 자연 그대로의 모습이어서 귀신도 찾아내지 못할 정도였다.

강인찬은 잠복호의 위치를 선정하기 위해서 주위를 세밀하게 살피며 전진했다. 그때 눈앞을 스쳐가는 뱀 한 마리. 그는 한달음에 뛰어가서 군화발로 밟았다. 그 자리에서 대검으로 목을 잘라버리고 껍질을 벗겼다. 꿈틀거리는 생살을 입에 넣고 씹으니 꿀맛이었다.

"인찬아!"

피 묻은 입술로 소리나는 곳을 바라보았다. 왼쪽 수풀에서 서울구치소 동기 동창 강용수가 민첩하게 다가오고 있었다. 강인찬은 토막낸 뱀을 가리키며 말했다.

"어서 와라. 먹어."

"고맙다."

제법 큰 뱀 한 마리가 마파람에 게 눈 감추듯 순식간에 없어져버렸다. 강용수가 입맛을 다시며 말했다.

"덕분에 잘 먹었다. 여기는 뱀이 없는 줄 알았는데."

"나도 처음이다."

"자리(잠복호) 찾았냐?"

"아니."

"그럼 나하고 같이 행동하자."

"둘이 들어가게? 무리하지 말자."

"잔말 말고 따라와. 기찬 곳이 있다. 둘이 들어가도 충분할 거다. 뱀 값을 하려는 게 아니라 혼자 심심해서 그래."

강용수가 잽싼 동작으로 앞장섰다. 잠시 후 그들이 도착한 곳은 무의도 서쪽 해안가의 깎아지른 바위 절벽이었다.

"조심해."

절벽을 아슬아슬하게 내려가는 강용수를 따라갔다. 절벽 중간 부분에 작은 굴이 있었다. 호리병처럼 입구는 좁고 안은 두 사람이 들어갈 수 있을 만큼 넓었다. 몇만 년 전에는 바다 수위가 지금보다 높았고 수천 년 동안 파도가 핥아서 만들어진 것이리라. 정말 완벽한 은신처였다. 절벽 바위턱에 위태롭게 서 있던 강용수가 자랑스럽게 말했다.

"먼저 들어가라."

강인찬은 몸을 거꾸로 해서 발부터 집어넣었다. 강용수가 나중에 들어오며 굴 입구를 두 개의 바위로 막아 위장했다.

"야, 기가 막히다. 언제 찾아냈냐?"

"금년 여름에."

"자식, 어쩐지 한 번도 생포 안되더라니……."

"담배나 한 대씩 피우자."

"연기 때문에 안돼."

"수색 시작하려면 조금 더 있어야 돼."

"쉿!"

그들은 입을 다물었다. 인기척이 들렸던 것이다. 너무 방심했나 보다. 긴장한 채 귀를 기울였다. 파도 소리만 철썩일 뿐 사방은 다시 고요했다. 하지만 마음을 놓을 수 없었다. 그때 어디선가 여자의 아름다운 노랫소리가 들려오기 시작했다.

"뉘라 저 바다아를 끝이 없다 하시는가……."

그들은 이 느닷없는 날벼락(?)에 한순간 심장이 멈추는 듯했다. 로렐라이 강변의 인어가 아름다운 노래로 어부의 넋을 잃게 해서 배를 침몰시킨다더니 지금 들려오는 노래가 그랬다. 영혼을 울리며 끊어질 듯 이어지는 맑은 노랫소리. 저도 모르게 감동의 눈물이 흘러나왔다. 삭막한 모래 바람만 날리는 악마의 섬에서 오로지 살인 기계로 조련되어온 그들에게 난데없이 들려오는 천상의 음악. 잠시 후 노래가 그쳤을 때 강용수는 전율하듯 몸을 떨었다. 도대체 누구일까?

강용수는 살그머니 몸을 움직여 굴 밖을 내다보았다. 하얀 블라우스, 검은 스커트, 긴 생머리의 여자가 파도 철썩이는 바위에 앉아서 하염없이 먼 바다를 보고 있었다. 그 모습은 정말 한 폭의 그림이었다.

"사랑의 기쁨은 어느덧 사라지고, 사랑의 슬픔만 영원히 남았네……."

노래는 곡을 바꾸어 다시 이어지고 있었다. 강인찬은 눈을 감은 채 김지수를 떠올렸고 강용수는 눈물 범벅으로 몸을 떨었다. 아가씨는 한 시간 가까이 노래를 하다가 일어섰다.

강용수가 굴 입구를 막은 돌을 들어내고 있었다.

"용수야, 왜 그래?"

"나 좀 내버려둬라."

"어쩌려고? 수색 시간 다 되었단 말야."

"저 천사가 어디로 가는지 확인만 하고 올게."

"너 미쳤냐?"

"인찬아, 제발 부탁이다. 이 굴을 나서면 곧바로 지옥불에 내던져져도 나는 가야 돼. 이해하지 못하겠냐? 그냥 가서 얼굴만 한번 보고 올게."

"정말 바로 돌아올 거지?"

"응."

"……."

78

강인찬은 잡았던 옷자락을 놓았다. 밖으로 나온 강용수는 굴 입구를 다시 돌로 막은 뒤 날렵하게 절벽을 내려갔다. 하얀 블라우스의 아가씨는 바위를 떠나 오솔길로 들어가고 있었다.

강용수는 수풀을 헤치며 뒤를 밟았다. 하얀 블라우스는 마을로 내려가 무의 초등학교 운동장을 가로지르고 있었다. 그녀는 재작년 교육대학을 졸업한 신출내기 선생이었으며, 무의도가 첫 부임지였다.

무의 초등학교에는 숙직실이 두 개 있었다. 학교에서 조금 떨어진 곳은 그녀와 또 다른 여선생의 자취방, 또 하나는 남자 선생님의 숙직실이었다. 그날은 여름방학의 마지막 날이었다. 내일이 개학이라서 하루 먼저 무의도에 돌아온 그녀는, 실미도 군인들이 훈련중인 것을 모르고 바닷가에 나갔다가 저승사자의 가슴에 불을 지핀 것이다.

강용수는 무의 초등학교를 중심으로 두고 산길을 달렸다. 숨을 헐떡이며 먼저 도착한 사택 뒤꼍에 납작 엎드리자 여선생이 다가오고 있었다. 천상의 여인은 눈만 흘겨도 상처가 날 것처럼 곱디고운 피부와 계란형 얼굴, 쌍꺼풀진 큰 눈이 여름에도 추위를 느낄 만큼 서늘하고 맑게 보였다. 알맞게 높은 코, 벌리면 향내가 날 것 같은 입.

훗날 백동호가 취재를 가서 마을 사람에게 들은 얘기에 의하면 김 선생은 그저 평범보다 조금 예쁜 얼굴이었다. 그러나 미의 기준은 제 눈의 안경인 것, 지금 강용수에게는 미스코리아가 트럭으로 가득 와도 그녀 하나만 못했다.

유격훈련 휴식 시간, 실미도에 궂은비가 내리고 있었다. 얼굴에 흐르는 것이 땀인지 빗물인지 구별이 안되고 군복은 흙탕물로 흠뻑 젖은 강용수가 큰 대자로 누운 채 쏟아지는 비를 맞고 있었다. 상사병은 약이 없었고, 그리움은 파도 같아서 끊임없이 밀려들며 가슴을 때렸다. 무거운 돌덩이가 짓누르는 듯한 고통. 천사를 한 번만 더 만날 수 있다면 죽어도 좋았다.

강인찬이 지친 발걸음으로 다가왔다. 강용수는 여전히 죽은 듯 꼼짝도 하지 않았다. 비바람이 점점 거세어지고 있었다. 옆에 털썩 주저앉은 강인찬이 젖은 얼굴을 모자로 닦아내며 말했다.

"용수야, 괜찮냐?"

"……."

"괜찮냐구, 임마."

며칠 전 잠복훈련 때 무의 초등학교 여선생을 따라갔다가 바위 절벽으로 돌아오는 길에 생포, 떡이 되도록 맞은 몸이 유격훈련을 견딜 만하냐는 뜻이었다. 그러나 강용수는 여전히 말이 없었다. 강인찬은 다시 진지하게 말했다.

"용수야, 옛날 서울 구치소에서 함께 군용 트럭을 타고 어딘지도 모르는 곳을 향해 달릴 때, 그리고 이곳에 도착해서도 우리는 서로에게 위로가 되었고 함께 살아서 자유를 얻기 바랐다. 잊어야 한다는 것 알지?"

"……."

"임마, 어젯밤에는 선생님을 부르며 잠꼬대를 하더라."

"……."

대답 없이 여전히 허공을 바라보는 강용수의 눈은 번들번들 젖어 있었다. 절망한 자는 대담해지고, 젖은 자는 비를 두려워하지 않는 것. 이놈은 지금 죽을 자리를 찾고 있다. 그리고 그 자리는 무의 초등학교 숙직실이다. 유상림과 장동철이 슬그머니 다가오고 있었다. 강용수가 여전히 같은 자세로 누운 채 말했다.

"인찬아, 자리 좀 비켜줄래?"

강인찬은 묵묵히 일어섰다. 그 어떤 말로도 이들을 설득할 수 없다는 것을 깨달았던 것이다.

멀지 않아 닥쳐올 겨울을 예고하는 듯 실미도를 휘감는 바람이 싸늘하고, 먼 하늘에 날아가는 외기러기의 울음이 구슬픈 10월 마지막 토요일이었다.

저녁 식사 후, 자가 발전기로 상영한 영화 '돌아오지 않는 해병'은 결국 등장인물 모두가 국가를 위해 전사하는 것으로 막을 내렸다.

"훈련병들 들여보내고 점호 준비시켜."

안 중사는 박 하사에게 지시를 내린 뒤 밖으로 나왔다. 실미도는 칠흑 같은 어둠 속에 잠겨 있었다. 쏟아져 내릴 듯 초롱초롱한 별들, 차가운 밤 바람과 철썩이는 파도 소리. 안 중사는 담배를 피우며 점호 준비가 다 되기를 기다렸다. 그러나 한 대를 다 피우도록 소식이 없었다.

이 자식들 왜 이렇게 늦어? 짜증이 담긴 눈으로 훈련병 내무반을 바라보았다. 박 하사가 뛰어오고 있었다. 심상치 않은 몸짓이었다.

"안 중위님(실미도 하사관들은 마이가리 계급장이라고 해서 본래의 직급보다 두세 등급 높여 부르고 계급장도 그렇게 달고 다녔다), 세 명이 없어졌습니다."

"뭐라구? 잘 찾아봐. 변소에 갔거나 백사장에서 담배라도 피우고 있는지."

"샅샅이 뒤져보았지만 부대에 없는 것이 확실합니다."

"그래? 비상이다. 모두 집합시키고 무의도 이장들에게 전화해봐. 없어진 놈은 누구누구냐?"

"강용수, 장동철, 유상림입니다."

연이어 보고가 들어왔다.

"무기고 창문이 뚫려 있고, M2 소총 세 자루와 수류탄 십여 발이 없어졌습니다."

"전화선(무의도와 연결된)이 모두 절단되었고, 통신실의 무전기도 부서져 있습니다."

안 중사는 이를 악물었다. 교육대장 김순웅 준위는 인천으로 외출중이었고 부대는 그의 지휘하에 있었다. 하필 이런 때 일이 터지다니. 이 새끼들, 잡히기만 해봐라. 그는 분노에 찬 목소리로 기간병들에게 명령을 내렸다.

"1소대 다섯 명은 훈련병 내무반을 지켜라. 아무도 나오지 못하게 하고 명령을 어기면 사살해라. 2, 3소대 열 명은 섬의 북쪽을 수색해라. 나머지는 나를 따라 남쪽을 수색한다."

그러나 탈출한 사람이 아직 실미도에서 머뭇거리고 있을 리 만무했다.

강용수 일행은 그림자처럼 은밀하게 무의 초등학교 숙직실로 접근했다. 여선생들의 외딴 자취방은 조용했다. 하얀 블라우스의 천사는 강용수 차지고 다른 여선생은 유상림과 장동철이 갖기로 이미 약속되어 있었다. 그들은 서로를 마주 보았고, 강용수의 눈짓에 따라 유상림이 방문을 살그머니 열었다.

"소리치면 죽어. 조용히 해."

장동철과 강용수도 성큼 방안으로 들어섰다.

"어! 아무도 없잖아?"

"이런 씨팔, 어디 갔지?"

"일단 저쪽 숙직실도 뒤져보자."

그들은 남자 선생의 숙직실을 향해서 사부작사부작 움직였다.

숙직실에서는 남자 선생 두 명과 마을 청년 이철웅이 소주를 마시고 있었다. 평소 과외공부를 하던 6학년 여자아이들이 낮에 따온 굴을 까서 선생님의 술상에 올려놓는데, 숙직실 문이 왈칵 열렸다. 사람들은 일제히 고개를 돌려 쳐다보았다. 까맣게 탄 얼굴에 짧은 머리. 한 사람은 얼룩무늬 군복이고, 다른 사람은 허름한 감색 남방 차림이었다.

"꼼짝 마!"

얼룩무늬 군복이 M2 소총을 앞세운 채 성큼 들어왔다. 장동철이었다. 윗주머니에는 수류탄이 주렁주렁 달려 있었다. 이어서 들어온 감색 남방 차림의 강용수는 부엌칼을 들고 있었다. 밖에도 한 사람이 더 있는 것 같았다.

손 선생이 더듬더듬 말했다.

"왜, 왜 이러는 겁니까?"

"조용히 안해? 소리치면 죽여버리겠다. 눈치챘겠지만 우리는 실미도에서 왔는데 탈영하려고 하니까 협조해. 협조하면 해치지는 않을 거다. 알았어?"

"아, 알았습니다. 그런데 우리는 괜찮지만 아이들은 보내줍시다."

"이 방에 있는 사람은 아무도 못 나가. 니네들 이쪽으로 모여."

강용수가 옷장에서 얇은 이불을 꺼내더니 아이들을 한쪽으로 모아 이불을 덮어씌웠다.

"누구든지 이불 밖으로 고개를 내밀면 죽여버린다. 알았어?"

"······ 예."

아이들은 기어들어 가는 목소리로 대답했다. 장동철이 막 가는 인생의 절박한 눈빛으로 물었다.

"여기 여선생들은 어디 갔어? 여선생만 찾으면 당신들은 하나도 다치지 않을 거야."

"여선생은 여기 없습니다."

"이 새끼야, 그걸 말이라고 해? 다 알고 왔단 말야."

"고향집에 간다고 오늘 낮에 인천 가는 배를 탔습니다."

"두 사람 다?"

"예."

이때의 훈련병들 표정은 뭐랄까, '돌아버리겠다, 뚜껑 열린다, 미치고 팔딱 뛰겠다, 사람 환장할 일이다······' 이런 형용사들을 모두 곱한 것 같더라고 이철웅은 회상했다.

장동철이 이불 속 여자아이들을 흘끔 쳐다보았다. 그 눈길이 무엇을 뜻하는지는 너무도 확연했다. 강용수가 침통한 얼굴로 말했다.

"동철아, 약병아리하고 고사리 말고는 다 크지 않은 짐승이나 곡식에는 손대지 않는 거다. 이왕 이렇게 된 것, 우리 그냥 깨끗하게 죽자."

문 밖에 서 있던 유상림이 핏발 선 눈으로 씹어뱉듯이 말했다.

"야! 너희들 조금만 기다려."

"어디를 가려고?"

"씹새끼야, 그냥 죽을 수는 없잖아."

유상림은 초등학교를 나와서 불 켜져 있는 집 마루 아래를 살피며 돌아다녔다. 젊은 여자의 신발을 보면 무조건 쳐들어가서 끌고 나올 작정이었다. 나는 내일 아침 해를 보지 못할 것이다. 최후의 만찬에 여자와 소주 한 잔조차 없다면…….

숙직실에 남은 장동철, 강용수는 남자들의 손과 발을 꽁꽁 묶어서 창문턱에 앉혀두었다. 이렇게 해두면 포위되어도 함부로 총을 쏘지는 못하겠지, 그런 뜻 같았다.

잠시 후 유상림이 젊은 처녀 둘을 앞세우고 돌아왔다. 모두들 날벼락을 맞은 듯 혼이 나간 얼굴이었다. 유상림이 바지를 벗으며 말했다.

"남자들은 고개를 돌려. 아이들은 이불 밖으로 얼굴 내밀면 죽는다. 아가씨, 옷 벗어. 빨리 안 벗어?"

"제발 이러지 마세요, 네?"

"이것 보라구, 아가씨. 우리는 다른 사람들을 저승길 동무 하고 싶지 않아. 하지만 말을 듣지 않으면 무슨 일이 생길지 나도 장담하지 못해. 순순히 말로 할 때 벗어."

반항을 용납하지 않는 협박이었다. 결국 여자들은 속절없이 발가벗겨지고 말았다. 풋냄새를 풍기는 뽀얀 살결이 파들파들 떨리고 있었다. 이어서 차마 눈 뜨고는 볼 수 없는 비극이 벌어지기 시작했다.

세 명의 훈련병이 돌아가며 두 번씩의 강간을 마친 밤 열 시 무렵, 갑자기 숙직실 바깥에서 총성이 울렸다.

"숙직실 인질범들은 들어라! 너희는 포위되었다. 인질을 풀어주고 자수해라. 다시 한번 말한다. 인질들을 풀어주고 자수해라."

마을 예비군과 경찰이었다. 이철웅은 이제 살았다는 안도감보다 잘못하면 죽을지도 모른다는 공포감이 더욱 커졌다. 다른 사람들도 마찬가지 심정이었다. 세번째의 강간. 서울에서 주말여행을 온

여대생은 엎드린 채 시키는 대로 엉덩이를 쳐들고 있었다. 그 뒤에서 짐승처럼 헐떡이던 유상림이 대수롭지 않게 말했다.

"야! 쏘지 말라고 해."

손발이 묶인 채 창가에 앉혀진 남자들이 합창을 하듯 외쳤다.

"쏘지 마라. 여기 인질들이 많이 있고 잘못하면 우리가 죽는다. 쏘지 마라."

장동철이 여자아이 하나를 끌어내 창가에 세웠다. 그리고 자신은 아이 뒤에 몸을 숨기고 말했다.

"지금 이 아이의 목에 칼을 대고 있다. 접근하면 이 아이부터 죽이겠다. 물러가라. 때가 되면 인질들을 풀어주겠다."

"아이들이 무슨 죄가 있나? 부탁이다. 풀어줘라."

"나는 이 학교 교장입니다. 아이들을 해치지 마세요. 차라리 대신 내가 들어갈게요."

탕탕탕, 예비군들이 다시 공포를 쏘며 말했다.

"실미도 훈련병들 들으시오. 부대에서 무슨 일이 있어 여기 와서 이러는지 알 수 없지만 민간인들이 무슨 죄가 있소? 제발 인질을 풀어주시오."

안에서는 아무런 대답이 없었다. 또 다시 총성이 울렸다.

"쏘지 말라니까. 우리가 다친다. 쏘지 말고 대화로 해결해라."

"예비군 아저씨들, 잘못하면 우리가 죽어요. 제발 쏘지 마세요. 그리고 가까이 오지 마세요. 살려주세요."

그 절박한 상황에서도 훈련병들은 한 명씩 돌아가며 강간을 계속했다. 이승에서의 마지막 한을 섹스로 풀고 가려는 듯했다. 여대생의 하체에서는 피가 흘러나와 방바닥을 붉게 적시고 있었다.

새벽 한 시, 드디어 바닷물이 빠지자 고립되었던 실미도의 안 중사 일행이 무의도로 건너왔다. 해변 백사장에 발을 들여놓자마자 멀리서 총성이 울렸다.

"다섯 시 방향입니다."

"그럴 줄 알았다. 무의 초등학교다. 가자."

무의 초등학교에는 주민들이 바글바글했고, 숙직실 주변에는 예비군이 총을 겨눈 채 엎드려 있었다. 안 중사의 손을 잡은 교장이 안타까운 눈물을 뚝뚝 떨어뜨리며 말했다.

"우리 애들 좀 살려주세요. 어린것들이 무슨 죄가 있습니까?"

"알겠습니다. 지금부터 우리가 처리할 테니 경찰과 예비군은 철수하도록 하세요. 이 시간 이후 선박의 입출항이나 전화 사용을 금합니다. 이 지시를 어기는 사람은 누구든 처벌당합니다. 아시겠습니까?"

기간병들은 숙직실을 삥 둘러쌌다. 안 중사가 권총을 뽑아들고 접근했다. 밖을 살피던 유상림이 말했다.

"안 중사, 경고한다! 가까이 오지 마라. 더 이상 접근하면 인질들을 하나씩 죽여 창 밖으로 던져 버리겠다."

"군인 아저씨, 오지 마세요. 가까이 오면 우리는 죽어요. 살려주세요."

"유상림, 너희들이 왜 이러는지 충분히 공감한다. 하지만 이런다고 문제가 해결되는 것은 아니지 않느냐! 남자 대 남자로서 명예를 걸고 약속하마. 인질들을 풀어주면 오늘 일은 없었던 것으로 하고 내 선에서 끝내겠다."

"웃기는 소리 하지 마라. 지금 심정 같아서는 너희들을 모두 죽여버리고 싶을 뿐이다. 우리를 이대로 내버려둬라. 이십사 시간 안에 자결하겠다."

"군인 아저씨, 우리는 조금 있다가 풀어준대요. 쳐들어오지 마세요."

안 중사는 기간병들에게 돌아갔다. 박 하사가 이를 갈며 말했다.

"놈들이 총을 쏘지 않는 것을 보니 바다를 건너면서 무기가 못쓰게 된 것 같습니다. 더구나 없어진 수류탄도 모두 훈련용이었습니다. 무조건 돌격할까요?"

"한번에 다 죽이지 못하면 발악적으로 인질들을 살해할지 모른다. 내가 다시 한번 설득해보겠다."

안 중사는 다시 숙직실로 다가가며 말했다.

"나는 총을 안 가졌다. 단순히 대화를 원한다. 봐라, 빈손이다. 얘기 좀 하자. 강용수 나와라."

"말해라. 강용수다."

"새삼 강조하지만 너희들이 왜 이러는지 이해한다. 그러니 평소에 하고 싶었던 말을 다 해봐라."

"몰라서 묻냐? 모든 것이 약속과는 너무 다르다. 부식도 처음과는 달리 너무 형편없고 배가 고팠다. 고된 훈련을 시키면 먹을 것이나마 제대로 주어야 할 것 아니냐? 그리고 구타가 너무 심하다. 맞아 죽은 동지가 하나 둘이냐? 잘못을 했으면 거기에 알맞는 벌을 주면 된다. 누가 너희에게 사람을 때려 죽여도 괜찮다는 권리를 주었냐?"

"알았다. 너희들 불만, 모두 일리있는 말이다. 인질들을 풀어주면 앞으로 모든 것을 시정하겠다. 구타도 없애고, 부식도 상부에 건의해 최선을 다해 배고프지 않게 하겠다. 지금껏 그토록 고생을 했는데 이렇게 개죽음하는 것은 억울하지 않나? 모두 풀어주고 항복해

라. 아까 약속했던 대로 내 선에서 모든 것을 끝내겠다."

"좆 같은 소리 하지 말고 꺼져. 우리의 무기가 다 못쓰게 된 것을 다행으로 여겨라. 내가 죽어서 저승에 가더라도 귀신이 되어 너희들을 갈아 마실 테다. 꺼져라. 더 이상 말하고 싶지 않다."

입장이 틀리면 생각하는 방식도 틀리다. 안 중사는 3년 가까이 고락을 같이한(?) 상관에게 '귀신이 되어서라도 갈아 마시겠다'는 말에 이성을 잃고 말았다. 오냐, 이 새끼들. 잡히기만 해봐라. 내가 갈아 마셔주마.

안 중사의 이 분노는 실미도 훈련병 모두에게 돌이킬 수 없는 상처를 남기고 훗날 더 큰 비극의 한 원인이 된다.

실미도는 그 탄생부터 여러 가지 비극의 요인을 안고 있었지만 기간병과 훈련병의 갈등이 큰 몫을 차지했다. 여기서 한 가지 짚고 넘어갈 것이 있다. 유사 이래 인간이 저지른 모든 잔혹 행위의 근본은 상대가 나와 다르다는 동류의식의 결여에서 비롯되었다. 몇백만 명의 유태인을 가스실에서 처형한 게르만 우월주의, 인디언을 거의 멸종시키고 그 자리에 민주주의 국가를 세운 미국. 그 잔혹한 행위의 밑바닥에는 상대가 나와는 다른 종류라는 동류의식의 결여와 도덕적, 정신적 우월감이 개입되어 있다.

이것은 개인끼리도 마찬가지로 적용된다. 기간병이 훈련병에게 저질러온 정도 이상의 잔혹한 구타에는 동류의식의 결여와 도덕적, 정신적 우월감이 한몫 단단히 하고 있었다.

상대가 나보다 못한 환경, 지능, 도덕을 지니고 있다 해서 동류로 받아들이지 않는다면, 더구나 그런 상대에게 분노했을 때 제동장치가 없다면 인간의 잔혹함은 끝간 데를 모른다. 지구상에 인간만큼 숭고한 사랑을 지닌 동물도 없지만 또 인간만큼 잔혹한 동물이 어디 있는가.

4백 년 전, 루마니아 왕 블러드는 굵은 통나무 꼬챙이를 포로의 항문이나 여자의 성기 아래쪽에서 집어넣었다. 사람이 꼬챙이에 걸터앉은 형상이다. 꼬챙이는 처형자의 체중에 의해서 서서히 몸 속으로 들어간다. 블러드는 식사의 여흥으로 이 모습을 즐기며, 꼬챙이 끝을 뾰족하게 해서는 안된다고 명령했다. 그래야만 처형자의 목숨이 오래 가는 것이다.

너무 극단적인 예이지만 정도의 차이가 있을 뿐, 우리가 사는 곳 어디에나 잔인한 고문 기술자는 존재한다. 성기에 물을 뿌린 뒤 전기봉으로 지져대는 사람이 범죄자가 아니라 형사일 수도 있고, 코에 와사비를 탄 물을 쏟아붓는 사람이 필로폰 복용자가 아니라 정의롭고 존경받는 보사부 직원이나 검사일 수도 있다.

아무튼 동류의식이 결여된 기간병의 훈련병에 대한 분노, 그것은 잔혹함의 시작이었다. 안 중사는 치를 떨며 특공대를 조직했다. 가겟집에서 댓병 소주를 사서 한 사발씩 먹었다. 특공대 열 명은 몽둥이를, 나머지는 총을 겨눈 채 숙직실을 포위했다. 지시를 내리는 안 중사의 목소리는 폭발 직전의 니트로 글리세린처럼 끓어오르고 있었다.

"이제 설득은 끝났다. 놈들은 굴 따는 칼 몇 자루뿐, 총도 못 쓰고 수류탄도 훈련용이다. 육탄돌격을 하자. 내가 플래시로 신호를 하면 무조건 뛰어들어 가서 움직이는 것은 다 때려눕혀라. 불 꺼진 방안에서 적과 아군을 한눈에 구별하는 것은 쉽지 않을 것이다. 불상사가 생길 경우 모든 책임은 내가 진다. 알겠나?"

"예."

어둠의 숙직실에서 밖을 살피던 강용수가 돌아서며 처연하게 말

90

했다.

"저 자식들이 돌격을 하려는 것 같다. 생포되어 굴욕을 겪다가 죽느니 자결하자. 누가 먼저 죽을래?"

장동철이 선뜻 일어서며 말했다.

"나부터 죽여다오."

"그래, 다음 세상에는 부잣집 아들로 태어나서 행복하게 살아라."

"잠깐, 유언이 있다. 방안의 모두에게 미안합니다. 특히 아가씨들, 몹쓸 짓을 저지르고 가는 우리를 용서하세요. 다음 생에 내가 개로 태어나서 아가씨들을 지켜드릴게요. 용수야, 빨리 찔러라."

장동철이 목을 뒤로 젖혔다. 강용수는 소리없이 눈물을 흘리며 부엌칼을 목 깊숙이 찔러박았다. 칼을 빼자 붉은 피가 쿨럭쿨럭 솟아나왔다. 부엌칼은 다시 심장을 찔렀다. 캄캄한 어둠 속에 피비린내가 자욱이 퍼졌다. 이번에는 유상림이 다가섰다.

"여대생들! 평생 지울 수 없는 상처를 입었지만, 정말 가련하고 불쌍한 인생들을 위해 몸보시를 했다고 생각해요. 용수야, 나는 가슴부터 찔러다오. 먼저 가서 기다리마."

유상림의 가슴에 칼이 박히는 순간, 와장창 문이 부서지며 기간병들이 뛰어들었다. 강용수는 얼른 칼을 뽑아 자신의 목을 찔렀다. 하지만 제대로 찌르기도 전, 인질들의 비명소리와 함께 훈련병들 몸 위로 살벌한 몽둥이가 쏟아졌다.

난동 진압은 순식간에 끝이 났다. 숙직실 밖으로 끌려나온 피투성이의 훈련생들 몸 위로 계속되는 몽둥이질은 꿈틀거리는 붉은 고깃덩어리를 자근자근 다지는 것 같았다. 목격자들의 증언에 의하면 숙직실 앞마당이 피로 냇물을 이루었다 한다. 그래도 숨을 껄떡이며 살아 있던 강용수는 시체와 함께 실미도로 실려갔다.

훗날 백동호는 실미도 사건의 취재 과정에서 다음과 같은 증언을 들었다.

▣ 이사원(당시 실미농장 관리 책임자)
"인질범들의 시체는 천으로 덮인 채 실미도로 옮겨졌는데, 그 시체에 단검을 꽂은 기간병 X가 훈련병들에게 총을 들이대며 '배신자의 죽음을 똑똑이 봐라. 그리고 다시는 이런 일이 없을 것이라는 맹세의 뜻으로 시체의 살점을 한 입씩 베어 먹어라'라고 강요를 했다더군요. 훈련병들은 모두 울면서 살점을 베어냈지만 차마 먹지는 못하더랍니다. 물론 이것은 들은 소리입니다."

▣ 김두만(공군 참모총장, 현 대붕상사 회장)
"…… 사건 발생 이틀 후 공군 정보부대장에게 보고를 받았지요. '휴가도 없이 고된 훈련과 성적 욕구불만이 사건 동기'라고 하더군요. 그래서 기간병들의 경호 아래 외출할 방법을 연구해보라고 지시를 했습니다."

청주 교도소 징벌방에서 강인찬의 실미도 얘기는 계속 이어지고 있었다.

"…… 우리는 해변가에서 장작에 석유를 부어가며 강용수 일행을 태웠다. 거의 하루 종일 걸리더구나. 시체가 타는 매캐한 냄새는 실미도의 비참한 최후를 예고하는 듯했다. 불에 탄 해골이 부풀어 터지며 퍽 소리를 낼 때는 마치 내 머리가 부풀어오르다가 터지는 것처럼 느껴지더라. 우리는 타다 남은 뼛조각을 대충 빻아서 바다에 뿌렸다. 그날 저녁 식사를 제대로 한 훈련병은 거의 없었다. 나도 밥이 넘어가지를 않더구나. 악착같이 한 그릇을 다 비운 사람은 교육대장의 당번 김종철이었다. 유상림과 유독 친했던 그는 시체의 가슴살을 베어내서 씹어먹은 유일한 훈련병이었다. 우리는 내무반에 우두커니 앉아 있다가 취침 점호를 받았다. 취침 점호 인원 보고. 총원 27명, 사고 3, 현재 24명. 번호……. 번호 소리는 공허하게 울려퍼졌다. 이불 속에 들어간 훈련병들은 아무도 잡담을 하지 않았다. 앞날에 대한 불안, 상다리가 휘어지게 푸짐했던 약속의 배신감, 지지리도 못나고 한 많았던 삶의 추억들. 나는 그날 밤 내 영혼의 남매 김지수를 생각했다. 우리의 암담한 절망을 기간병들도 느꼈는지, 다음날부터는 구타도 심하지 않았고 훈련도 예전 같지가 않더라. 그렇게 희망을 잃은 저승사자들에게 일순간 생기를 넣어주는 기적이 일어난 것은 인질난동 사건 한 달 뒤였다. 그리고 그 기적은 내 인생을 또 한번 송두리째 뒤바꿔놓았지……."

12월 초순, 겨울의 문턱에 들어선 실미도에는 차가운 바닷바람이 몰아치고 있었다. 하루 일과를 마치고 돌아온 훈련병들은 씻지도 않고 침상에 벌렁 누워버렸다. 모두 서리 맞은 배추처럼 추레한 모습이었다.

"왜들 이렇게 기운이 없어?"

훈련병들은 총알처럼 일어나 구령을 붙였다. 좀처럼 내무반에 들어오지 않는 교육대장의 얼굴에는 온화한 미소가 어려 있었다.

"모두들 편히 앉아라. 나는 지금 산타클로스 할아버지가 된 것 같은 기분이다. 만약 하루의 특별 외출이 허락된다면 제군들은 어디를 제일 먼저 가고 싶은가?"

"특별 외출?"

훈련병들은 아닌 밤중에 홍두깨를 얻어맞은 표정으로 서로를 둘러보았다.

"지금 외출이라고 하셨습니까?"

"하하, 실감이 나지 않는 것 같구나. 제군들의 사기가 너무 떨어져서 상급 부대에 하루만이라도 특별 외출을 건의했더니 오늘 허락이 떨어졌다."

"정말입니까?"

"물론이다. 자세한 것은 소대장에게 들어라. 이상!"

"우와아― 끼야, 훗!"

그들의 함성은 마치 죽음 직전까지 잠겼다가 물 밖으로 얼굴을 내민 사람의 호흡 같았다. 기쁨의 파도가 철썩철썩 넘쳐흐르는데 안 중사가 들어왔다.

"소대장님, 정말 우리가 외출을 나가는 것입니까?"

"물론이다. 그러나 외출은 한 번에 다섯 명씩으로 제한한다. 개인적인 행동은 허락하지 않는다. 그리고 새삼스러울 것도 없는 당부이지만, 만나는 민간인 그 누구에게라도 이곳의 일을 발설하면 외출은 중단되고 국가기밀 누설죄로 처벌을 받을 것이다."

"외출은 어디로 합니까?"

"인천 학익동이다."

"학익동?"

우리나라에서 다섯 손가락 안에 드는 사창가, 그곳으로의 특별 외출이 무엇을 뜻하는지 더 이상 설명이 필요없었다. 훈련병들은 온갖 음란한 상상을 하며 그날 밤을 뜬눈으로 새웠다.

다음날 아침, 제비뽑기로 외출 순서가 정해졌다. 강인찬은 셋째

날이었다.

마침내 기다리던 외출날, 강인찬은 깨끗한 속옷으로 갈아입었다. 군복을 칼처럼 다렸으며, 하루 종일 양치질을 네 번이나 했다.

서편 바다에 잘 익은 복숭아빛 노을이 질 무렵, 강인찬 일행을 태운 모래 채취선은 인천 연안부두에 도착했다. 다섯 명의 훈련병을 감시하는 기간병은 열 명이었다. 한 사람당 권총을 찬 기간병 둘의 감시였지만 그런 것은 아무래도 좋았다.

당시 전성기를 누리던 학익동 사창가에는 윤락녀들이 무려 이천여 명이나 있었다. 아직 초저녁인데도 호객 행위를 하는 여자들이 거리마다 골목마다 와글와글했다.

"자, 지금부터 마음에 드는 여자를 골라라."

훈련병들은 굶주린 늑대가 무리진 토끼를 바라보는 것처럼 눈을 빛내며 여인 천국을 걸었다. 겨울에 들어서고 있건만 여인들의 옷차림은 아슬아슬했다. 도발적인 모습으로 다가와 팔짱을 끼거나 손을 잡으며 요염한 목소리로 유혹하는 여인들.

"군바리 오빠, 나 어때?"

"이리 와서 화끈한 서비스 좀 받아봐."

"군바리 오빠, 놀다 가."

교육대장 당번 김종철이 제일 먼저 여자를 선택했고, 기간병 두 명이 그 뒤를 호위해 갔다. 방의 앞뒤를 지키기 위해서였다. 허락 없이 나오면 사살될 것이란 주의를 이미 받은 터였다.

잠시 후, 두 사람이 더 선택을 했다. 여인들의 사타구니는 이미 닳고 닳아서 웬만한 섹스에는 감각조차 없겠지만 훈련병의 성난 남근에 세 시간을 시달리면 앞으로 며칠 동안 걸음을 못 걷게 될지도 몰랐다.

강인찬도 수컷인지라 골목골목 넘쳐나는 여인의 살 냄새, 싸구려 향수 냄새에 가슴이 벌렁벌렁 뛰고 있었다. 잠시 후면 얼마나 큰 충격이 운명으로 다가올 줄 까마득히 모르는 채…….

"빨리 골라잡아. 그년이 그년이지 뭐."

강인찬이 혼자 남게 되었을 때 탁 중사가 재촉을 했다. 하지만 왠지 선뜻 선택을 할 수가 없었다. 바보스럽게도 그때까지 숫총각이었던 것이다. 조금 앞에서 안경 낀 남자를 붙잡고 흥정을 벌이는 여자가 눈에 들어왔다. 그녀는 각성제 종류의 약에 취한 듯 비틀거리고 있었다.

순간 강인찬은 숨을 멈추었다. 가슴에서 와그르 돌무더기 구르는 소리가 났다. 내가 잘못 보고 있는 것이겠지. 지수가 여기에 있을 리가 없다.

여자는 안경 낀 사내의 팔을 붙들고 갖은 아양을 떨고 있었다.

"오빠, 해달라는 것 뭐든지 다 해줄게. 잠깐만 놀다가, 응?"

그러나 안경 낀 사내는 여인을 뿌리치고 걸었다. 여인은 서운한 얼굴로 뒷모습을 바라보다가 고개를 돌렸다. 강인찬은 어느새 그녀의 코앞에 가 있었다.

"군바리 오빠, 생각 있어?"

강인찬은 다시 한번 유심히 그녀를 살폈다. 턱 밑의 작은 점, 입을 벌릴 때 보이는 조금 깨져 있는 앞니, 쌍꺼풀진 눈. 역시 김지수가 틀림없었다. 강인찬의 목소리가 떨렸다.

"혹시, 지수?"

여인의 얼굴이 돌연 창백해졌다. 마치 귀신을 대하는 듯한 표정이었다. 이미 사형을 집행했고, 연고자가 없어 화장시켰다는 것을

96

서울 구치소에서 확인했다. 그런데 살아 있었다니…… 눈앞의 군인은 강인찬이 틀림없었다. 와락 달려들어 얼싸안고 싶었다. 그러나 김지수는 자신의 처지가 퍼뜩 떠올랐다. 어쩌자고 여기에서 이런 모습으로 만난다는 말인가.

강인찬은 돌아서려는 여인의 팔을 완강하게 낚아챘다.

"그렇지? 너 김지수 맞지?"

강인찬은 떨리는 손으로 여인의 왼쪽 머리를 쓸어넘겼다. 그 옛날 흉하게 일그러져 강인찬을 눈물짓게 했던 어린 김지수의 왼쪽 귀는 세월이 흘렀어도 그대로였다.

고개를 숙인 김지수의 얼굴에서는 눈물이 흐르고 있었다. 묵묵히 두 사람의 상봉을 지켜보던 탁 중사가 강인찬의 어깨를 쳤다.

"아는 사이인가보지?"

"예, 나는 이 여자와 시간을 보내겠습니다."

강인찬은 침통한 얼굴로 김지수를 따라갔다.

그 시절 학익동 윤락녀의 방은 침대는커녕 깔려 있는 이불조차 남루했다. 싸구려 향수 냄새, 남루한 이불 위에서 그들은 손을 마주 잡고 흐느꼈다.

"지수야, 너 왜 이렇게 된 거니?"

김지수는 목놓아 울 뿐이었다. 그리고 한참 후에 차분하게 가라앉은 목소리로 말했다.

"오빠 살아 있었구나. 작년 여름에 서울 구치소로 면회를 갔더니 이미 사형 집행이 되어버렸다고 하잖아. 무덤이라도 가르쳐달랬더니 가족이 없어서 화장을 시켰다더라. 나는 정말인 줄 알았어. 어떻게 된 거야?"

"……."

"오빠, 첩보부대지?"

"그게 무슨 말이냐?"

"이틀 전부터 권총 찬 군인들이 창문과 방문을 지키는 군복 차림의 죄수에 대한 소문이 이 골목에 파다해. 아마 대북 침투 공작원들일 것이라고 수군수군댔어. 오빠, 그렇지?"

"……."

"말해줘. 비밀을 지킬게."

"지수야, 만약에 시간이 좀 흐른 뒤에라도 너를 만나려면 어떻게 하면 되니?"

"언제쯤?"

"넉넉잡고 1년 이내로."

"여기로 오든지, 아니면 서울 종로 3가 단성사 뒷골목에 신혼이라는 술집이 있어. 거기 주인 아줌마에게 물어봐. 내가 어디로 가든 그곳에 연락처를 남겨놓을게."

김지수는 그 말을 하면서 옷을 벗었다. 실오라기 하나 걸치지 않은 그녀의 알몸 여기저기에 푸른 멍이 들어 있었다.

"지수야, 왜 이래?"

"오빠, 빨리 연애해. 시간이 별로 없을 것 아냐?"

"아니, 그런 것 말고. 몸에 왜 이렇게 상처가 많냐는 말이다."

"우리 같은 신세에 기둥서방에게 두들겨 맞는 것은 보통이지 뭐."

"그 자식 지금 어디 있니?"

"서울 갔어. 오빠, 그런 것 신경쓰지 말고 빨리 연애하라니까."

"지수야, 왜 이러니? 부탁이다. 옷 입어라. 그리고 조금만 기다려. 내가 꼭 돌아올게. 그래서 너를 지켜줄게. 도대체 네가 왜 이런 곳까지 흘러오게 되었는지 말을 좀 해줘. 꿈에서 너를 가끔 보았는데 아주 행복하게 살고 있더란 말야."

"팔자려니 해야지 도리가 없잖아. 정말 연애 안할 거야? 나는 괜찮으니까 해. 아님 다른 여자 불러줄까?"

"지수야, 그러지 말고 제발 얘기해. 왜 이렇게 됐어?"

김지수가 처연한 얼굴로 말해준 사연은 이러했다.

그녀가 여고 1학년 여름방학 때, 양어머니가 친목계원들과 강릉으로 여행을 갔다. 집안에 양아버지와 단둘이 남게 된 그날 밤, 속옷 바람으로 잠을 자던 그녀는 양아버지에게 겁탈을 당했다. 한번 무너진 둑을 다시 복구하기란 쉽지 않은 것, 양아버지는 그후 틈만 나면 김지수를 농락했다.

양어머니에게 발각된 것은 1년 후 김지수의 배가 불러오기 시작하고부터였다. 당연히 집안은 발칵 뒤집혔다. 알고 보니 양아버지는 젊을 때부터 여자 문제로 속을 많이 썩였다는 것이다. 여자의 질투는 돌부처도 돌아앉는 것, 김지수는 중절수술을 받은 뒤 그 집을 나오고 말았다. 갈 곳은 없었지만 나오지 않을 수가 없었던 것이다.

열여덟 살의 김지수는 한강대교를 걸으며 죽고 싶다는 충동에 몸을 떨었다. 그리고 그 순간 마지막으로 강인찬을 보고 싶었다. 찾아오지 말라고 냉정히 돌아서던 사형수 강인찬을 위로하러 가는 것이 아니라 위로를 받고 싶었다.

김지수는 면회 접수를 하고서도 넋잃은 사람처럼 대기실에 앉아 있었다. 한데 막상 면회 차례가 되자 그녀는 부르지 않았다. 교도관이 따로 불러서 하는 말이, 강인찬은 이미 사형 집행이 되어서 이 세상 사람이 아니라는 것이었다.

서울역을 배회하던 그녀가 인신매매단에 걸려서 처음 발을 디딘 곳이 종로 3가의 '신혼'이란 방석집이었다. 거기에서 지금의 기둥서방 박민호를 만났다. 박민호는 돈이 궁할 때마다 김지수를 이곳저곳으로 팔아넘기며 선불을 당겼다. 인천 학익동까지 흘러온 것은 그래서였다.

강인찬은 연애 한번 하고 가라는 김지수의 마지막 부탁을 뿌리치고 그곳을 나왔다. 인천 연안부두에서 실미도로 돌아가는 모래채취선에 몸을 실었을 때는 이미 캄캄한 어둠이었다.

훈련병 이윤성은 아직도 여인의 살내음에서 헤어나지 못하고 있다가, 강인찬에게 무언가 이상함을 느꼈는지 슬며시 옆으로 다가왔다.

실미도 생활 초창기 때 쪼록꾼 출신으로 몸이 약해서 훈련에 늘 뒤처졌던 이윤성은, 박 중사에게 바닷속에서 목을 밟혀 죽기 직전 강인찬에 의해서 구해진 적이 있었다. 강인찬은 그 대가로 죽음 일보 직전까지 구타를 당하고 해변가에 버려졌다. 그 뒤로 이윤성은 강인찬의 충실한 숭배자가 되었다. 지금도 강인찬의 예사롭지 않은 기분을 알아차리고 다가온 것이다.

"인찬아, 왜 그래?"

"……."

"무슨 일 있냐?"

"윤성아, 나 말시키지 말고 내버려둬라. 부대에 들어가서 얘기하자."

이윤성은 아무 말 없이 자리를 비켜주었다. 강인찬은 한마디 말도 없이 실미도에 돌아왔지만 잠을 이룰 수가 없었다.

사흘 굶은 시어미도 혼자 웃을 일이 있더라고, 제아무리 슬픈 인생도 가슴 따뜻해지는 추억 하나쯤은 간직하고 있는 것. 강인찬에게는 김지수가 그랬다. 비록 그녀의 부모를 죽인 살인범이지만 그녀와 강인찬은 영혼의 남매이며, 부부였다.

그 동안 김지수를 못 보아도 잘 참아낸 것은 그녀가 행복한 인생을 살고 있으리라 믿어 의심치 않고 있었기 때문이다. 그런데 이제 뭇 사내의 공동 변소가 되어 돈 몇 푼에 옷을 벗고 있다. 그 돈을 기둥서방에게 착취당하며, 걸핏하면 두들겨 맞아서 온몸이 푸릇푸릇하다.

그래, 이 모든 것이 나 때문이다. 내가 지수의 아버지를 죽이지 않았더라면……. 강인찬은 실미도를 탈출하기로 결심했다. 아직 한 명도 실미도를 살아서 빠져나간 사람은 없지만 나는 성공하겠다. 혼자서 안되면 동지들을 모아서 기간병들을 모조리 사살하고서라도 나는 지수에게 가야만 한다. 강인찬은 밤을 꼬박 새우며 탈출을 생각했다.

이날 잠들지 못한 사람은 강인찬뿐만이 아니었다. 훈련병들 대부분이 프라이팬 위의 생선처럼 괴로운 몸을 이리저리 뒤집으며 날을 새우고 있었다.

중이 고기맛을 알면 절간에 빈대가 남아나지 않고, 십 년 수절 과부 봇물 터지면 강 건너 고자 코피를 터뜨린다던가. 그 동안 참고 참았던 성적 욕구를 오늘의 특별 외출로 분출한 사람은 또 다시 솟아오르는 욕정에 시달리고, 아직 순서를 기다리고 있는 사람은 몸서리를 치며 여인의 육체를 그리워하고 있었다. 정신적인 면들이 덜 발달한 대신 동물적 본능은 여느 사람의 수십, 수백 배 강한 실미도 훈련병들에게 한번 맛을 보여준 섹스는 그야말로 고기맛에 미치고 환장한 중이나 십년 수절 과부 봇물을 터뜨린 것이나 마찬가지였다.

  강인찬의 얘기는 이틀 동안 계속되었다. 다음 장 '실미도의 최후'
는 강인찬의 회상과 훗날 백동호가 여러 자료, 증언을 참조하여 '실
미도 군 특수범 난동 사건'을 재구성한 것이다.

# 실미도의 최후

거센 바람을 동반한 장대비가 내리고 있었다. 태풍이었다. 파도가 얼마나 심한지 조금만 기세를 더하면 실미도를 통째로 삼켜버릴 것 같았다. 30년 만의 집중호우로 육지에서는 많은 사람들이 목숨을 잃었다고 했다. 실미도는 훈련이 이틀째 취소되었다.

훈련병 내무반은 한가로웠다. 사흘 굶은 시어미도 혼자 숨어 웃을 일이 있다는데, 제아무리 후진 인생들이라 해도 뒤돌아보면 기쁜 일 한두 개는 있는 것. 그들은 암담한 현실을 떠나서 아련한 옛 추억에 젖어들거나 기간병이 갖다준 주간지의 수영복 입은 여자를 감상했고, 장기와 바둑을 두는 사람도 있었다.

하지만 교육대장실에서는 소대장 이상의 간부들이 굳은 얼굴로 모여 앉아 있었다. '한계에 도달한 훈련병들의 불만을 어떻게 해야 하는가'에 관한 대책회의였다. 김순웅 준위가 좌중을 둘러보며 말했다.

"훈련병들의 사기가 저하되고 동태가 수상한 것은 하루 이틀 전이 아니지만, 요즈음은 특히 일촉즉발 무슨 일이 벌어질 것 같은 분위기이다. 내무반에 돌아가면 소대원들에게 경계 철저를 지시하고, 만약 훈련병들이 폭동을 일으킬 경우 우리는 하나도 살아남지 못하는 사태가 생길 수 있다는 것을 주지시켜라."

"알겠습니다."

"자, 그러면 훈련병의 동태에 대해서 각자 느낀 점이나 상부에 대한 건의사항을 말해봐라."

안 중사가 기다렸다는 듯 먼저 발언을 시작했다.

"언제까지 이런 상태를 지속할 수는 없는 것 아니겠습니까? 보다 근본적인 해결책이 있어야 할 것 같습니다."

"근본적인 해결책?"

"예, 이제는 더 이상 작전이 재개된다며 훈련병들을 다독거릴 수가 없습니다. 보안 유지를 위해서 서약서를 받고 전원 월남으로 보내는 것이 가장 좋다고 생각합니다. 하지만 그것은 먼젓번 건의했을 때 불가라는 답을 들었으니, 이제는……."

"계속해."

"모두 사살해버리는 수밖에 없습니다."

"……."

"강도 높은 훈련을 며칠간 계속 시킨 다음에 술과 고기를 먹이고 재우면 곯아떨어질 것 아닙니까? 그때 우리 소대장들이 들어가서 한 사람당 네 명씩 맡아 사살해버리면 됩니다. 비밀유지를 위해서 단순 경계병들은 외출을 시키는 것도 한 방법이고요. 아니면 상륙 훈련을 시킨다며 외딴 섬에 몰아넣고 캘리버50으로……."

"시체는?"

"불태워서 바다에 버려야지요. 그렇게까지 해야 하는 것이 인간적으로 안됐기는 하지만 실미도의 보안은 국가적 운명이 걸린 문제입니다."

"…… 또 다른 의견은 없나?"

"사살을 하자는 데 저도 동의합니다. 그 외 적당한 대안이 없습니다."

탁 중사가 선임 안 중사와 박 중사의 눈치를 살피며 조심스럽게 반대 의견을 냈다.

"그것은 좀 가혹합니다. 전쟁 포로도 그렇게 할 수는 없는데, 하물며 훈련병들은 선서를 하고 들어온 국군이자 우리의 전우입니다. 원상복귀시키는 것은 어떻습니까? 사형수나 무기수는 한 등급씩 감형을 해서 교도소로 돌려보내고, 그 밖에 김종철이나 이윤성같이 사회에서 지원한 훈련병은 정착금을 지급해서 풀어주는 것이 타당하다고 생각합니다."

"그것은 안됩니다. 말썽이 나면 누가 책임을 집니까? 이들이 교도소로 돌아가면 보안 유지가 어렵고, 사회로 나가는 사람은 월북해서 대남 선전방송에 이용될 가능성도 있습니다. 역시 사살이 제일 낫습니다."

"인생이 불쌍하지 않습니까?"

안 중사의 얼굴에 불쾌감이 서렸다. 그는 탁 중사의 아래위를 훑어보며 빈정거림을 담아 말했다.

"인정은 탁 중사만 있는 것이 아니다. 나도 마음 같아서는 다 살려주고 싶어. 상부에서 원상복귀시킬 뜻이 있었으면 진즉 시켰을 것이다. 하지만 그렇게 할 수 없으니까 여지껏 이렇게 질질 미뤄진 것 아니겠냐?"

"그래도 전원 사살은 안됩니다. 상부에서 그런 지시가 내려와도 우리가 반대해야 하는 것 아닙니까?"

"야! 너 정말 이럴 거야? 혼자만 잘난 체하지 마, 임마."

"잘난 체가 아닙니다. 입장을 바꿔놓고 생각해보십시오."

"뭐라구? 임마, 틀린 입장을 왜 바꿔놓고 생각해?"

안 중사가 한 대 후려갈길 것처럼 벌떡 일어섰다. 탁 중사도 지지 않겠다는 듯 눈을 똑바로 떴다.

"조용히 해! 안 중사, 앉지 못해?"

김 준위의 호통에 분위기가 썰렁해졌다. 잠깐의 침묵, 그리고 이 하사가 말했다.

"월남 파병, 원상복귀, 사살, 세 가지를 다 상세한 계획서로 만들어 상부에 건의하는 것이 어떨까요? 우리야 어차피 상부의 결정에 따를 수밖에 없지 않습니까?"

"이 하사의 의견에 나도 동의한다. 계획서를 작성하기 전 몇 가지 짚고 넘어가자. 동태가 수상한 사람은 없나?"

"강인찬 훈련병이 심상치 않습니다."

"어떻게?"

"작년 겨울 인천으로 특별 외출을 갔다온 후, 내내 말이 없고 골똘한 생각에 잠겨 있습니다. 탈출을 생각하고 있는지 모르니 주시해야 할 것 같습니다."

"특별 외출 때 애인은 아니지만 잘 아는 것이 분명한 여자를 학익동에서 만났습니다. 밖에서 들으니 둘이서 계속 울며 얘기를 나누더군요. 그 여자 때문일 것입니다."

"박기수도 그렇습니다. 동료들에게 홀어머니 얘기를 자주 한다고 합니다. 열아홉 살 때 집을 나와서 한 번도 안 갔으니 죽었는지

106

알 거라며, 꿈에 자주 보인다고 합니다. 행동에 기운이 없고 한숨을 자주 쉽니다."

"주시할 사람이 하나 둘이 아닙니다. 요즈음 들어서 특히 몇몇은 자기네끼리 소곤소곤거리다가 우리가 가까이 가면 말을 그치는 경우가 많습니다. 섬뜩한 기분이 들 때도 있습니다."

"그렇게 소곤거리는 사람들이 누구야?"

"네, 구동석(훈련병 총조장), 강인찬, 이윤성, 박기수가 제일 수상하고요, 그 밖에 함양래도 요즈음 가세하고 있는 것 같습니다. 우리에게 정보를 주던 배인석은 요즈음 노골적으로 따돌림을 당하고 있다 합니다."

"구동석이까지 그렇다는 말이지? 아무튼 이번 건의로 무슨 확답을 받아 오겠다. 당분간만이라도 훈련병들 너무 자극하지 않도록 어지간한 것은 그냥 넘어가 줘라."

"특별 외출이라도 한번 더 시켜줄 수는 없을까요? 그때 이후로 사기가 더 저하된 것 같습니다."

"본부에서 안된대."

"휴우…… 이제는 우리가 훈련병들 눈치를 보며 전전긍긍하는군요."

훈련병들에게 삶의 의욕이 있고, 작전에 성공하면 부와 명예가 보장된다는 희망이 있을 때는 총과 몽둥이로 다스릴 수가 있었다. 그러나 지금은 거의 자포자기한 상태에서, 강용수 일행들처럼 죽을 자리를 찾고 있는 절망한 영혼들이었다. 한두 명이 아니라 훈련병 전체가 그랬다. 기간병들이 전전긍긍하는 것은 어쩌면 당연한 일이었다.

"음…… 일단 안 중사가 건의서를 작성해봐. 내일 본부에 갈 때

대장님(공군 정보부대)께 제출할 수 있도록 서둘러서."

건의서 작성은 회의를 길어지게 했고, 실미도에는 서서히 어둠이 진군해오고 있었다.


같은 시간, 강인찬은 훈련병 내무반에서 교육대장의 당번 김종철과 장기를 두고 있었다. 김종철은 평소 훈련만 끝나면 곧바로 교육대장실로 가서 청소하고 잔심부름을 하며, 잠도 아예 그곳에서 잤다. 오늘은 회의가 있기 때문에 훈련병 내무반에 오랜만에 온 것이었다.

강인찬은 지금 김종철의 마장을 받아놓고도 눈동자가 초점을 잃고 있었다.

"뭐해? 장 받아, 이 사람아."

"종철아! 교육대장실 회의 아직 하고 있지?"

"그러니까 나를 부르러 오지 않지."

"다른 때보다 너무 길다고 생각지 않냐?"

"그래, 벌써 세 시간째다. 취침 시간이 다 되어가는데 무슨 말들이 이렇게 길까?"

"어쩐지 느낌이 좋지 않다. 무슨 짓을 꾸미는지 좀 알아봐라."

"내가 어떻게?"

"기간병들이 대장실을 오다가다 하는 말을 놓치지 말라는 거야. 오늘은 일주일에 한 번씩 하는 정기회의도 아닌데 이상하잖아."

"알았다. 내가 한번 냄새를 맡아볼게."

"흘려 듣지 말고 명심해. 틀림없이 우리에 대해서 좋지 않은 의견을 나누고 있을 것 같다."

"알았다니까. 장이나 받아."

회의를 마쳤는지 탁 중사가 들어오고 있었다. 훈련병들의 야간 행동을 감시하기 위해서 소대장 두 명이 돌아가며 훈련병 내무반에서 잠을 잤다. 오늘은 탁 중사와 이 하사 차례였다.

탁 중사는 들어오자마자 김종철을 교육대장실로 보내고 점호 준비를 지시했다. 회의 결과가 좋지 않았는지 소대장들의 표정이 몹시 굳어 있었다.

실미도 교육대장 김순웅 준위가 상급 부대인 오류동 공군 정보부대로 김재엽 대령을 찾아간 것은 실미도에서 소대장들과 회의를 한 사흘 뒤였다. 날씨 때문에 배가 뜨지 못해서 늦어진 것이다.

"대장님, 상의드릴 일이 있어서 왔습니다."

"그래, 뭔가?"

김 준위는 '중앙 유격사령부 683특공교육대 해체 계획서' 내용을 하나하나 설명했다. 설명이 다 끝나기도 전, 김재엽은 고개를 저으며 말했다.

"그 문제는 우리 공군에서 결정할 수 있는 것이 아니다. 먼젓번 월남 파병 건의도 대통령 각하에게까지 결재가 올라갔던 거다."

"그렇다고 마냥 이대로 둘 수는 없는 것 아닙니까? 저희도 이제는 한계에 부딪혔습니다. 기간병들까지 못 견뎌 하고 있는데 훈련병이야 오죽하겠습니까? 건드리기만 하면 폭발하는 지뢰밭에서 살고 있는 기분입니다."

"사실은 작년부터 참모총장님께서 실미도 문제로 장관님과 여러 번 만나서 건의하고 항의도 하셨다. 그래서 며칠 전에는 드디어 부대를 해체하지 않으면 HID나 중정에 반납해서 처리하도록 하겠다는 약속을 받아내셨다. 두 달만 더 기다려봐. 여지껏 고생했는데 좋은 결과를 못 얻는 것이 아쉽지만, 우리로서는 실미도를 반납하는 것이 최선이다. 반납할 때 이번 건의서를 참조하도록 하겠다. 우선은 도로 가져가서 보완할 것이 있으면 보완해둬라."

"알겠습니다, 대장님."

앓던 이를 빼주겠다는 약속을 들은 것이나 마찬가지였다. 김 준위는 홀가분한 마음으로 공군 정보부대장실을 나왔다. 실미도의 운명이 이렇게 어느 정도 결정되어가던 이날은 1971년 8월 9일, 월요일이었다.


수요일 오후, 실미도 훈련병들은 습격, 매복, 생환법 강의를 듣고 있었다. 탁 중사는 눈가에 자울자울 졸음이 들어 있는 박기수를 너그럽게 못 본 척하며 강의를 계속했다.

"…… 그러면 다음은 습격의 계획 및 실시, 제3번 전진 및 철수로에 대해서 공부하자. 먼저 분견대를 이용해서 적 경계병을 격멸하려면……."

강인찬은 김종철에게 똘똘 만 작은 종이를 던졌다. 돌아보는 김종철에게 며칠 전의 기간병 회의 내용을 알아냈냐는 눈짓을 보냈다. 대답은 가벼운 도리질이었다. 강인찬이 입 모양으로 이따 만나자고 하자 김종철이 고개를 끄덕끄덕했다.

십 분의 휴식 시간, 강인찬은 김종철과 함께 파도가 밀려오는 백사장에 앉았다. 강인찬이 먼 바다에 시선을 주며 말했다.

"나를 쳐다보지 말고 그냥 앞을 바라보며 대답해라. 전혀 감 잡히는 것도 없었나?"

"눈치들이 이상하기는 해. 캐비닛에는 무언가 비밀이 있을 것 같은데 항상 잠겨 있잖아."

110

"아무도 없을 때 열어보자."

"나는 그런 것 열 줄 모른다."

"교육대장실 미쓰나와시(바닥 물청소) 언제 했냐?"

"한 열흘 되었다."

"이번주 아무 때나 교육대장이 외출하면 박기수와 나랑 같이 미쓰나와시하자."

"너 그런 것도 열 줄 아냐?"

"박기수가 기술이 좋다더라. 나는 열 줄 몰라."

"그렇게까지 할 필요가 있을까? 들키면 죽는다."

"내 예감에 지금 우리들에게 어떤 위험이 닥쳐오고 있는 것 같다. 너 지진이나 화산이 폭발할 때 미리 알고 떼지어 도망치는 들쥐들 얘기 아냐? 동물적 본능은 때로 과학보다 더 정확한 거다."

"만약 우리를 모두 사살하겠다는 내용이라도 나오면 어떻게 할래?"

"너도 그런 생각이 들었냐?"

"작전 취소된 게 하루 이틀 전이냐? 그런 불안이야 훈련생 모두 진작부터 갖고 있었던 거지."

"어차피 이래도 죽고 저래도 죽는다면 방법은 하나밖에 없다."

"초가삼간 다 타도 빈대 죽는 것만 시원하더라고, 나도 이왕에 죽을 것이면 기간병 새끼들에게 복수나 하고 죽겠다. 먼젓번 강용수의 시체를 베어 먹으라고 강요당했을 때, 모두 살점을 들고 울며 먹지 못했지만 나는 태연히 먹었다. 그때 강용수의 원한이 내 몸속에 스며들어, 기회가 오면 두 몫의 원한을 갚아주겠다고 맹세했지."

"결과가 어떻게 나오든 일단 내게 맡기고 아무에게도 내색하면 안된다. 잘못하면 화를 앞당길 수도 있거든. 사실은 나 오래전부터 준비한 일이 있다. 동석이 형도 호응하고 있는 일이다.”

“염려하지 마. 사회 있을 때 내 별명이 자크였다. 한번 입을 다물면 망부석에 말시키기지. 무슨 일을 하든 나를 빼놓지만 마.”

“그만 일어나자. 너무 속닥이가 길었다. 저기서 아까부터 배인석이가 쳐다보고 있다.”

“일을 벌이면 저 새끼도 기간병들이랑 같이 죽여야 돼.”

그들은 함께 일어나서 훈련병 대열에 합류했다.

하지만 그 모습을 쳐다보며 고개를 갸웃대는 것은 고자질쟁이 훈련병 배인석만이 아니었다. 기간병 내무반에서 창문으로 안 중사가 내다보고 있었던 것이다. 강인찬 저 자식이 이제는 교육대장 당번도 포섭하는 것일까. 도대체 무슨 일을 꾸미는데 저렇게 끊임없이 이 사람 저 사람과 밀담을 나누고 다니지? 대장님 얘기로는 두 달 후에나 실미도의 운명이 결정난다. 그 전에 무슨 일이 없도록 저놈을 잘 감시해야 된다. 아아, 이놈의 실미도 지겹다, 지겨워.

교육대장은 무의도에서 토요일 오후 배를 타고 인천으로 나갔다. 일요일 한낮, 실미도는 숨이 컥컥 막히도록 무더웠다. 훈련병들은 모두 낮잠에 취해 있었다. 기간병들도 역시 낮잠을 자는지 실미도에는 매미 소리만 요란했다. 교육대장실을 뒤지기에 좋은 기회였다.

아까부터 부대의 분위기를 살피던 김종철은 드디어 물 양동이와 걸레를 챙겨들고 내무반에 들어서며 큰 소리로 말했다.

“동지들, 대장실 미쓰나와시 좀 도와주쇼.”

선뜻 나서는 사람이 있을 리 없었다. 잠깐의 침묵 뒤에 강인찬과 박기수가 일어섰다.

"내가 도와줄게."

그들은 서로 눈짓을 교환하며 내무반을 나섰다.

교육대장실에 들어선 그들은 팔다리를 걷어붙이고서 가벼운 군용 침대를 접어 밖으로 내놓았다. 군용 침대는 세 개였다. 하나는 이따금 찾아오는 본부의 높은 사람, 또 하나는 교육대장, 그리고 문 옆의 것은 김종철이 사용하는 것이었다. 그들을 계호하는 이 하사는 나무 그늘에 앉아서 소설책을 보고 있었다.

김종철은 물을 퍼오기 위해서 우물로 향하고, 강인찬이 창문 틈으로 밖을 내다보며 말했다.

"시작하자."

사회에 있을 때 열쇠따기 전문이었던 박기수가 철제 캐비닛에 달라붙었다. 철사로 된 만능키로 열쇠를 여는 것은 불과 오 초 만에 성공했다. 다음은 다이얼 차례였다. 캐비닛의 다이얼 속 날개는 석 장이다. 손잡이를 최대한으로 잡아 돌려서 날개에 부딪히게 한 다음 다이얼을 돌리면 마지막 번호의 홈이 걸린다. 이제 남은 두 개의 번호만 알아내면 되는 것이다. 날씨 탓인지 긴장을 해서인지 땀이 비오는 듯했다. 마지막 번호에서 오십을 거슬러 올라가 좌우로 십을 검색하면……. 오랜만에 만지는 것이라서 쉽게 번호가 걸려들지 않고 있었다.

망을 보던 강인찬이 얼른 걸레로 바닥을 문지르며 속삭였다.

"잠깐, 이 하사가 온다."

박기수도 민첩하게 걸레를 집어들고 허리를 숙였다. 들키면 곧바로 죽음이었다. 강인찬이 태연하게 콧노래를 흥얼거렸다.

"밤 깊은 마포 종점 갈 곳 없는 밤 전차, 비에 젖은 너도 울고 갈 곳 없는 나도……."

출입문 앞에 선 이 하사가 고개를 들이밀며 안을 살폈다.

"언제까지 끝낼 거야?"

"이십 분이면 됩니다."

"빨리 끝내."

"자아, 비키십시오."

우물에서 도착한 김종철이 양동이 물을 바닥에 쫘악 뿌렸다. 이 하사가 움찔 물을 피하더니 다시 나무 그늘로 향했다. 박기수가 캐비닛에 붙어섰다. 숨막히는 몇 분이 다시 흘렀고, 초조한 강인찬이 속삭였다.

"임마, 빨리 좀 못해?"

"최선을 다하고 있다. 재촉하지 마."

그러나 캐비닛은 좀처럼 열리지 않고 있었다. 언덕 너머 제1초소에서 충성, 보고 소리가 들려왔다. 어, 누가 무의도에서 건너오는가 보다, 강인찬의 속삭임과 동시에 캐비닛이 덜컹 열렸다.

박기수는 부지런히 캐비닛을 뒤졌다. 훈련병 동태 보고서, 무기 현황, 정기교신 일지, 백 원권 지폐 다발 세 뭉치……. 이것저것을 살피던 그는 흠칫 몸을 떨었다.

'중앙 유격사령부 683특공교육대 해체 계획서.'

박기수는 마른침을 삼키며 겉장을 열었다. 부지런히 읽어가는 그의 눈동자는 분노로 확대되어 있었다. 언덕을 내려오는 발자국 소리가 들려왔다. 강인찬이 다급하게 말했다.

"기수야, 온다니까."

하지만 박기수는 서류에서 눈을 떼지 못하고 있었다. 강인찬이 잽싸게 달려들며 서류를 뺏었다. 캐비닛에 넣을 시간이 없었고, 바닥은 물 천지였다. 얼른 캐비닛 위로 던져버렸다. 그리고 걸레를 집는 순간 안 중사가 출입문 안으로 고개를 들이밀었다.

"뭐하는 거야?"

"예, 보시다시피 미쓰나와시합니다."

"미쓰나와시?"

"물청소요."

안 중사는 대장실 안으로 들어오며 무언가 수상하다는 듯 주위를 두리번거렸다.

"계호자는 어디 갔어?"

"소대장님요? 방금 전까지 여기 있었는데…… 어! 저기 계시네."

안 중사는 물투성이 바닥을 조심스럽게 밟고 지나서 책상 위에 올라앉았다.

"이리 오라고 그래."

"소대장님, 소대장님!"

박기수가 부르는 소리에 이 하사는 고개를 들었다. 그리고 열린 창문으로 안 중사를 발견하자 흠칫 놀란 얼굴로 뛰어왔다.

안 중사가 고개를 쳐들면 캐비닛 위의 서류 귀퉁이가 보일 것만 같아 훈련생들은 가슴이 졸밋졸밋했다. 달려온 이 하사가 보고를 붙였다.

"충성!"

"임마! 계호를 하는 거야, 유람 나온 거야?"

"죄송합니다. 시정하겠습니다."

"꼼짝 말고 자리를 지키다가 끝나면 내게로 와."

"알겠습니다. 충성!"

책상에서 내려선 안 중사는 나가려다 말고 고개를 돌렸다. 강인찬, 이 자식이 청소를 하러 온 것이 아무래도 수상하단 말야. 안 중사는 허리의 권총에 손을 얹으며 캐비닛 앞으로 걸음을 옮겼다.

어차피 들키면 죽는다. 강인찬은 튀어오를 듯 몸을 움츠렸다. 뒤가 두려워서 그렇지, 이까짓 놈 몇쯤 소리없이 때려 죽이는 것은 수박에 박치기요, 난쟁이 턱차기였다.

안 중사가 손을 내밀어 캐비닛 손잡이를 잡으려는 찰나, 강인찬은 튀어오를 듯했고 문 앞에서 지켜보던 김종철이 양동이 물을 좌악 뿌렸다.

"엇, 차거! 뭐야?"

"어! 소대장님, 죄송합니다. 안에 계신 줄 모르고……."

안 중사가 김종철을 바라보며 인상을 쓰는 짧은 순간, 옆에 있던 박기수가 달린 캐비닛의 다이얼을 슬쩍 돌렸다. 이 하사도 눈치 못챌 만큼 재빠른 동작이었다. 두세 번호만 움직이도록 약간 돌렸지만 열리지는 않을 것이다. 실내에 있는 모든 사람의 목숨을 구한 것이다.

안 중사는 다시 고개를 돌려 캐비닛 손잡이를 돌려보았다. 잠겨 있는 것이 분명했다. 안 중사는 그래도 무엇이 의심스러운지 고개를 갸웃거리며 나갔다.

이 하사는 내내 교육대장실 문 앞에 서 있었다. 잠깐 한눈을 파는 틈에 박기수가 캐비닛 위의 서류를 얼른 내렸다. 하지만 이제 넣어놓는 것이 난감했다. 캐비닛 번호를 다시 돌려 문을 열 기회가 안 생기는 것이다. 문을 열 때의 소리도 문제였다. 강인찬에게 바람을 잡으라는 눈짓을 보냈다. 하지만 서툰 수작으로 의심을 자초해서도 안되는 일이었다. 그때 우물에서 돌아온 김종철이 분위기를 눈치채고는 양동이 물을 뿌리며 말했다.

"오늘은 바닥만 하고, 남은 청소는 내일 아침에 나 혼자 해야겠네.”

요컨대 ‘무리하지 말자, 내일 아침에 내가 넣어놓겠다’는 뜻 같았다. 번호는 이미 박기수가 알고 있으니 차라리 그것이 더 안전할 것 같았다.

그날 밤 훈련병 몇몇은 소대장의 눈을 피해 서류를 돌려가며 읽었다. 전원 사살에 중점을 둔 그 계획서의 내용은 한마디로 기가 막혔다. 특히 ‘훈련병들은 모두 흉악무도한 범죄인이고 쓰레기여서 사회에 복귀하면 정상적인 생활을 못할 것’이라고 묘사한 대목은 분노를 넘어 차라리 허탈했다.

일주일 뒤인 8월 23일 새벽, 실미도는 짙은 바다 안개에 휩싸여 있었다. 널름대는 파도가 백사장을 핥아대는 소리만 나직할 뿐 부대는 적막한 고요 속에 잠들어 있었다.

김종철은 슬그머니 눈을 떴다. 밤새 잠들지 못한 탓에 충혈된 눈망울은 빛을 뿜어냈다. 희끄무레한 여명 속의 벽시계는 새벽 네 시를 넘어서고 있었다. 살며시 옆 침대의 동정을 살폈다. 교육대장 김 준위는 모기장 안에서 가볍게 코를 골고 있었다. 지금 해치울까? 아니, 동지들과 약속한 대로 다섯 시까지 기다리자.

김종철은 담요 속의 노루발 망치를 힘주어 잡으며 참담한 심정에 몸을 떨었다. 결국 내 인생은 이렇게 끝이 나고 마는가. 육개월만 고생하면 팔자 고쳐주겠다더니……. 속은 내가 잘못이기는 하지만 하늘은 어째 이렇게 공평하지 않은가. 유상림, 기다려라. 너의 복수를 해주고 나도 갈게.

네 시 오십 분, 망치를 들고 조심스럽게 일어난 김종철은 긴장으로 거칠어지는 호흡을 잠시 가다듬고는 김 준위의 침대를 향해서

살금살금 접근했다. 으음, 김 준위가 잠투정으로 몸을 뒤척였다. 김
종철은 동작을 딱 멈추었다. 심장이 얼어붙는 것 같았다.

　김 준위는 항상 장전된 권총을 머리맡에 두고 잔다. 만약 지금
눈치를 챘다면 손이 위로 올라갈 것이다. 그러면 점프를 하며 몸을
날리는 수밖에 없다. 김종철은 당겨진 활시위처럼 온몸을 팽팽하
게 긴장시킨 채 노려보았다. 다시 고른 숨소리가 들리기 시작했다.

　김종철은 몸을 굽혀 모기장을 살그머니 걷어올렸다. 사르락사르
락 아주 작은 소리가 났다. 김 준위는 잠결에도 섬뜩한 예감에 눈을
떴다. 망치를 치켜든 김종철이 번들거리는 눈으로 자신을 내려다
보고 있었다.

　이 새끼, 반란이구나!

　김 준위는 반사적으로 몸을 옆으로 구르며 베개 속의 권총으로
손을 뻗었다.


　같은 시간, 훈련병 내무반에서는 강인찬이 살그머니 몸을 일으
켰다. 옆자리 구동석은 그의 손길이 닿자마자 눈을 떴다. 이어서
박기수와 훈련병 전원이 차례차례 일어났다. 훈련병들의 행동을
감시하기 위해서 숙직(?)을 하는 소대장 박 중사와 이 하사는 내무
반 출입문 옆에서 세상 모르고 잠들어 있었다.

　훈련병 모두가 깨어 있음을 확인한 강인찬은 소매 속에서 대검
을 꺼내들며 일어섰다. 구동석이 망치를 들고 뒤따르자 이윤성이
재빨리 창가에 붙어서서 망을 보았다.

　사박사박 숨을 죽이며 잠든 소대장에게 다가간 그들은 서로 눈
을 마주 보았다. 구동석이 한 손을 들더니 손가락을 굽혔다. 동시에
공격하자는 신호였다. 물론 미리 약속된 것이었다. 하나, 두울…….

실내의 모든 눈동자가 그 손가락을 바라보고 있었다. 벽시계마저 움직임을 멈추고 있었다.

셋!

손가락이 굽혀짐과 동시에 박 중사와 이 하사의 입이 틀어막혔다. 강인찬의 대검이 바람을 가르며 박 중사의 목 깊숙이 파고들었다. 대검은 이어서 옆으로 힘차게 눕혀졌다. 같은 순간 구동석의 망치가 이 하사의 이마에 세차게 내리꽂혔다. 이마 부서지는 소리가 퍽, 실내에 울려퍼졌다. 두 사람은 잠든 눈을 떠보지도 못한 채 그대로 절명하고 말았다.

강인찬과 구동석은 시체의 베개 밑에 있던 권총을 꺼내 자리에 돌아왔다. 여지껏의 광경을 눈 한번 깜박이지 않고 바라보던 훈련병들이 하나씩 일어나 시체를 향해 다가갔다. 그리고 그들은 카이사르를 암살하는 브루투스 일행처럼 시체에 또 한번의 난자질을 차례차례 가하기 시작했다. 그것은 마치 종교의식처럼 엄숙한 동작이었다.


교육대장 김 준위가 머리맡의 권총을 집는 순간, 김종철은 망치를 힘껏 내리쳤다. 원래 이마를 노렸지만 상대가 몸을 구르는 바람에 망치는 오른쪽 귀 뒤를 파고들었다. 김 준위는 불송곳이 파고드는 통증을 느끼며 군용 침대에서 굴러 떨어졌다. 하지만 반사적으로 김종철의 다리를 부둥켜안았다. 김종철은 몸의 중심을 잃고 넘어지면서 망치를 또 한번 휘둘렀다. 아래턱을 스친 망치는 목을 강타했다.

젊은 시절 첩보부대원으로서 사선을 수없이 넘나든 용사답게 김 준위는 두 번이나 치명타를 당하고서도 정신을 잃지 않았다. 둘은 한몸이 되어 바닥을 굴렀다. 김 준위의 머리에서 콸콸 솟구치는 피가 얼굴에 엉겨붙어 김종철은 눈을 뜰 수가 없었다. 망치를 쥔 손으로 등을 계속 내리쳤다. 그러나 행동이 자유롭지 못해 큰 타격을 주지는 못하고 있었다. 엎치락뒤치락하는 두 사람은 진흙 구덩이에서의 레슬링처럼 온몸이 피범벅이 되었다.

시간이 흐를수록 김 준위는 힘이 빠지고 있었다. 첫번째 망치질은 오른쪽 귀 뒤에 동전만한 구멍을 냈고, 두번째 목의 타격 또한 심해서 숨을 가르랑거리기 시작하고 있었다.

김종철은 간신히 김 준위를 떼어놓았다. 실내에는 피비린내가 진동을 하고 있었다. 놓친 망치를 집어들고 최후의 일격으로 뒤통수를 강타했다. 김 준위는 엎어진 자세 그대로 전기 충격을 받는 사람처럼 움찔움찔 경련을 하다가 숨을 멈추었다. 김종철은 피로 끈적이는 망치를 내려놓고서, 창문 틈으로 밖을 내다보았다. 악마의 섬 실미도는 피 튀기는 살인을 못 본 척 고요히 눈을 감고 있었다.

김종철은 리볼버 권총, 60발이 장전된 M2 소총, 군용 대검을 챙겨들고 교육대장실을 빠져나왔다.

같은 시간, 기간병 한 병장은 배가 몹시 아파 잠에서 깨어났다. 어제 야식으로 먹은 라면이 잘못된 것 같았다. 그는 배를 한 손으로 쓸어대며 변소를 향해서 발걸음을 재촉했다.

훈련병 내무반에도 피비린내가 진동하고 있었다. 박 중사와 이 하사는 하이에나가 뜯어먹다 팽개친 초식 동물처럼 너덜너덜 찢겨서 침상 아래에 떨어져 있었다. 흉기를 꼬나잡고 있는 훈련병들은 온 세상 사람들을 다 죽여버릴 것같이 살기등등한 호흡을 뱉어내고 있었다. 피에 굶주린 침묵의 아우성, 강인찬이 망을 보고 있는 이윤성에게 말했다.

"소식 없나?"

"없다. 무슨 일이 생긴 것 아닐까?"

"일은 무슨 일, 망이나 잘 봐."

숨막히는 긴장이 흐르는 내무반. 아까부터 무언가를 망설이던 박기수가 벌떡 일어섰다. 그는 좌중을 둘러보며 파르르 떨려나오는 목소리로 말했다.

"동지들, 새삼 부탁하지만 안 중사는 내게 맡겨주십시오."

무언의 동조인지 아무도 대답을 하지 않았다. 잠깐의 침묵 뒤에 구동석이 조용하게 말했다.

"박기수, 우리는 사사로운 원한을 풀기 위해 거사를 하는 것이 아니다. 아닌 말로 여기 안 중사에게 원한이 없는 사람이 누가 있겠나?"

"그것은 알고 있습니다. 하지만 안 중사는 내 손으로 처치하지 못하면 한이 풀리지 않아 구천을 떠도는 귀신이 될 것 같습니다. 혼자서 복수해서는 안된다면 놈을 생포해서 공개처형을 하게 해주십시오."

실내의 누군가 결연히 말했다.

"맞습니다. 우리도 기간병의 살점을 베어내서 놈에게 실컷 먹인 뒤 죽입시다."

훈련병들의 동조하는 웅성거림이 시작되고 있었다. 망을 보고 있던 이윤성이 엄지와 검지를 튕겨 딱 소리를 냈다. 김종철이 온다는 신호였다.

구동석, 강인찬, 박기수가 일어서서 김종철을 맞이했다. 김종철은 온몸이 피로 젖어 있었다. 구동석이 숨죽인 목소리로 말했다.

"많이 다친 거냐?"

"괜찮습니다. 서두릅시다."

계획대로 박기수와 함양래가 먼저 내무반을 나섰다. 언덕 감시대의 눈을 피해서 납작 엎드린 그들은 해안가로 향했다. 바위 절벽을 타고 돌아서 무의도와 마주 보고 있는 제1초소를 습격하는 것이 그들의 임무였다.

강인찬은 구동석과 함께 두번째로 출발했다. 그들은 감시대를 목표로 수풀 속의 뱀처럼 소리없이 접근했다. 마지막으로 M2 소총을 든 김종철은 기간병 내무반을 향해 기어갔다. 세계의 어떤 특수부대보다 더 혹독한 지옥 훈련을 받아온 그들의 낮은 포복은 그야말로 은밀하고 민첩했다.

목표 거리가 짧은 김종철이 먼저 기간병 내무반 출입문 앞에 웅크리고 앉았다. 만약 일이 잘못되어 감시대에서 총소리가 나거나 안에서 눈치채어 일어나는 기미가 보이면 무조건 뛰어들어 M2 소총을 난사할 작정이었다.

강인찬과 구동석은 감시대 주변의 풀과 나무가 없는 반경 5미터 앞까지 접근했다. 구동석은 수풀 속에서 권총을 겨누었다. 강인찬이 사부작사부작 기어갔다. 만약 김 병장이 먼저 강인찬을 발견하면 곧바로 LMG 기관총이 불을 토할 것이다. 구동석이 권총을 겨누고 있는 것은 그래서였다.

강인찬은 거의 수직으로 되어 있는 나무 계단을 한발한발 올라갔다. 중간쯤 올라섰을 때, 발 밑 계단이 삐그덕 소리를 냈다. 강인찬은 동작을 멈추고 감시대 위를 살폈다.

김 병장은 졸음결에 게슴츠레한 눈을 떴다. 이게 무슨 소리지?

아래를 살펴보았다. 훤히 밝아오는 부대 안은 쥐 죽은 듯이 고요했다. 시계를 보니 아직 기상까지는 삼십 분이 남아 있었다. 다시 졸린 눈을 감았다. 그리고 잠시 후, 섬뜩한 느낌에 눈을 떴다. 감시대 위로 고개를 내밀고 있는 훈련병. 경악의 외침을 발하기도 전 날아온 대검이 목을 파고들었다.

훈련병들은 하나 둘씩 내무반을 빠져나왔다. 감시대에는 이석천이 올라가 기관총을 겨누었다. 나머지는 망치, 대검, 몽둥이를 들고 부대를 포위했다. 바다 쪽만 남겨두고 반원을 그린 포위였다. 기간병들은 이제 독 안에 든 쥐였다.

소총과 권총을 든 훈련병이 구동석의 눈짓에 따라 내무반 문을 박차며 뛰어들었다.

그들은 아직 꿈나라를 헤매는 기간병에게 미친 듯이 총을 쏘기 시작했다. 처절한 비명소리는 총소리에 묻혀 들리지도 않았다. 순간적으로 눈을 뜬 몇몇은 엉겁결에 창문으로 몸을 날렸다. 부대 위로 무작정 달리던 기간병들은 위에서 기다리고 있는 훈련병을 보자 엇 뜨거라, 걸음을 되돌려 바다로 향했다. 그 뒤를 대검과 망치 등을 든 훈련병들이 와아, 함성을 지르며 추격했다.

박기수와 김종철은 눈에 불을 켜고 오로지 안 중사만을 찾았다. 다행히(?) 안 중사는 죽지 않고 살아서 뛰고 있었다.

"저기다―!"

누군가 소리치며 뒤를 쫓았다. 박기수와 김종철도 달려갔다.

안 중사는 필사적으로 도망을 쳤다. 그러나 좁은 무인도에서 가면 어디를 간다는 말인가. 결국 바위 절벽 끝에 몰리고야 말았다. 앞에는 훈련병 다섯, 뒤는 바다였다. 훈련병들은 악귀 같은 눈을 번쩍이며 한발한발 다가오고 있었다. 안 중사는 털썩 주저앉고 말 았다.

"이, 이러지 마."

"후후, 무얼 이러지 말라는 거냐?"

"너, 너희들에게 개인적인 감정은 없었다. 저, 정말이다."

"너희들? 아직도 우리가 니 부하로 보이냐? 싸가지없는 자식!"

박기수가 사정없이 턱을 걷어찼다. 뒤로 벌렁 나자빠진 안 중사에게 다가선 김종철이 이번에는 소총 개머리판으로 머리를 후려치며 말했다.

"이새끼야, 이것은 맛보기다."

이어서 대검을 든 훈련병이 다가오더니 어깨를 찍었다.

"으아악─."

처절한 비명이 터져나왔다. 훈련병의 입가에 통쾌하고 잔인한 미소가 번지고 있었다. 바야흐로 본격적인 난도질이 시작되려는 것이다. 돌연 김종철이 훈련병들을 가로막았다.

"그만! 이 자식을 끌고 가자. 여기서 죽이면 안돼."

"맞다. 끌고 가서 모두에게 복수의 기회를 줘야 한다."

이제는 절망이었다. 나를 얼마나 괴롭히다가 죽일 것인가. 불 보듯 뻔한 결과였다. 죽더라도 깨끗하게 죽어야 한다. 안 중사는 이를 악물며 바위 절벽으로 몸을 날렸다.

"어, 어! 저 새끼 봐."

훈련병들은 절벽 끝에서 아래를 내려다보았다. 모래 사장에 떨어진 안 중사가 꿈틀거리고 있었다. 얼마나 기다리고 기다렸던 순간인데 곱게 죽도록 놔둔다는 말인가. 안될 말이었다. 그들은 우르르 몰려 내려갔다.

섬의 곳곳에서 쫓고 쫓기는 살육전이 벌어지고 있었다.

갓 스무 살로, 두 달 전 실미도 경비병으로 온 손 일병은 바다로 무작정 뛰어들었으나 뒤에서 쏜 총알에 등에서 가슴을 관통당하고 쓰러졌다. 백사장에서 사로잡힌 윤 병장은 총알을 벌집처럼 맞은 뒤 칼과 송곳으로 난자질당하고 말았다. 다리에 총상을 입고도 절룩이며 뛰던 오 중사는 쫓아온 훈련병의 망치에 뒤통수를 강타당했다.

이미 피맛을 본 훈련병들은 제정신이 아니었다. 일종의 최면 상태에 빠진 그들은 지난 3년 사개월 동안 짓밟히고 억눌려왔던 울분을 한꺼번에 터뜨렸다. 모두들 눈에 불을 켜고 다니며 평소 감정이 있었던 기간병들을 찾아내서 시체 위에 무자비한 난자질을 반복했다.

이날 광란의 살육에서 살아남은 기간병은 네 명이었다.

원 중사는 사건 당시 인천에 외박을 나가 있었다.

때아닌 감기 몸살로 솜이불을 덮고 있던 탁 중사는 총알이 이불을 뚫지 못해서 요행히 목숨을 건졌다. 그는 시체더미 속에서 죽은 듯 숨을 죽였다. 확인 사살을 위해 기간병 내무반에 들어왔던 김종철은 탁 중사의 이불을 들쳐보고서도 죽었다고 생각했던 것인지, 아니면 그가 평소 훈련병에게 인간적으로 대했기 때문인지 그냥 지나쳤다.

한 병장은 요란한 총소리에 난동을 직감, 그대로 변소의 똥통 속에 몸을 숨겼다. 마침 사흘 전에 똥을 퍼냈기 때문에 주변의 똥까지 낙엽 쓸 듯 끌어모아 몸을 가렸다.

바다로 뛰어든 김 하사는 요행히 훈련병의 눈에 띄지 않고 바위 절벽 아래로 몸을 숨길 수가 있었다.

훗날 백동호가 다시 찾아본 광경들은 이렇다.

■ 1971. 8. 26. 〈중앙일보〉
가장 끔찍한 죽음을 당한 사람은 부대의 부대장급인 ○○○ 중사였다.
그의 시체는 형체를 분간하기 어려울 만큼 난자질을 당했다.

■ 1971. 8. 27. 〈조선일보〉
…… 끔찍한 살육을 끝낸 특수범들은 콘센트로 돌아가 아침밥을 지어
먹으며 떠들어댔고 노래도 불렀다. 돌섬에 몸을 숨긴 C사병은 그들이
노래 부르며 광란하는 모습을 멀리서 볼 수 있었다는 것이다.

■ 1971. 9. 5. 〈주간 중앙〉, 여야 의원 아홉 명으로 구성된 국회 조사단
이 실미도에 현장검증을 갔다와서 한 말들
"…… 언제부터 이 섬에 특수범을 수용시켰는지는 확실하지 않으나
68년 이후로 알려졌다."
"…… 난동자들이 경비병을 죽이고 섬을 탈출한 지 사일 만인 27일,
국회 조사단이 헬리콥터로 섬에 갔을 때 피비린내가 아직 코를 찔렀
다."
문창탁(공화) : …… 교육대장실에는 심한 격투의 흔적으로 벽이 온
통 피투성이로 얼룩져 있었다.
김수한(신민) : …… 실미도를 삽시간에 죽음의 섬으로 돌변시킨 난
동자들은 무기고와 무전실을 폭파했는데, 그 자리에는 엿가락처럼 녹
은 카빈총 등이 나뒹굴고 있었다.
이세규(신민) : …… 무기고와 무전실에 보초가 없었던 것, 교육대장
실의 당번이 특수범(훈련병)이었던 것은 큰 미스였다.

김세배(공화) : …… (특수범) 내무반에 주간 잡지가 있었던 점으로 보아 생리적 욕구불만도 있었을 것이다.

　섬 전체가 살인 축제에 빠져 있을 때 권총, 수류탄, 나침반 등을 챙겨든 강인찬은 슬며시 교육대장실에 침입, 캐비닛을 열었다. 부대의 운영자금 중 백 원권 지폐 한 다발을 챙긴 그는 실미도 동쪽 언덕을 향해 달렸다.

　바닷물은 만조를 이루고 있었다. 소지품을 다시 한번 잘 챙긴 그는 무의도를 향해서 헤엄치기 시작했다. 동지들에게 미안한 일이었지만 기간병을 사살하고 섬을 장악하는 것까지는 협조해도, 청와대를 향해 진격하여 박정희 대통령과 담판을 벌인다는 계획에는 동조할 수가 없었다.

　모두 미쳤다. 아무리 배신감에 치를 떨어도 그렇지 대통령과 담판이라니, 말이 안되는 소리였다. 책임지고 김일성을 암살하겠다. 작전을 재개해라. 조국 통일의 영웅? 그것이 가능하면 어째서 작전이 취소되었단 말인가. 강인찬은 완강히 반대했다. 우리는 인천까지는 함께 행동해도 그 다음은 뿔뿔이 흩어져야 한다. 죽음을 향해서 날아드는 불나비가 될 필요는 없다.

　그러나 총조장 구동석은 이미 돌이킬 수 없도록 결심이 굳어 있었다. 어처구니가 없는 것은 대부분의 동료들이 구동석에게 동조하여 박정희와의 담판을 원한다는 것이었다.

　강인찬은 부지런히 헤엄을 쳤다. 거의 무의도에 도달할 무렵, 이상한 예감에 뒤를 돌아보았다. 그 상황에서도 웃음이 피식 나왔다. 아예 고무 보트까지 준비한 또 다른 훈련병 두엇이 바다를 건너기 시작하고 있었던 것이다.

강인찬은 무의도에 도착하자 실미농장의 소나무 숲속에 납작 엎드렸다. 함께 탈출하자는 모의를 하지는 않았지만 이제 같은 처지가 된 것이다. 만나서 얘기를 나눠보는 것도 좋을 것 같았다. 오윤식과 이학수가 탄 고무 보트는 부지런히 노를 저어오고 있었다.

뒤늦게 배신자를 발견한 훈련병들이 실미도 언덕에서 달려오며 총을 갈겨대기 시작했다. 고무 보트 주위로 피융피융 물이 튀었다. 그 중 한 발이 맞았는지 고무 보트가 물에 가라앉기 시작했다. 오윤식과 이학수는 바다에 첨벙 뛰어들더니 사력을 다해 헤엄을 쳐왔다.

간신히 백사장에 도달한 그들은 허둥지둥 소나무 숲으로 달려왔다. 강인찬이 일어서며 박수를 쳤다.

"하하하, 무사히 살아온 것을 환영한다."

"어! 강인찬, 먼저 와 있었구나."

"그래, 다친 곳은 없냐?"

"말짱해."

"지금부터 너희들 계획은 뭐냐?"

"우선 배가 있나 선창가에 가봐야지. 가면서 얘기하자. 시간없다."

강인찬은 그들과 합류해서 큰무리 언덕을 뛰어넘으며 얘기를 계속했다.

"아마 지금 무의도에는 동력선이 없을 거다."

"배가 없으면 학수와 나는 호룡곡산에 잠복호를 만들어서 숨을 작정이다. 밤에 용유도로 헤엄쳐가서 어선을 훔쳐 타고 야간 해상 침투훈련 하듯 인천에 상륙해야지. 용유도까지 헤엄치기가 쉽지 않을 테지만 까짓것, 젖 먹던 힘을 다 내면 자신있다."

"비상이 걸려 있을 텐데 위험하지 않을까?"

128

"후후, 운명에 맡겨야지. 지난 세월 동안 우리는 그런 경우에 살아남는 법을 배웠지 않냐? 너는 어떻게 할 건데?"

"나도 잠복호는 마찬가지인데, 며칠 숨어 있을 생각이다."

"그러지 말고 같이 행동하자. 이학수가 뱃놈 출신이잖아. 용유도까지만 가면 만사 오케이다."

"몇 시에 갈 건데?"

"밤 아홉 시, 구낙꾸지 큰바위 밑에서 출발이다. 너무 늦으면 통금 시간에 걸리잖아."

얘기를 나누며 도착한 선창가에는 예상했던 대로 동력선이 한 척도 없었다. 당시만 해도 말이 선착장이지 풍랑에 견딜 만한 방파제가 아니어서 무의도의 동력선은 용유도에 정박하는 경우가 많았던 것이다. 이제는 죽으나 사나 제2차 계획대로 호룡곡산에 잠복호를 만드는 수밖에 없었다.

그들은 큰무리 고개로 돌아가 숲속으로 슬쩍 숨어들었다. 호룡곡산을 뛰어 올라가며 강인찬이 말했다.

"너희들 잠복호 자리는 있냐?"

"이제부터 마련해야지. 먼젓번 들키지 않은 곳이 있는데, 허물어졌겠지만 다시 만들기는 쉬울 거야."

"그러면 한 사람은 나를 따라와라. 기찬 곳이 있다. 하지만 둘밖에는 못 들어가."

"그럼 학수 니가 가라. 나는 괜찮아."

그들은 호룡곡산 중턱에서 헤어졌다. 오윤식은 동쪽, 강인찬과 이학수는 서쪽 바위 절벽으로 달려가며 작별 인사를 나누었다.

"들키지 말고 살아서 만나자."

"그래, 인찬아. 학수야, 조심해."

강인찬은 작년 여름 강용수와 숨었던 바위 절벽으로 이학수를 안내했다. 안개가 걷히고 말간 해가 바다 저편에서 솟아오르고 있었다.

아침 식사를 마친 김종철은 훈련병 다섯과 함께 무의도로 건너갔다. 역시 배는 없었다. 이장 최정칠의 집을 찾아갔다. 부대장님이 급성맹장에 걸렸으니 배 한 척을 주선해달라고 정중하게 요청했다. 그러나 이장은 지금 배가 없을 뿐더러 군인들 일이니 해안 경비정을 불러서 가라는 것이었다.

"이 자식아, 사람이 죽어가는데 멀리 있는 해안 경비정이 무슨 소용 있어?"

발치에다가 총을 드르륵 갈겼다. 이장은 뱀 눈에 쏘인 개구리처럼 오금을 발발 떨다가 용유도로 전화를 걸었다.

영복호(5톤, 선장 석영산)가 무의도로 건너왔고, 그들은 이장과 함께 실미도로 향했다. 부대 앞 해안가에 배가 당도하자 피비린내가 확 끼쳐왔다. 백사장 여기저기에 버려진 시체는 하도 난자질을 당해서 미친개가 씹어발긴 걸레 같았다. 그 끔찍한 광경에 질린 석영산과 이장은 아침 먹은 것을 죄다 토하고 말았다.

낮 열두 시 이십 분, 인천 송도 해수욕장 부근의 605초소에는 김형운(22) 일병이 보초를 서고 있었다. 이곳은 원래 야간에만 근무를 서던 곳인데 30사단장 박정인 장군이 몇 개월 전에 부임하고부터 주간 근무 명령이 내려진 곳이었다.

김 일병은 썰물로 넓어진 개펄을 우두커니 바라보고 있었다. 8월 끝 무렵의 따가운 햇살에 하품을 늘어지게 하던 그는 갑자기 눈을 크게 떴다. 해안가 끝에 어선이 정박하더니 검은 베레모와 얼룩무늬 군복 차림의 군인 이십여 명이 내리고 있었던 것이다. 얼른 쌍안경을 눈에 댔다. 가슴에 주렁주렁한 수류탄, M2 소총, LMG 기관총으로 무장한 그들은 공수부대 같았다. 백주 대낮에 무장공비가 인천으로 당당하게 상륙한다는 것은 상상도 할 수 없는 일이었으니, 해상 침투훈련을 마치고 귀대하는 공수부대가 틀림없었다. 초소에서 멀지 않은 곳에 공수부대 휴양소가 있는 것이었다. 김 일병은 초소의 전화기를 들었다.

"충성, 605초소 보고사항이 있습니다."

"뭔가?"

"공수부대원 이십여 명이 초소 앞 해안에 상륙, 이리로 오고 있습니다."

"공수부대가 틀림없나?"

"그런 것 같습니다."

"소속과 작전명, 행선지를 확인해라."

"알겠습니다. 충성!"

김 일병은 전화를 끊고 공수부대원이 다가오기를 기다렸다. 그러나 그들은 공수부대가 아니라 실미도 훈련병이었다. 훈련병들은 대위 복장을 한 구동석의 인솔하에 무릎까지 빠지는 개펄을 조금씩 전진, 605초소로 다가오고 있었다. 김 일병은 그들이 코앞까지 오기를 기다렸다가 보고를 붙였다.

"충성! 소속과 작전명, 행선지를 밝혀주십시오."

"어! 이 자식아, 보면 몰라? 해상 침투훈련중인 공수부대다."

"어디로 가시는 것입니까?"

"니가 임마 우리 가는 곳을 알아서 뭐하려고 그래?"

"오늘 이곳에서 훈련이 있다는 것을 통보받지 못했습니다. 신분을 확인하라는 지시가 있었습니다. 신분증을 제시하시고 소속과 작전명, 행선지를 밝혀주십시오."

"하하하, 이 새끼가 바닷바람 쐬면서 신선놀음을 하니까 눈에 뵈는 것이 없나보네. 임마, 통보가 없었던 것은 이곳이 훈련 장소가 아니니까 그럴 수밖에 없잖아. 건방진 자식!"

그들은 김 일병은 안중에도 없는 듯 초소를 태연히 지나쳤다. 하지만 감히 김 일병은 그들을 막아설 수가 없었다. 해병대 두세 명이 땅개(육군) 군용 열차에 올라가서 수백 명을 위협(?), 모자에다가 돈을 걸고 반항하면 실컷 두들기는 일이 보통으로 일어나던 시절이었다. 맞아 죽으려고 환장한 게 아니라면 어찌 공수부대 대위를 가로막을 수 있겠는가.

훈련병들은 605초소 바로 뒤 채석장 물 웅덩이에서 개펄을 닦아내더니 조개고개를 향해 행군했다. 김형운 일병은 다시 초소 경비 전화를 걸었다.

"충성! 죄송합니다, 소대장님. 확인하지 못했습니다."

"뭐라구, 왜?"

김형운은 어물어물하다가 재차 다그치는 소대장의 재촉에 공수부대가 했던 말들을 그대로 이실직고했다.

"그것을 말이라고 하고 있어? 통신선의 절단과 함께 검문에 불응하는 군인은 가장 무거운 처벌을 받는다는 사실을 모르나? 공수부대도 대한민국 군인인 이상 김 일병은 당연히 그들을 검문할 권리와 의무를 동시에 지니는 것이다."

"죄, 죄송합니다, 소대장님."

"어디로 갔어?"

"조개고개로 향했습니다."

"알았다."

소대장 이원희 소위는 전화를 끊자마자 최성기 하사에게 소대원 완전무장 집합을 명령했다. 고참 소대장이었으면 아마 공수부대와 부딪치는 것이 싫어서 모르는 척했을 만한 일이었다. 그러나 이원희 소위는 육사를 졸업하고 임관된 지 이제 겨우 열흘 남짓 된 신출내기였다. 원리원칙에 충실하고 겁이 없으며, 자존심 강한 군인인 것이다.

그들은 조개고개 숲길 양편에 매복했다. 최성기 하사가 길 가운데 서서 공수부대를 검문하기로 했다. 만약 불응하면 양편 숲속의 소대원들이 일제히 총을 겨누며 일어선다. 그때 이원희 소위가 나타나 이렇게 말할 것이다.

"대위님, 605초소의 검문 불응을 보고받고 왔습니다. 소속과 작전명, 행선지를 밝히고 신분증을 제시하지 않으시면 모두 체포하겠습니다."

소대원들은 모두 단단히 각오를 하고 공수부대가 나타나기만을 기다렸다.


한편 훈련병들은 속칭 옥골의 방앗간에서 떡을 한 광주리 사서 나누어 먹은 뒤 버스 정류장에서 차를 기다리고 있었다. 어차피 청와대까지 걸어서 갈 것이 아닌 다음에야 일찌감치 버스를 탈취하기로 한 것이다.

인천 항도여객 소속 시내버스 운전수 임명호(30)는 손님 여덟 명을 태우고 조개고개를 향하다가, 완전무장으로 작전중인 공수부대원 이십여 명이 길을 막고 서 있는 것을 발견했다. 그들은 버스가 다가가자 총을 겨누며 말했다.

"차 세워!"

군인들이 장난을 치는 것 같았다. 그러나 표정이 너무 살벌했다. 버스가 정차하자 군인들이 우르르 올라탔고, 임명호의 뒤통수에 총을 겨누며 말했다.

"이 버스는 지금부터 서울로 직행한다. 협조하면 살겠지만 서툰 수작을 부리면 가차없이 사살이다."

운전수는 물론 승객들도 어리둥절할 수밖에 없었다. 승객 중 누군가가 항의를 했다.

"왜 이래요? 서울로 갈 거면 우리는 내려주세요."

"당신들은 지금 인질로 잡혀 있는 겁니다. 지금부터 반항하면 누구든지 사살하겠습니다. 얌전히 있으면 서울에서 내려줄 것이니 우리들의 지시에 따르십시오. 출발!"

버스는 서울을 향해서 조개고개를 넘기 시작했다. 1킬로미터쯤 달렸을 때 앞을 살펴보던 훈련병 하나가 외쳤다.

"총조장님, 저기 총 든 군인이 서 있습니다. 차를 세우려는 것 같은데요."

"전원 의자 밑으로 고개를 숙이고 버스를 전속력으로 달리게 해라."

구동석의 명령에 김종철이 운전수 뒤통수에 총을 들이대며 말했다.

"들었지? 달려!"

버스가 질주를 시작했다.

최성기 하사가 소리쳤다.

"정지해라!"

그러나 버스는 전혀 속력을 늦추지 않고 깔아뭉개 버리려는 듯 달려오고 있었다. 얼룩무늬 군인들, 바로 저 자들이다. 최 하사는 엉겁결에 하늘에 공포를 세 발 발사했다. 그러자 의자 밑에 고개를 숙이고 있던 훈련병 중 하나가 반사적으로 일어서며 응사를 했다.

"쏘지 마!"

구동석이 소리쳤지만 이미 최성기 하사는 힘없이 쓰러지고 있었다. 숲속에 매복하고 있던 소대원들은 눈앞에서 부 소대장이 쓰러지자 순간적으로 이성을 잃고 말았다. 그들은 누구의 명령을 기다릴 새도 없이 일제히 사격을 시작했다. 버스는 쫓기는 짐승처럼 달려서 조개고개를 빠져나갔다.

모진 놈 곁에 있다가 벼락 맞더라고, 교전 장소인 옥련이발소 앞에서 놀던 소녀 은희(4) 양이 총에 맞아 숨졌다. 이때 시간이 오후 한 시 오 분이었다.

달리는 버스는 순식간에 아비규환의 수라장이 되고 말았다. 훈련병 두 명이 죽었으며, 운전수 임명호는 팔에 총을 맞은 것도 모르고 공포에 질려 액셀러레이터를 밟아대고 있었다. 주원동 로터리에 이르렀을 때 비로소 팔의 통증을 느낀 임명호가 버스를 세웠다.

"이 새끼야, 왜 세우는 거야?"

"보시다시피 팔이 아파서 운전을 못하겠는데요."

"어쭈, 여기까지는 어떻게 왔어? 빨리 못 가?"

"아이고, 살려주세요. 도저히 못하겠어요."

"죽어도?"

총구가 뒤통수에 닿았고 철컥, 안전장치가 풀렸다. 임명호는 어마 무서워라, 사색이 되어 운전을 시작했다. 추고 싶어 추는 춤이 아니라 모기가 물어 어쩔 수 없이 추는 춤이라던가. 버스는 신바람 나게 서울을 향해 달렸다.

주원 정류장을 지나던 살인 버스는 뒷바퀴 두 개가 한꺼번에 펑크가 나버렸다. 조금 전의 교전에서 빗맞은 총알이 이제서야 효력을 발휘한 것이다. 훈련병들은 우르르 내려서 뒷바퀴를 확인했다.

"씨팔, 틀렸네. 다른 차 타야겠다."

"저것들은 어떻게 하지?"

"다른 차에도 운전수가 있고 승객들도 있잖아. 보내주자."

구동석의 동의를 얻은 김종철이 버스에 올라 말했다.

"여러분, 고생하셨습니다. 집에 가셔도 좋습니다."

승객들은 황망히 버스에서 내렸다. 모두들 용궁 갔다온 토끼요, 호랑이 아가리에 들어갔다가 재채기 바람에 살아 나온 듯한 표정이었다.


인천 태화여객 소속 시외버스 운전수 정용시(36)는 주원 정류장 앞을 달리다가 살기등등한 군인들이 공포를 쏘며 막는 바람에 정차했다. 버스에 오른 그들은 화약 연기가 모락모락 피어오르는 총구를 승객과 운전수에게 들이대며 말했다.

"이 버스는 지금부터 서울로 직행한다. 지시에 따르지 않으면 모두 사살해버리겠다. 출발!"

비운의 버스는 서울을 향해서 달리기 시작했다.

주원 정류장에서의 소란이 신고되어 동인천 경찰서 소속 오토바이 석 대가 달려온 것은 살인 버스가 출발한 삼 분 뒤였다. 김 순경(김장원, 36)은 함께 온 문 순경에게 사고 현장 수습을 맡기고 맹추격을 시작했다.

육 분 뒤, 마침내 살인 버스를 발견한 김 순경은 요란한 사이렌을 울리며 따라붙었다. 훈련병들이 코웃음을 쳤다.

"저 새끼가 뒈지려고 환장한 놈 아냐?"

"냅둬봐, 어쩌는가 보게."

김 순경은 버스를 지나쳐 가로막으며 계속 정지 신호를 보냈다. 당랑거철(螳螂拒轍, 사마귀가 앞발을 들어 수레를 막다) 격이었다. 그러나 운전수 정용시는 지푸라기라도 잡는 심정으로 김 순경의 지시에 따라 버스를 세웠다.

"뭐야 임마, 누가 정차를 하라고 했어?"

구동석이 버럭 소리를 질렀다. 김 순경은 버스 앞에 오토바이를 세우고 내려서 다가오고 있었다. 함양래의 총이 불을 뿜었다. 첫발은 오른쪽 허벅지에, 두번째는 머리를 관통당한 김 순경은 그 자리에서 절명했다.

"빨리 안 달려, 새끼야? 너도 죽고 싶어?"

정용시는 혼백이 나가서 급출발시켰다. 버스는 쓰러진 김 순경을 그대로 깔아뭉개며 달리기 시작했다.

소사 지서의 오 순경과 이 순경은 눈앞에서 벌어진 살인에 황급히 김 순경을 구호하는 한편 2킬로미터 전방의 신앙촌 검문소에 연락했다.

"비상, 비상이다! 일단의 군인들이 경찰에게 총격을 가하고 지금 그곳을 향해 질주중이다. 반복한다. 살인 버스가 그곳을 향해 질주하고 있다."

연락을 받은 신앙촌 검문소의 순경들이 문 밖을 나오자마자 살인 버스가 지나치며 총을 발사했다. 유장회(34) 순경이 오른쪽 머리에 총을 맞고 그 자리에 풀썩 쓰러졌다.

돌이킬 수 없는 종점을 향해 나아가고 있는 훈련병들. 실미도를 탈출하여 인천에 상륙했을 때까지만 해도 이들에게는 실낱 같은 희망이 있었다. 박정희와 담판에 성공하면 기간병 스무 명쯤 학살한 것은 아무 문제도 없으리라 믿었다.

우리는 국가를 위해 목숨을 버리고 대한민국 역사를 바꿀 준비가 되어 있고, 그것은 누구보다도 박정희 대통령이 알아줄 것이다, 그렇게 세뇌되어 살아온 것이다. 마치 종교적 신념에 의해서 집단 자살을 감행하는 광신도처럼 그들은 김일성 암살, 남북통일교의 광신도였다. 하지만 버스가 서울에 가까워질수록 그것이 얼마나 허망한 일이란 것을 차츰 깨닫고 있었다.

버스는 서울 구로동을 지나도록 어느 곳에서도 검문이나 제재를 받지 않았다. 다시 영등포 문래동에 접어들어서도 마찬가지였다. 이때 시간이 오후 두 시였다. 조개고개의 첫 교전 후 한 시간이 흐르도록 대한민국 국군과 경찰은 도대체 무엇을 하고 있기에 코빼기도 보이지 않은 것이었을까?

그 이유에 대해서는 음모설 등 여러 의견이 맞서고 있지만 관련된 문제들이 워낙 복잡, 미묘하니 여기서는 그냥 생략하고, 다만 한 가지 사실만은 정확히 짚고 넘어가도록 하겠다.

■ 〈1971. 8. 24. 제77회 국방, 내무위원회 제3차 연석회의록〉 중 김수한 (전 국회의장) 의원의 발언

"…… 경찰에서 보유하고 있는 트럭 등 수많은 각종 군 장비, 경찰 장비를 가지고서 그래, 인천에서 서울에 들어오는 길 가운데에 트럭 두서너 대만 가지고 바리케이드를 치면 '버스(훈련병)'가 어떻게 서울 시내에 들어오느냐 이거예요……."

정부에서는 훈련병들의 난동 사실과 서울 진격을 몰랐다고 변명

하지만 이것은 말이 안된다. 그 동안 많은 신고가 있었던 것이다.

우선 오전 아홉 시경, 무의도 실미농장의 이시호가 실미도의 난동 사실을 전화로 신고한 것이 최초의 신고였다. 그리고 오전 열 시, 무의도 이장 최정칠이 납치되어서 집안 식구들의 두번째 신고. 그 밖에도 어선, 조개고개의 군인과 주민, 택시 운전수, 주원 정류장에서 내린 승객, 펑크난 시내버스에 남아 있던 훈련병 부상자 등등 십수 회의 신고가 있었다.

■ 〈국회 속기록〉 중 김상현(현 국민회의) 의원의 발언
"내가 정보를 입수하기는 경찰에서는 이것이 도경으로 아마 열 시 전에 보고가 되었어. 그래가지고 시경으로 치안국으로, 그래가지고 국방부 당국에 통보가 갔다는 것입니다."

■ 박정인 회고록 《풍운의 별》, 346쪽
나는 이 과정에서 연대장으로부터 보고를 받은 것이 십삼 시 삼십 분인데, 즉각 관구 사령관인 방경원 소장에게 보고하였다.


아무튼 훈련병들의 살인 버스는 일사천리로 청와대를 향해 진격했다. 박기수는 오늘을 위해 준비해둔 품속의 편지를 만지작거리며 누가 이것을 인간적으로 부쳐줄 수 있을까 둘러보았다. 버스의 중간에 어린아이를 안고 있는 젊은 여인(김미현)이 눈에 들어왔다. 박기수는 슬며시 옆에 가 앉으며 말을 걸었다.

"아줌마, 집이 어디요?"

"인천 용현동인데, 친정 어머니 생신이라서 수원에 가는 중이었어요. 살려주세요."

"내 이름은 박기수고, 나이는 스물여덟 살이오. 집은 충북 옥천인데 어머니에게 쓴 편지 한 장만 보내주시오. 봉투가 없어서 편지 밑에다 주소를 썼으니까 아줌마가 봉투에 넣어서 말입니다. 나는 지금 다리에 부상을 입어서 도망을 못 치고 싸우다 죽을 것입니다. 부탁합시다."

"네, 부쳐드릴게 이리 주세요."

박기수는 공손히 편지를 건네주었고 김미현은 그것을 기저귀 가방에 넣었다.

앞자리에서도 승객과 훈련병의 대화가 이어지고 있었다. 구동석이 양숙자(32, 수원여고 교사)에게 말했다.

"겁내지 말고 가만히만 있어요. 목적지에 가까워지면 내려줄게요."

"목적지가 어디인데요?"

"청와대요. 모조리 까부술 참이오."

"이렇게 하는 이유가 뭔지 물어봐도 돼요?"

"박정희가 배신을 했습니다⋯⋯."

그때 버스의 라디오에서 긴급 뉴스가 흘러나오고 있었다. 무장간첩으로 보이는 군인 이십여 명이 인천에 상륙해서 북상중이며, 전군에 비상령이 내려졌다는 것이다. 훈련병들은 저마다 흥분해서 떠들기 시작했다. 버스 안은 이제 살벌한 공기가 감돌았다.

하필 그때 트럭 한 대가 버스의 진로를 가로막으며 추월 경쟁을 벌이기 시작했다. 부아 돋는 날 의붓자식 그릇 깨고 있는 격이었다. 훈련병들이 트럭 운전수에게 고함을 쳤다.

"야, 임마. 빨리 못 비켜?"

"저 새끼가 지금 염라대왕 턱수염을 당기네!"

그러나 트럭 운전수는 못 들은 척 여전히 버스와 앞서거니 뒤서거니 추월 경쟁을 했다. 영등포 문래동 방림방적 앞 신호등에 걸린 버스가 멈추었다. 트럭도 옆 차선에 나란히 서자 함양래가 창문 밖으로 고개를 내밀며 소리쳤다.

　"씹새끼야, 뒈지려고 환장했어?"

　"거 왜 욕을 하고 지랄이야?"

　"뭐라구? 너 정말 죽을래, 이 새끼야?"

　"어이, 군인 아저씨들! 나도 3공수 출신이야."

　"허허, 이게 지금 할애비에게 명함 내미네."

　훈련병 네댓 명이 동시에 소총을 겨누며 철컥, 안전장치를 풀었다. 표정들이 장난이 아니었다. 트럭 운전수의 얼굴이 돌연 개 핥은 죽사발처럼 하얗게 질리더니 꾸벅 고개를 숙였다.

　"아이고, 왜 이러세요. 죄송합니다, 죄송합니다."

　"이 새끼야, 호박잎에 청개구리 뛰어오르듯 깝죽댈 때는 좋았지? 이젠 늦었어. 너는 죽어야 돼."

　트럭 운전수와의 시비에 모두의 이목이 쏠리자 버스 운전수 정용시는 슬그머니 운전석 옆문을 열었다. 다시 한번 확인을 하니 아무도 자신을 눈여겨 보지 않고 있었다. 그는 버스에서 뛰어내리자마자 냅다 뛰었다.

　"어어, 운전수 도망간다!"

　김종철이 총을 겨누었다. 훈련병들은 모두 일등사수였고, 김종철은 운전수의 뒤통수를 맞힐 자신이 있었다. 막 방아쇠를 당기려는 순간, 구동석이 총구를 한 손으로 밀었다.

　"놔줘라. 살려고 저러는데……."

　신호가 바뀌었고 뒤차에서 출발하라는 경적을 울려댔다. 누군가가 운전을 해야 했다. 그들은 당황한 얼굴로 서로를 바라보았고 김종철이 운전대에 앉았다. 그는 택시와 트럭은 해봤지만 버스는 처음이었다. 울컥울컥 위태롭게 출발한 버스는 영등포역을 지나 대방동 파출소로 향했다.

박기수가 울음을 터뜨리는 김미현을 바라보며 위로했다.

"아줌마, 아줌마는 무사할 테니 걱정 말아요. 편지나 잘 좀 전해주세요."

김미현은 너무도 경황이 없어 그 말이 무엇을 의미하는지조차 몰랐다. 훈련병 중 누군가가 소리쳤다.

"경찰이다!"

대방동 파출소 앞에서는 노량진 경찰서의 전투경찰 몇 명이 검문용 바리케이드를 치고 있었다. 훈련병들은 일제히 총을 쏘기 시작했다. 전투경찰도 응사를 했다. 순식간에 도심 한복판에서 벌어진 총격전은 전쟁터를 방불케 했다. 파출소를 지나친 버스는 유한양행 방향으로 달렸다. 누군가 수류탄을 뽑아들었다.

김종철은 순간적으로 진로를 바꾸어야 한다고 생각했다. 처음으로 저항다운 저항을 받았기에 앞으로는 좀더 제대로 된 바리케이드가 쳐져 있을 것 같았기 때문이었다. 김종철은 급브레이크를 밟으며 국정교과서 방향으로 핸들을 꺾었다. 그러나 서툰 운전 솜씨에 버스는 끼이익 요란한 마찰음을 내더니 그대로 돌진, 유한양행 앞 가로수를 들이받고 말았다.

꽝, 버스 안의 모든 사람들이 앞으로 굴렀다. 그때 전투경찰에게 던지려던 안전핀 뽑힌 수류탄이 누군가의 손에서 떨어져 바닥으로 떼구르 굴렀다.

"수류탄이다!"

소리를 지르며 몸을 숙였다. 용감한 남자 승객 하나는 창문으로 뛰어내렸다. 그러나 다른 승객, 특히 여자와 아이들은 그럴 수도 없었다. 김미현은 무작정 팔개월 된 딸을 최대한으로 감싸안았다.

"꽝!"

좁은 버스 안은 요란한 폭발음과 함께 화염에 휩싸였다. 피투성이로 나둥그러진 시체들과 고통스럽게 신음하며 엉금엉금 기어내리는 사람들 틈으로 김미현은 간신히 몸을 일으켰다. 폭발 직전 몸을 날려 김미현과 딸의 방패막이가 되어주었던 박기수가 숨을 껄떡이며 말했다.

"아줌마, 편지 꼭 부탁해요."

"네, 염려 마세요. 그리고 정말 고마워요."

"빨리 내리세요."

부상당한 승객들이 어느 정도 내리고 나자 함양래가 수류탄을 까며 말했다.

"모두 죽자!"

꽈광, 또 한번의 폭발음이 들렸다. 광란의 살인 버스는 여기에서 질주를 멈추고 말았다.

■ 유재흥(전 국방장관) 회고록 《격동의 세월》, 440~441쪽

대통령 각하께서 급히 부르신다는 전갈을 받고 대통령 집무실에 들어섰더니 이미 정래혁 국방장관, 육해공군 참모총장이 자리하고 있었다. 박 대통령은 내가 집무실에 들어서자마자 '특보께서는 실미도에서 일어난 사태를 모를 것입니다'라고 하시면서 친히 다음과 같이 설명해 주셨다. '…… 그런데 강한 훈련을 시키면서도 그때가 언제가 될는지 모르는데다 훈련은 세고 주, 부식이 좋지 않다는 이유로 청와대에 호

소한다는 구실을 삼아 그들이 특공대 식으로 배를 훔쳐 타고 인천 송도에 상륙하여 버스를 약취, 공군본부 앞에까지 북상하여 일부는 자폭하고 일부는 북상중입니다'라는 것이었다.

나는 '대략 알았습니다. 저는 우선 각 경찰에 지시하여 초소마다에서, 그리고 한강 이남에서 더 못 들어오도록 하는 한편, 군 특공대를 한강 이남으로 투입하도록 조치한 후 제가 현장에 나갔다 오겠습니다' 하고 보고하였다. 내가 현장에 나가겠다고 자원한 것은 국방장관과 3군 참모총장은 각기 자기 위치에서 지휘해야 하기 때문이었다. 박 대통령은 '제가 경호원을 준비해 드리겠습니다'라고 하신 후 친히 각하의 호위병 두 명과 지프를 대기시켜주셨다.

공군본부 앞 파출소에 당도하자 '난동자들이 약취하여 타고 온 버스는 유한양행 앞에서 자폭했다. 그리고 우선 부상자만 경찰병원으로 운반했다'는 것이었다. 직접 확인하기 위해서 현장에 가보니 아직도 연기가 나는 차 안에는 10여 구의 시체가 있었다. 바로 경찰병원으로 갔더니 (훈련병)부상자 수명이 군경 경호 아래 응급치료를 받고 있었으나 '가망이 없다'는 의사의 말이었다.

사태가 완전히 진정되었음을 청와대에 무전으로 보고한 후 돌아가 박 대통령에게 실상을 그대로 말씀드렸더니 '참 안됐다'고 침울한 표정을 지으셨다.


유재흥에 이어서 국방장관 정래혁이 헬기로 날아와 현장 확인을 한 시간이 오후 두 시 사십 분이었다. 이렇게 모든 상황이 끝나고도 삼십 분이 흐른 오후 세 시 십 분, 대간첩 대책본부장 김재명 중장이 국방부 기자실에 나타났다.

김재명은 '북괴의 무장공비 스물한 명이 인천 송도 해안에 상륙하여 국군과 교전 후, 서울 침투를 기도하여 잔당을 소탕중'이란 짧은 발표 후 질문을 받지 않고 들어갔다.

경찰 및 민간인 사망 아홉 명, 부상 열다섯 명의 비극은 이렇게 막을 내렸다.


김포공항이 폐쇄되고 전군에 비상령이 내려지는 등 나라 전체가 떠들썩한 가운데 이세규(신민당 전국구 9번, 예비역 준장, 김대중 대통령 후보 안보담당 특별보좌관)는 한 통의 전화를 받았다.

"이 의원님, 무장공비 소식을 들으셨습니까?"

"그렇소만 누구십니까?"

"저는 현역 공군 대령입니다. 군의 후배로서 평소 의원님의 용기 있는 행동을 존경해왔습니다."

"네에, 그런데 용건이 무엇입니까? 제가 좀 바빠서요."

"정부에서 발표한 무장공비는 거짓입니다. 그들은 인천 앞바다의 실미도란 무인도에 주둔하고 있던 우리측 특수부대 요원으로서, 오늘 새벽……."

"전화 주시는 분은 이것이 잘못된 정보일 경우 얼마나 엄청난 결과를 불러올지 아십니까?"

"틀림없으니 제가 말씀드린 대로 확인을 해보시고, 이 의원님께서 진실을 밝혀주십시오. 저는 이만."

이세규는 제보 내용을 확인하기 위해서 여기저기 전화를 걸었다. 사실인 것 같았다. 이 일을 과연 어찌할 것인가. 이세규는 의문의 교통사고 후유증으로 워커힐 호텔 루비관에서 휴양중인 김대중 의원에게 전화를 걸었다.

국회 출입기자들은 국방위원회 소속 야당 의원들이 나오자 정보를 얻기 위해서 우르르 몰려들어 질문을 쏟아냈다.

"인천 주재 기자들에 의하면 그들은 무장공비가 아니라 우리측 특수부대원인 것 같다 합니다."

"인질로 잡혔던 버스 운전수와 승객들을 가두고 면담을 시켜주지 않는 이유가 무엇입니까?"

"한강에서 남영동까지 노상 주차장이 되어버렸습니다. 그들이 무장간첩이 아니라면 사실을 밝혀내 시민을 안심시켜야 하지 않습니까?"

그러나 이철승, 김수한 등은 오히려 기자들에게 정보를 얻어 듣는 형국이었다. 아까부터 침묵으로 일관하던 이세규가 나선 것은 이때였다.

"기자 양반들 질문에 내가 대답하지요. 그들은 무장공비가 아니라 우리측 비밀 특수요원입니다. 그들은 실미도라는……."

이세규의 폭로가 있은 지 세 시간이 흘렀다. 이날 오후 여섯 시 사십 분, 정래혁 국방장관의 기자회견이 열렸다.

"경인가도에서 벌어진 총격 사건은 북괴의 무장공비가 아니라 공군 관리하에 있는 군 특수범으로서, 인천 앞바다의 실미도란 섬에서 휴가도 없이 장기간 격리 수용에 누적된…… 난동자들은 전원 생포, 사살, 자폭하였고 도주한 자는 하나도 없습니다."

여기까지가 실미도 군 특수범 난동 사건(實尾島 軍特殊犯 亂動 事件)의 전말이다. 뒷얘기는 많지만 모두 정치적으로 얽힌 문제들이니 생략한다.

한편 무의도 호룡곡산에 숨어든 강인찬 일행은 어찌 되었는가.

146

이날 밤 무의도에는 소총을 든 마을 예비군이 집집마다 방문을 하고 있었다. 실미도의 난동 훈련병들이 아직 무의도에 숨어 있다는 정보가 있으니 외출을 삼가고 문단속을 철저히 해라, 그리고 훈련병을 발견하면 곧바로 신고를 해달라는 것이었다.

밤 여덟 시경, 무의도 실미농장에는 예비군 복장의 농장 관리인 이사원과 일꾼 등 네 명이 늦은 저녁을 먹으며 얘기를 나누고 있다.

"형님, 무의도에 숨어든 훈련병이 몇 명이래요?"

"그거야 나도 모르지. 우리야 예비군 중대에서 시키는 대로 한 것이니까."

이시호의 말에 이사원이 심란한 낯으로 대꾸했다. 일꾼 장씨 역시 근심스럽게 입을 열었다.

"마을에 훈련병이 내려오면 총으로 대결하지 맙시다. 우리 예비군 실력 가지고는 상대가 안되기도 하지만, 훈련병들도 우리를 해치려고 내려오는 것은 아니잖아요. 먹을 것 달라는 것일 텐데 주면 되잖아요."

이씨도 그 말에 얼른 동의했다.

"그래요. 섬에 작전 왔을 때, 기간병들 눈치 보면서 무를 뽑아서 허겁지겁 먹는 것을 보니까 불쌍하더라고요. 그렇게 힘든 훈련을 시키면서 밥이나 좀 배고프지 않게 주지. 때리기는 또 얼마나 잔혹하게 때려요?"

"그래. 훈련병들이야 우리에게 나쁘게 한 것 없지. 하지만 숨겨 줄 수는 없다. 신고해야 돼."

이사원의 말을 듣고도 여전히 장씨는 겁먹은 표정이었다.

"신고하더라도 그 사람들이 나간 뒤 합시다. 괜히 집에 있을 때

하면 여기서 총싸움 날 것이고, 잘못하면 우리도 죽어요. 이판사판인 사람들인데 신고한 걸 알면 살려주려고 하겠어요? 그러지 않아도 나는 실미도 군인들이 무서워 진작부터 여기를 뜨고 싶었어요."

"장씨 말도 맞아요. 그저 훈련병들이 우리집에 오지 않기를 바랄 수밖에 없네."

이시호의 말이 채 끝나기도 전 일꾼 장씨의 얼굴이 하얗게 굳어졌다. 이시호가 물었다.

"왜 그래, 장씨?"

장씨는 입에 든 밥을 씹지도 못한 채 몸을 떨면서 방문 쪽을 눈짓으로 가리켰다. 달빛에 비친 그림자는 틀림없이 사람이 총을 든 모습이었다. 사람은 드러나지 않고 기다란 총신과 팔목만 방문 옆으로 길어지고 있었다. 고개를 돌려보니 창문도 마찬가지였다.

관리인 이사원 역시 입에 든 밥을 삼킬 수도 뱉을 수도 없었다. 그는 밥상 위에 있는 물그릇을 들어 물과 함께 입에 든 것을 간신히 넘긴 다음 두려운 목소리로 말했다.

"누구요?"

"여기 탈영병 있습니까?"

실미도에서 생존한 기간병 원 중사의 목소리였다. 이사원은 살았다 싶은 반가움에 소리쳤다.

"원 중위(사실은 중사) 살아 있었네? 여기 탈영병 없어. 들어와요."

원 중사가 방문을 열고 빙그레 웃으며 들어왔다. 이어서 탁 중사와 김 하사도 들어왔다. 그들은 이십 분 가량 실미농장에서 얘기를 나누다가 앞으로 훈련병이 오면 꼭 신고하라는 당부를 남기고 다시 수색을 위해 나갔다.

강인찬과 이학수가 무의도 서쪽 바위 절벽 동굴에서 빠져나온 것은 이 무렵이었다. 그들은 최대한으로 소리를 줄여가며 바위 밑을 타고 돌았다. 실미농장 위를 지나 구낙꾸지를 향하던 그들은 호룡곡산으로 향하는 기간병을 발견했다.

　"쉿, 인찬아. 저 새끼들 기간병이잖아."

　"그런 것 같다. 윤식이가 아직 산에 남아 있으면 어쩌지?"

　"쫓아가서 죽여버릴까?"

　"일단 약속 장소에 가보자. 와 있을지도 모르잖아."

　그들은 기간병들과는 반대 방향인 구낙꾸지로 부지런히 걸음을 재촉했다. 과연 오윤식은 먼저 와 있었다. 참외를 한아름 따온 오윤식 덕분에 허기진 배를 채운 그들은 용유도를 향해 바다에 뛰어들었다.

　그들이 천신만고 끝에 용유도에 도착, 어선을 훔쳐 타고 상륙한 지점은 공교롭게도 오늘 낮 훈련병들이 상륙한 605초소 앞이었다. 귀신에게도 들키지 않아야 하는 야간 해상 침투훈련을 받아온 그들은 무사히 경비망을 뚫고 어둠을 달렸다. 낮에 교전이 있었던 조개고개 근처의 옥련동에 도착한 그들은 허기가 져서 도저히 움직일 수가 없었다.

　이들의 행적을 말해주는 당시의 기록을 보자.


　■ 1971. 8. 24. 〈동아일보〉 외 각 일간지
　"인천 또 괴한 수명(數名) 한밤중 민가 찾아 '밥 달라'
　군특범(軍特犯) 차림 오 분 후 사라져"
　23일 밤 열한 시 반께 인천시 옥련동 494, 김창섭 씨(32) 집에 권총을 가진 괴한 수명이 들어와 김씨에게 '밥 달라, 안 주면 죽인다'고 위협

했다. 군 특수범과 같은 얼룩무늬 차림인 괴한들은 약 오 분 동안 김씨 집에 있다가 밥이 없다고 하자 그대로 나가버렸다. 신고를 받은 경찰은 김씨 집에 출동, 부근 일대를 수색하는 한편 김씨 집 출입을 일절 통제하고 있다.


소득 없이 김창섭의 집을 나온 그들은 일단 통행금지 시간이 되기 전에 은신처를 찾아야 했다. 함께 행동하면 눈에 띄기 쉽다. 여기서 헤어지자. 강인찬은 오윤식과 이학수에게 말했다.

"너희는 어떻게 할래? 나는 지금부터 혼자 가겠다."

"그래, 잘 가라. 학수와 나는 계획이 있다. 살아남으면 1년 뒤 오늘 밤 아홉 시에 서울역 시계탑 아래서 만나자."

"꼭 나가마. 행운을 빈다."

오윤식과 이학수가 문학산을 향해 달리자 강인찬은 시흥 방향 남동 공업단지로 뛰기 시작했다. 동춘동을 지나 개울을 건넜을 때 먼 데서 통금을 알리는 사이렌이 울리고 있었다.

가로등도 없이 캄캄한 공단 골목에 들어선 강인찬은 모퉁이에 찰싹 붙어서 다시 한번 골목 밖을 확인했다. 지나가는 사람은 아무도 없었다. 그는 주위를 살펴가며 으슥한 골목을 계속 걸었다. 얼마를 걸었을까. 꼬부라진 모퉁이를 돌자 길이 막혀 있었다. 골목 끝에는 철거되었거나 폐업한 공장인 듯한 건물이 보였다. 수위실의 먼지 낀 유리창은 깨어진 채였고, 녹슨 철대문 밖으로 커다란 자물통이 채워져 있었다.

또 한번 주위를 둘러보았다. 한 줄기 비라도 내리려는지 어둠 속의 바람이 서늘하게 목덜미를 스쳐갈 뿐 사람의 기척은 없었다. 그는 공장의 담을 훌쩍 뛰어넘었다. 아니, 그것은 뛰어넘은 것이 아니라 날아들었다는 표현이 더 알맞으리라. 어깨보다 조금 더 높은 담장 끝을 오른손으로 잡자마자 땅을 박차고 몸을 솟구치더니 어느새 담장 안으로 내려선 것이다.

마당은 잡초가 무성했다. 담장에 등을 댄 채 잠시 숨을 죽이던 그는 민첩한 동작으로 공장 건물을 향해 뛰었다. 흐릿한 달빛과 맞은편 공장에서 나오는 불빛의 도움으로 살펴본 공장 안에는 녹슨 기계들이 수북한 먼지를 뒤집어쓴 채 썩어가는 시체처럼 누워 있었다. 괴괴한 분위기였다. 만의 하나 이곳을 수색할 경우가 생긴다면, 마당은 잡초 때문에 나의 흔적이 별로 남지 않겠지만 저 수북한 먼지 위는 다르다.

강인찬은 이곳저곳을 살펴보다가 공장 출입문 앞에 섰다. 풀쩍 점프를 하면서 처마 밑에 뻗어 있는 쇠 난간을 잡은 그는 출입문에 군화 자국이 남지 않도록, 턱걸이하듯 팔을 잡아당기며 발을 출입문과 지붕의 난간 틈새에 집어넣었다. 날렵한 몸놀림으로 공장 안에 스며든 그는 쇠 대들보에 걸터앉았다. 불편하지만 이대로 앉은 채 밤을 보낼 생각이었다.

새벽 한 시, 정면 바깥에서 바스락 소리가 들렸다. 강인찬은 귀를 쫑긋 세우며 온몸을 팽팽하게 긴장시켰다. 품속에서 권총을 뽑아든 그는 소리나는 곳을 향해 살금살금 대들보 위를 걸었다. 혹시 완전히 포위된 것은 아닐까? 수류탄을 꺼내 왼손에 들었다. 그래, 오너라. 지난 3년 사개월 동안 나는 그 참혹한 악마의 섬에서 오로지 찔러 죽이고 쏘아 죽이고 때려 죽이는 훈련을 받았고, 이제는 완벽한 살인 기계가 되었다. 열 명이고 스무 명이고 모조리 죽여주마. 아니, 백 명이라도 좋다.

강인찬은 난간 틈으로 살그머니 밖의 동정을 살폈다. 아무도 없었다. 오른쪽에서 다시 바스락 소리가 들렸다. 그는 먹이를 향해 달려드는 흑표범처럼 소리나는 곳을 향해 총을 겨누었다.

그러나 거기에는 사람 대신 도둑 고양이 한 마리가 그를 빤히 바라보고 있었다. 후유, 강인찬은 권총을 거두며 원위치로 돌아왔다. 나는 평생 이렇게 살아야만 하는 걸까? 그는 잠시 넋 나간 사람처럼 처연하게 앉아 있다가 모든 것을 잊어버리자는 듯 고개를 흔들었다. 지금은 회의하고 고민할 때가 아니다. 행동하고 살아남아야 할 때이다.

강인찬은 대들보에 엎드려서 밖을 내다보았다. 건너편 공장의 불 켜진 실내에서 일하는 공원들의 모습이 보였다. 저들은 불과 50여 미터 떨어진 이곳에서 저승사자가 자신들을 지켜보고 있다는 것은 꿈에도 모를 것이다. 윤식이와 학수는 은신처를 찾았을까. 낮에 상륙한 동지들은 모두 죽었겠지. 생각하지 말자. 지금은 생각할 때가 아니라 잠을 잘 때다. 그는 엎드린 자세 그대로 눈을 감았다.

강인찬이 철거된 공장의 대들보에서 깨어난 것은 새벽 네 시 십 분이었다. 바스락 소리만 들려도 눈을 뜬 노루잠이었지만 머리는 한결 맑았고 몸도 개운했다. 공장을 나온 그는 긴장을 풀지 않고 주변을 살피며 걸었다. 날이 밝아 사람들 눈에 띄기 전 옷을 갈아입는 것이 급선무였다.

조금 걷다 보니 고철을 쌓아놓은 옆에 사무실 겸 주거용으로 보이는 폐차된 버스가 있고, 그 뒤 빨랫줄에 작업복이 널려 있었다. 상추쌈에 된장 궁합처럼 낡은 운동화도 보였다. 강인찬은 살금살금 다가가서 옷과 운동화를 집어들었다. 그 순간 다급하게 뛰어오는 발자국 소리가 들렸다. 그는 얼른 고철 뒤로 몸을 숨기며 권총을 빼어들었다. 고개를 빼꼼히 내밀어 살펴보니 배달원이 신문을 한

부 던지고 다시 달려가고 있었다. 내친김에 신문까지 집어들고 그 자리를 빠져나왔다.

수인선 철길에서 작업복으로 갈아입은 강인찬은 신문을 펼쳐들었다. 〈조선일보〉는 신문 전체를 도배하듯 실미도 군 특수범 난동 사건을 싣고 있었다. 거의 모두가 죽었단다. 유한양행 앞에서 부상을 입고 생포된 김종철, 이석천의 인터뷰도 있었다. 난동 이유를 묻는 질문에 김종철은 이렇게 대답하고 있었다.

'난동 이유 알면 골치 아플 것.'

'속아 사는 세상, 더 이상 살기 싫다.'

강인찬은 신문을 와락 구기며 일어섰다. 소래역에서 수인선 기차를 타고 시흥으로 나온 그는 교육대장실 캐비닛에서 훔쳐온 돈으로 설렁탕 한 그릇을 뚝딱 비웠고, 시장에서 양복과 와이셔츠, 구두까지 사서 갈아신었다.

거리 어디에도 실미도 훈련병의 탈출을 검색하는 기색이 보이지 않았다. 이런 정도의 분위기라면 학익동으로 김지수를 찾으러 가도 무방할 것 같았다.

# 염채은의 선택

제주도청 부근의 보석 전문점 '성산포' 밖에는 을씨년스러운 가을비가 내리고 있었다. 날씨 탓인지 거리에는 행인이 많지 않았다.

염채은은 넓은 가죽 소파에 홀로 앉아 책을 읽는 것으로 낮 시간을 보냈다. 눈이 피로해지면 간간이 창 밖으로 시선을 주기도 했다. 빗속을 달려가는 자동차들이 먹이를 향해 전력질주하는 육식 동물 같았다. 검은색 우산이 가게 밖 진열창 앞에서 잠시 머뭇거리다가 사라졌다. 조금 전에도 보았던 우산이었다.

염채은은 녹차 한잔을 따라 들고 출입문 가까이 섰다. 검은색 우산은 길을 건너고 있었다. 그녀는 실내를 둘러보았다. 크지 않은 진열장에 간결하게 놓인 시계는 오메가, 로렉스, 피아제, 카르디에 등 대부분 고가품이었다. 보석도 만만치 않은 가격대가 주종을 이루고 있었다.

신비롭게 빛나는 푸른색 에메랄드 나석을 잠시 바라보던 그녀는 자리에 돌아와 생택쥐페리의 《어린 왕자》를 펼쳐들었다. 징역을 살며 교도소 도서관 책을 거의 다 독파했다는 백동호에게 영향받은 그녀는 가능한 책과 가까이 하는 생활을 하려고 노력중이었다.

돈이 많으면 할일도 많을 것 같았는데 너무 한가한 나날이었다. 하지만 서두를 필요는 없었다. 몇 년쯤 조용히 지내다가 백동호가 나오면 할일을 상의해볼 것이다. 아니, 백동호는 자신을 만나주지도 않을지 몰랐다. 미국으로 이민이나 갈까. 이 돈만 가지면 그야말로 화려하게 살 텐데. 어찌 되었든 동호 아저씨가 출소할 때까지는 한국에 있어야지.

이런저런 생각에 빠져 있는데 문이 열리며 손님이 들어왔다. 남녀 한 쌍이었다. 남자는 삼십대 초반, 짧은 스포츠형 머리에 짙은 밤색 양복이 잘 어울리는 미남이었다. 이십대 중반의 여자는 어쩐지 고급 유흥가를 나가는 듯한 분위기였다.

"어서 오세요."

그들은 염채은의 인사를 건성으로 넘기며 진열장의 보석을 바라보았다. 여자가 진열장의 물건 하나를 지적하며 말했다.

"음…… 좋은 물건들이 많네요. 요것, 루비지요?"

염채은은 말없이 루비 목걸이를 꺼내주었다. 여자가 목걸이를 받아들 때 사내는 비로소 염채은의 얼굴을 보더니 흠칫 놀라는 듯했다.

"왜 그러세요, 손님?"

"아, 아닙니다. 여기에 있는 어떤 보석보다 더 아름다우셔서요."

사내는 발음이 어눌했다. 성공한 재일교포와 현지 처인가? 짜식, 옆에 제 여자가 있는데도 껄떡대기는. 그러나 염채은은 상냥하게 말했다.

"호호, 감사합니다. 같이 오신 분이 저보다 훨씬 아름다우신데요 뭘."

사내는 여자가 고른 루비 목걸이 값 150만 원을 자기앞 수표로 지불했다. 사고 수표를 가지고 다닐 사람 같지는 않지만 고액이라서 양해를 구하고 조회를 해보았다. 이상없다는 대답이었다. 그 동안 사내는 계속 염채은을 바라보고 있었다. 그래서 그런지 여자는 선물을 받았으면서도 별로 기분 좋은 표정이 아니었다.

손님이 나간 뒤 염채은은 다시 《어린 왕자》를 펼쳐들었지만 느낌이 이상했다. 고개를 돌려보니 유리문 밖 진열창을 벌써 세번째 어른거리는 검은색 우산, 아무래도 그냥 지나치는 행인이 아니었다.

염채은이 보석 전문점 '성산포'에서 《어린 왕자》를 읽고 있는 시간, 청주 교도소 징벌사동의 백동호는 강인찬과 함께 저녁 식사를 하고 있었다.

반찬은 고춧가루가 적어서 허연 깍두기, 무 장아찌, 미역국이었다. 한 끼 부식비가 140원 남짓이니 오죽하랴. 그래도 징벌방에서 손발이 묶이지 않고 밥을 먹을 수 있는 것이 어디인가. 백동호는 탐방기(교도소에서 그릇을 헹구는 데 사용하는 작은 세면기)에다가 보리밥, 반찬, 고추장, 마가린을 넣고 썩썩 비볐다. 강인찬이 맨밥의 첫술을 뜨려다 멈추며 말했다.

"비비는 모습만으로 군침이 도는구나. 내 것도 같이 비벼다오."

"그러시죠. 이리 주세요."

백동호는 강인찬의 밥과 반찬을 함께 넣고 다시 비비며 말했다.

"그래서 인천 학익동으로 김지수란 분을 만나러 갔습니까?"

"…… 갔지."

"만나서 어떻게 되었습니까?"

"동호야!"

"예?"

"밥 좀 먹고 얘기하면 안되냐?"

"하하, 됩니다."

"그럼 먹고 하자."

"하하, 죄송합니다. 워낙 궁금해서요. 자, 드세요, 형님."

백동호는 수저가 철철 넘치게 비빔밥을 퍼서 씩씩하게 먹었다. 강인찬은 무언가를 생각하는 듯 수저질이 조용했다.

설거지는 백동호의 차지였다. 러닝 셔츠를 찢어 만든 행주에 빨랫비누를 묻혀서 고양이 오줌만큼 적은 물로 닦아내는 설거지는 어설프기가 그지없었다.

"형님, 죽그릇 설거지는 딸 시키고 비빔그릇 설거지는 며느리 시킨다더니, 역시 설거지하기가 지랄이네요."

강인찬은 대답 없이 무언가의 생각을 이어가고 있었다. 어쩐지 방해하면 안될 것 같아서 백동호는 더 이상 말을 시키지 않았다. 설거지를 끝내고 옆에 가 앉아도 강인찬의 얼굴에는 표정 변화가 없었다.

"형님, 무슨 생각을 하세요?"

"…… 지수를 만나러 가서 어찌 되었냐고 물었지?"

"예."

"뜻밖에도 정부에서는 도망간 실미도 훈련병을 더 이상 찾아내지 않으려는 것 같았다. 실미도 문제는 빨리 덮어버려야 하는 똥이라서 그런 거였겠지. 아무튼 나는 별어려움 없이 학익동으로 갔다.

골목을 행인처럼 지나치며 지수를 눈으로 찾았지. 혹시 몰라서 매우 경계를 하며 세 번이나 살폈어도 지수는 보이지 않더라. 집으로 찾아갈까 하다가 전화를 걸었다. 어떤 아가씨가 받더군. 지수를 바꿔달랬더니 대뜸 하는 말이 수원 고등동으로 갔다더라. 윤락녀들은 한곳에 붙박혀 있는 것이 아니라 철새처럼 옮겨다니지만 나는 그녀가 학익동에 분명 있으리라고 믿었던 거지. 종로 3가의 신혼이란 방석집에 전화를 걸었더니 그 소식을 모르고 있었다. 할 수 없이 수원 고등동 윤락가를 뒤졌다. 지수가 있다는 곳을 겨우 알아냈더니 이번에는 석 달 전 서울 용산역으로 옮겼다더군."

"그래서 그때 형님이 용산으로 지수라는 분을 찾으러 오셨다가 저를 만난 것이군요?"

"그래, 맞다…… 그런데 천신만고 끝에 찾아낸 지수는 이미 세상 사람이 아니었다."

"네에?"

"자살했대."

"왜요?"

"박민호란 기둥서방 놈이 어느 날, 지수더러 흑산도에 가라고 한 모양이야. 뱃사람을 상대로 술을 팔고 몸도 파는 그런 곳 말이다. 지수는 거기까지는 못 가겠다며 반항을 했대. 이미 선불을 당겨 쓴 놈은 머리채를 잡고 흔들며 엄청 때렸다는군. 그리고 다음날 지수는 시체로 발견된 거다. 신경안정제 과다 복용이었어."

"……."

"그 소식을 접할 때의 심정은, 형언할 수 없는 통증이 가슴을 잘근잘근 썹어댔다고나 할까."

"그러셨겠지요."

"기둥서방 박민호는 무혐의로 구류만 삼주 살았다더라. 나는 놈을 찾아내기 위해서 은밀하게 염탐을 시작했지. 청량리와 용산 사창가에 놈이 자주 나타난다는 것은 확실했거든. 그런데 나중에 알게 된 사실이지만, 놈은 그때 지방으로 원정을 갔다가 싸움이 생겨서 육개월짜리 양갈보 징역을 살고 있었던 거다. 혹시 너도 기억할는지 모르겠다. 내가 용산을 떠나기 이틀 전에 용산극장 남자 화장실에서 시체가 발견된 사건."

"아, 아! 그놈이 박민호였습니까?"

"…… 지수의 원수를 갚고 나니 지긋지긋한 한국 땅에는 더 이상 있기 싫더라. 밀항을 결심했다. 항구 도시 부산으로 간 것은 그래서였지."

강인찬은 잠시 얘기를 그치고는 바람 찬 겨울밤, 우두커니 빈 대추나무를 바라보는 늙은 과부처럼 처연한 모습으로 앉아 있었다. 파란만장한 과거가 온갖 감회를 불러오는 것 같았다.

허허로운 침묵이 흐르는 징벌방, 창문을 막아놓은 판자 사이로 연분홍 노을이 레이저 광선처럼 가늘게 뻗어 들어오고 있었다. 다음 얘기를 재촉할 수가 없었던 백동호는 레이저 광선 같은 노을을 손바닥으로 차단했다. 하늘은 태양 빛을 누구에게나 무제한 공짜로 내려주는데, 죄 많은 두 사내는 그것조차도 이렇게 볼펜 뚜껑만큼밖에 받지 못하고 있었다. 백동호가 손바닥의 햇빛을 바라보며 말했다.

"형님, 오래전 오스카 와일드라는 서양놈의 옥중기를 읽은 적이 있는데 이렇게 시작되더군요. '우리에게는 단 하나의 계절, 슬픔의 계절밖에 없다. 저 밖은 밝고 환하겠지만 우리가 앉아 있는 위, 조그마한 쇠창살의 두껍게 먼지 긴 유리로 스며드는 햇빛은 어둡고

희미하다. 마음속에 항상 황혼이 깃들고 있듯이 방안에도 언제나 황혼이 깃들고 있다. 시간만이 아니라 사고의 세계에서도 움직임이란 없다. 당신에게는 이미 잊혀진 일, 혹은 쉽게 잊혀질 일이 나에게는 지금 일어나고 있고 내일이면 또 다시 일어날 것이다……'어쩐지 지금 형님의 마음을 표현한 글 같아서 한번 읊어봤습니다."

"후후, 너는 기억력도 좋다. 어떻게 읽은 책을 다 외우냐? 우리는 책을 잘 읽지도 않지만, 읽어도 돌아서면 다 잊어버린다."

"그것은 저도 마찬가지입니다. 다만 공감이 가는 부분은 여러 번 읽다 보니 기억이 나는……"

백동호는 얘기를 하다 말고 문 쪽으로 고개를 돌렸다. 아래층 독거사동 본무 담당이 시찰통 앞에서 빙글빙글 웃음을 머금고 있었던 것이다.

"어, 담당님. 어쩐 일이세요?"

"백동호 씨가 어떻게 지내나 궁금해서 왔지. 지낼 만해?"

"네, 좋습니다. 잠만 실컷 자지요."

"음…… 줄까 말까?"

"뭘요?"

"좋은 것."

"좋은 거라면 주셔야지요. 뭔데요?"

본무 담당이 시찰통으로 편지 한 통을 내밀었다.

"읽고 내일 아침에 반납하시오. 괜히 내 입장 곤란하게 하지 말고."

"알겠습니다."

백동호는 대답과 동시에 편지를 받아들었다. 원래 징벌방은 편지도 주고받지 못하게 되어 있다. 하지만 재소자들에게는 가장 즐

160

거운 일이 가족의 면회고, 그 다음으로 편지를 받는 것이다. 본무
담당은 징벌자의 편지라며 교무과에 그냥 돌려보내기가 뭐해서 읽
고 반납하라는 배려를 해준 것이다. 강인찬이 옆에서 편지를 들여
다보며 물었다.

"누구에게서 왔냐?"

"글쎄요. 백동화라니 이상하네. 이런 사람 모르는데요."

"백동화? 어째 너랑 형제 같은 이름이구나. 교도소에 있다는 쌍
둥이 형 아니냐?"

"저는 백씨 집에 양자로 들어가서 백동호가 된 겁니다. 고아원에
간 제 형은 원래의 성인 황씨를 그대로 사용했는데요."

백동호는 고개를 갸웃대며 내용물을 꺼냈다. 사진 다섯 장과 편
지 한 장이 들어 있었다. 사진부터 보았다. 만나지 못한 2년 사이에
훌쩍 커버린 딸 다현이의 모습이 왈칵 서러움으로 다가왔다. 더구
나 아내가 떠나버린 후 어떻게 살고 있는지 궁금했는데 뜻밖의 모
습을 보니 목이 메었다.

사진에는 다현이가 외할머니 댁을 나와 유치원에 가는 앞모습,
한적한 시골길을 타박타박 걸어가는 뒷모습, 친구들과 뛰노는 장
면이 담겨 있었다. 백동호는 한동안 눈물 고인 눈으로 물끄러미 사
진을 바라보다가 편지를 펼쳤다.

동호야.

얼마나 고생이 많니. 마음 같아서는 면회라도 자주 가고 싶지만 생활
에 쫓기다 보니 그것조차 여의치 않구나. 더구나 나는 염채은이란 여
자에게 큰 손해를 입고 난 후 홧병까지 나서 몇날 며칠을 끙끙 앓고
있는 중이다. 어떻게 해서든 그 여자를 찾아내서 혼을 내주고 피해변

상을 받을 생각이다.

참, 그리고 서산의 다현이 고모가 교통사고를 당해서 돌아가셨다. 하루 전에도 만났는데 그 다음날 시체로 변한 모습을 보니 세상의 부귀영화, 돈이 다 쓸데없다는 생각이 들더라. 모처럼의 편지에 안 좋은 소식만 전하는 것 같다.

대신 네가 몹시 보고 싶어할 딸 사진을 몇 장 보내니 기뻐할 것으로 믿는다. 아무리 고통스러워도 사랑하는 가족이 있는 한 세상은 살아볼 만한 곳이니까. 너의 딸은 내가 가까운 곳에서 항상 지켜보며 돌보고 있으니 염려하지 말아라.

워낙 재주가 메주라 더 쓸 말이 없구나. 가까운 시일내로 면회를 한번 가마. 늘 건강하기를 바라며 이만 줄인다.


백동호는 편지를 와락 구겼다. 얼굴이 무섭게 일그러져 있었다.

"동호야, 왜 그래?"

"……."

"왜 그러냐니까?"

"……."

사람이 너무 큰 충격을 받거나 분노하면 혀가 굳어 말이 안 나온다는 사실을 백동호는 그때 처음 알았다. 그의 일그러진 얼굴이 부들부들 경련을 일으켰고, 이어서 몸 전체를 떨기 시작했다.

어쩐지 불안하기는 했다. 하지만 설마 그 어린것을 미끼로 삼을까 스스로를 위안 삼아왔다. 그런데 기어코 이 새끼들이……. 그는 급소를 비켜간 총알에 날뛰는 맹수처럼 벌떡 일어서며 소리를 질렀다.

"우와아악—."

그래도 솟구쳐오르는 분노를 어찌할 수 없는지 감방 벽에 머리를 꽝꽝 들이박기 시작했다. 강인찬이 황급히 다가가서 끌어안았다.

"동호야, 왜 그래? 진정해, 임마."

"우와아악— 이 새끼들, 다 죽여버릴 거야."

"동호야, 동호야!"

강인찬의 부름에도 아랑곳없던 백동호가 갑자기 얌전해졌다. 아니, 얌전히가 아니라 얼이 빠진 사람처럼 주저앉았다. 편지는 J수산 장대풍이 보낸 것이 틀림없었다. 교도소의 검열 탓에 노골적으로 협박할 수 없기 때문에 가족, 그것도 형인 것처럼 이름을 백동화로 하고 딸의 사진을 보낸 것이다.

염채은을 찾아내서 물건을 돌려주지 않으면 너의 딸 다현이는 교통사고로 죽게 될 것이다, 그런 뜻이었다.

백동호는 멍하니 앉아 있었지만 회전칼날이 머리를 꿰뚫는 것처럼 참을 수 없는 고통이 엄습하고 있었다. 탈옥을 해서 장대풍을 살해하고 다현이를 지켜주고 싶었지만……

비가 내려서인지 제주도의 어둠은 출근을 서두르고 있었다. 늘어지게 하품을 한 염채은은 책을 덮고 일어섰다. 일찌감치 문을 닫고 집에 가서 잠이나 자야지. 그녀는 귀금속을 금고에 넣으려고 걸음을 옮겼다.

그때 가게 문이 열리며 손님이 들어왔다. 조금 전의 검은색 우산이었다. 염채은은 살큼 미소를 지으며 맞이했다.

"어서 오세요."

상냥하게 인사를 했지만 어쩐지 기분이 좋지 않은 사내였다. 염채은은 순간적으로 사내의 모습을 훑었다.

　나이는 이십대 후반, 미색 셔츠와 검은색 양복, 생고무 밑창의 검은색 구두를 신고 있었으며, 시계는 로렉스 콤비, 가죽 손가방을 들고 있었다. 나름대로 신경을 쓴 옷차림이었으나 결정적인 약점은 얼굴이 천하다는 것이었다. 귤 껍질같이 땀구멍이 크고 우둘두툴한 피부에 코미디언 이주일처럼 삐뚤어진 코, 쌍꺼풀 없이 탁한 눈동자가 색깨나 밝힐 것 같았다. 아무리 잘 봐주어도 조직 폭력배 중간두목 아니면 범죄인 타입이었다.

　사내는 거만한 몸짓으로 가게의 진열장을 쓰윽 훑어보았다. 염채은이 친절하게 말했다.

　"손님, 어떤 것을 찾으시는데요?"

　"애인에게 선물할 건데 시계 하나 봅시다."

　"네, 구경하세요."

　"저것은 얼마나 합니까?"

　"카르디에 팔각 말씀하시는군요? 130만 원입니다."

　"이것은?"

　"그건 좀 비싼데요. 피아제라고 보석 시계죠."

　"음…… 날렵하고 세련되어 보이는 것은 없습니까? 가격은 백만 원대로 하고요."

　"이런 것은 어떠세요?"

　진열장의 시계를 하나 지적하던 염채은의 눈빛에 흠칫 놀라움이 스쳤다. 손가방에서 날이 넓은 식칼을 꺼내드는 사내의 모습이 진열장 유리에 비친 것이다. 하지만 그녀는 곧 침착함을 되찾고 천천히 굽혔던 허리를 폈다. 사내가 손가방을 진열장 위에 올려놓으며 말했다.

"꼼짝 마. 소리치면 죽어. 물건들을 여기에 담아. 빨리!"

목소리, 동작, 자세로 보아 운동을 한 사내는 아니었다. 하지만 강도짓은 많이 해본 솜씨였다. 염채은의 얼굴에 조금은 장난기 서린 미소가 떠올랐다. 온몸의 세포가 긴장하고 손바닥에 땀이 고이는 쾌감, 이것이 얼마 만인가.

"강도 아저씨, 애 지우고 속 좋은 년 없더라고, 내 물건을 뺏기면서 친절하게 담아주기는 싫은데. 이리로 돌아와서 직접 꺼내가지 그래?"

강도는 염채은의 태도에 황당하다 못해 기가 탁 막히고 말았다.

"뭐, 뭐라고?"

"입장 바꿔 생각해봐. 아저씨 같으면 강도에게 자기 물건을 친절하게 담아주고 싶겠어?"

"허허, 이거 죽고 싶어서 환장한 년 아냐?"

"이것 봐. 얼마가 필요해? 어차피 물건으로 가져가면 제 값도 못 받고 팔기도 쉽지 않을 걸 내가 돈으로 줄게."

"돈도 내놔."

"글쎄, 얼마를 드릴까?"

"가, 가진 것 다 내놔."

"후후, 그렇게는 못하겠는데."

강도는 조금씩 당황하기 시작했다. 이 가게에 비싼 물건이 많고 예쁘게 생긴 여자가 항상 혼자 있다고 해서 며칠 전부터 노려왔다. 오늘은 마침 비가 내려서 행인도 드물었고 몇 번이나 혼자 있는 것을 확인했다. 가게 밖에 오토바이 시동을 걸어놓은 그는 불과 이삼 분 사이에 물건을 담아서 도주할 계획이었다.

한데 칼만 보아도 벌벌 떨며 시키는 대로 할 줄 알았던 여자가 오히려 자기를 놀리고 있었다. 무당 생활 10여 년에 목두기라는 귀신은 처음 들어보더라고, 강도짓 수십 번을 하며 교도소에 들락거렸어도 이렇게 간덩이가 큰 여자는 듣지도 보지도 못했다. 게다가 그는 이미 이 괴물 같은 여자의 기(氣)에 눌리고 있었다.

"지금 나를 놀리는 거야? 주, 죽고 싶어? 이 쌍년이…… 굶은 새벽 호랑이 따귀를 치려고 덤비네."

"임마, 놀리는 것이 아니라 내가 양보하는 거지. 빨리 말해. 얼마 줄까?"

"이게 정말 장난치네. 칼침 맞기 전에 빨리 다 못 내놔?"

"이 자식아, 그렇게는 못하겠다고 말했잖아."

강도는 더 이상 시간을 끌면 불리하다고 생각했다. 어차피 물건을 순순히 내어줄 상황이 아니었고, 스스로 담아가기 위해서는 여자가 있는 진열장 뒤로 돌아가야 했다. 강도는 여자가 진열장을 넘어 도망치지 못하도록 신경을 쓰며 걸음을 옮겼다.

염채은은 진열장 밑에 놓인 쇠파이프(반지 크기를 재는 데 쓰는 것으로, 끝이 가늘고 아래로 내려갈수록 굵다)를 슬며시 집어들었다. 진열장을 돌아서 강도가 다가오고 있었다.

"서툰 수작 부리면 죽어!"

강도의 협박이 채 끝나기도 전 등뒤로 감춰진 염채은의 쇠파이프가 바람을 갈랐다. 튕겨져 나간 칼이 벽 진열장에 부딪히며 유리창이 요란하게 깨져 내렸다. 이어서 염채은의 앞차기가 턱을 강타했다. 뒤로 벌렁 나자빠지는 강도의 얼굴 위로 5밀리 두꺼운 유리가 쏟아지고 있었다.

어디에 부딪혔는지 머리에서 피가 흐르며 움찔움찔 경련을 하는 것이 아무래도 심상치가 않았다. 염채은은 119 구급대를 먼저 부른 뒤 경찰서에 신고를 했다.


장대풍이 보낸 편지의 설명을 들은 강인찬은 탄식을 했다.

"허! 나쁜 놈들이네. 어린것이 무슨 죄가 있다고."

"……."

"너 정말 염채은이 있는 곳을 모르나?"

"찾을 수야 있겠지요."

"그럼 물건을 돌려줘라. 네가 지금 교도소에 있는 한 해결책이
없잖아. 내가 출소하면 도와줄 일은 없겠냐?"

"저도 지금부터 이 문제를 공자님 말씀으로 풀어야 할지 맹자님
말씀으로 풀어야 할지, 생각을 좀더 해봐야겠습니다. 아무튼 이것
은 염채은과 저와의 문제니 형님은 너무 깊이 개입을 안하시는 것
이 좋을 듯합니다."

"…… 그래, 해결 방법을 생각해봐라. 네가 자주 말했던 것처럼
모든 문제에는 답이 있고, 그 답을 찾아내는 너의 능력을 나는 믿는
다. 《삼국지》에 보니까 죽은 제갈공명이 살아 있는 중달을 혼꾸멍
내서 쫓아버리더라. 교도소에 있는 네가 밖에 있는 장대풍에게 뜨
거운 맛을 보여주지 못할 것도 없지. 아무튼 내가 도움이 될 만한
일이 있다면 서슴지 말고 부탁해라."

"예, 형님."

백동호는 시원스럽게 대답을 했지만 가슴이 답답해서 견딜 수가
없었다. 그는 변소에 들어가서 창문을 가려놓은 판자 새로 손바닥
만한 하늘을 오래도록 바라보았다. 붉게 타는 저녁 노을이 미치도
록 아름다웠다.

어설픈 강도는 다행히 뇌진탕은 아니었다. 경찰의 조회 결과 그가 지니고 있는 한용철의 주민등록은 위조된 제주도 사람 것이고, 본명은 주영우(28)로서 목포 정미소 강도상해 사건 등 여섯 건의 혐의로 수배중인 인물이었다.

염채은은 일단 제주 경찰서에서 피해자 진술을 해야 했다. 수사과의 노총각 이인욱 형사는 사건의 전말을 다 듣고 나자 혀를 내두르며 말했다.

"대단하십니다. 그래서 쇠파이프로 강도의 팔을 부러뜨리고 앞차기 한 방에 턱뼈가 부서졌으며, 이를 석 대나 나가게 하셨나요?"

"죄송합니다. 워낙 제정신이 아니었어요."

"아니, 죄송할 거야 없지요. 정당방위인 걸요. 저는 지금 감탄과 칭찬을 하고 있는 것입니다. 그리고 그런 일이 과연 가능할까 의심도 들고요. 운동은 무얼 하셨습니까?"

"잘하는 것은 없고요, 그냥 이것저것을 좋아해요."

"주민등록증을 보여주시겠습니까?"

"여기 있어요."

염채은은 핸드백에서 김선희의 주민등록증을 내밀었다. 이 형사는 진술서의 인적사항과 동일한지를 대조해보고 돌려주며 말했다.

"좋습니다. 김선희 씨, 일단 돌아가세요. 다음에 전화를 드리면 다시 한번 와주시겠습니까?"

"네, 수고하세요."

염채은은 공손히 인사를 한 뒤 경찰서를 나왔다.

이인욱 형사는 염채은이 돌아간 뒤에도 그녀에 대한 강렬한 호기심으로 일이 손에 잡히지 않았다.

고아원에서 자랐다는 여자 치고는 품위와 교양이 있다. 아직 서

른도 안된 여자가 재력을 갖추고 아무 연고도 없는 제주도에 홀로 와서 보석 전문점을 한다. 게다가 단순히 무술 실력만 뛰어난 것이 아니다. 사람을 저 지경으로 만들기 위해서는 단호한 살상공격 습성이 뒷받침되어야 한다. 평범하게 살아왔다면 그런 행위가 가능하지 않다. 험하고 거친 과거가 있다는 결론인데. 후후, 첩보영화에 나오는 미녀 킬러 같군.

경찰서를 나온 염채은은 집이 아니라 주영우가 있는 병원으로 향했다. 호랑이도 잡아놓고 보면 불쌍하더라고, 같은 어둠의 인생으로서 앞으로 최하 10년 이상의 징역을 살아야 하는 그에게 무언가 도움이 되어주고 싶었다. 사실은 잡아서 경찰에 넘길 생각도 없었다. 상황이 그리 되어버린 것이다.

주영우는 얼굴과 오른팔에 붕대를 칭칭 감고 있었다. 형사가 침대 파이프에 왼손을 수갑으로 연결해놓아서 자유롭게 움직일 수 있는 것은 두 다리뿐이었다. 그는 병실에 들어서는 염채은을 보자 눈에서 파란 불꽃을 피워냈다. 그 눈빛은 절망의 벼랑 끝에 선 늑대의 그것이었다.

나는 이제 10년 이상의 징역만이 아니라 보호감호 10년도 붙는다. 거의 노인이 되어서야 자유를 얻을 것이다. 저 계집애의 발차기 한 방에 결정된 운명이다……. 강렬한 적개심에 살이 떨려왔다.

"씨팔년아, 뭐하러 왔어?"

염채은은 열려진 병실 문 밖에서 담배를 피우며 서성이는 형사의 눈치를 살폈다. 들어가 봐야 좋은 소리 못 들을 것이니 그냥 돌아가라는 권유를 뿌리치고 부득불 고집을 피웠던 것이다. 그녀는 너그러운 미소를 지었다. 그 미소가 주영우의 화를 더 돋우었다.

"이 개 같은 년아, 꺼지라니까. 내 언제고 출소만 하면 네년을 찾아내서 갈가리 찢어 죽일 테니까 각오하고 있어."

염채은은 여전히 미소를 지우지 않은 채 허리를 굽히더니 주영우의 입을 틀어막았다. 이 여자가 왜 이래, 주영우는 그렇게 말하고 싶었다. 염채은이 주먹으로 옆구리를 사정없이 쥐어박았다. 주영우는 너무 고통스러워 숨조차 쉴 수가 없었다. 땀을 흘리며 어쩔 줄 모르는 그의 귓가에 염채은의 나직한 속삭임이 들려왔다.

"이 좆 같은 새끼야, 개만도 못한 너하고 사랑을 속삭이고 싶어서 온 게 아니라는 사실은 알지? 징역 배띠미 해야 하는 니 인생이 딱해서 왔다. 어쩔래? 지금은 얘기가 안될 것 같으니 다음에 한번 더 오마. 도움을 청할 것이 있나 잘 생각해둬, 임마. 나 간다."

병실을 나온 염채은은 리베라 호텔 나이트 클럽을 향해 차를 몰았다. 클럽 안은 요란한 음악이 귀청을 때리고 있었다. 양주와 기본 안주를 시켜놓은 그녀는 사람들의 신나는 몸놀림을 물끄러미 바라보았다. 이제 그만 조용히 살고 싶은데 왜 이렇게 사건이 따라다닐까. 그녀는 우울한 기분을 떨쳐버리려는 듯 술잔을 들었다. 음악은 블루스로 바뀌어 색소폰이 목놓아 울고 있었다.

"안녕하십니까? 여기서 또 뵙는군요."

고개를 들어보니 오늘 낮 루비 목걸이를 사간 사내였다. 염채은이 짤막하게 대답했다.

"네, 그렇군요."

"저는 신광열입니다. 일본 이름은 하야시고요. 잠시 합석을 해도 되겠습니까?"

"아니에요. 저는 지금 나가려던 참이었거든요. 즐거운 시간 되세요."

염채은은 핸드백을 들고 일어섰다. 신광열이 뻘쯤하게 서서 그녀의 뒷모습을 바라보았다.


　문순철은 청주 교도소 서무과에 수사협조 공문을 제시하고 백동호의 특별면회를 신청했다. 수사관으로서 어린아이를 볼모로 삼아 협박까지 해야 하는 일이 내키지 않았지만 이제 와서 발을 뺄 수도 없는 일이었다. 정보에 의하면 백동호는 그 편지를 받아보고서 발광을 하더니 지금은 조용하다고 했다.

　보안과 상담실을 들어서는 백동호는 그 동안 얼마나 마음 고생이 심했던지 눈자위가 퀭하니 꺼졌고, 각진 턱이 야위어 홀쭉했다. 그가 조용한 동작으로 소파에 앉았다. 문순철은 편지의 내용을 전혀 모르는 척 시치미를 떼고 얘기를 시작했다.

　"백동호 씨, 오랜만입니다. 그 동안 잘 지냈습니까?"

　"……."

　"별로 내키지 않는 면회지만 장 회장이 좋은 일이 있을 것이니 가보라고 합디다. 무슨 일이 있었나, 얼굴이 많이 상했군요."

　"여보시오, 형사님. 피차 긴 얘기가 무슨 소용이 있습니까? 결론을 얘기하지요. 먼저 장대풍 회장에게, 나는 이 사건을 알고 있었지만 관련은 전혀 없다고 전해주시오. 염채은이 직접 나서서 사건의 전말을 밝히지 않는 이상 오해가 풀리지 않겠지요. 이번 달이 다 가기 전에 장 회장은 염채은을 만날 수 있을 것입니다."

　"…… 확실합니까?"

　"네. 아니면 물건이라도 되찾게 해드리겠습니다. 물론 현금의 일부는 이미 사용했을 테니 모두 되찾을 수는 없겠지요. 피차 미친개에게 물린 셈 치고 조금씩 양보합시다."

　"장 회장은 물건 전부와 함께 염채은을 원하고 있습니다. 이것은 절대로 변경되지 않을 조건이라고 하더군요."

"그 문제에 대해서 내가 할말은 끝났습니다. 받아들이고 안 받아들이고는 장대풍의 마음에 달려 있는 것이지요. 한 가지 분명하게 밝혀둘 것은, 내가 이 사건의 원만한 마무리를 위해서 최선을 다하더라도 일이 잘못될 수 있다는 것입니다. 어떤 경우든 내 딸의 신변에 무슨 일이 생기면 당신들을 절대로 용서하지 않겠습니다. 내가 비록 교도소에 갇혀는 있지만 과소평가하지 마십시오. 마음만 먹으면 무서운 일을 저지를 자신 있습니다. 그때는 땅을 치며 후회해도 소용 없을 거라는 말을 전해주시오. 저는 이만……."

백동호는 더 이상 할말이 없다는 듯 자리에서 일어났다.

문순철의 가슴에 서늘한 냉기가 훑고 지나갔다. 경찰 생활 15년에 범죄인에게서 이런 감정을 느껴보기는 처음이었다.

징벌사동으로 돌아온 백동호는 최후의 결심을 한 사람만이 지닐 수 있는 강렬한 눈빛으로 굳은 듯 앉아 있었다. 하루 종일 밥도 먹지 않은 채 돌부처 같던 백동호가 입을 연 것은 취침 나팔을 불 무렵이었다.

"형님, 저 오늘 밤 꾀병으로 의무과에 입병을 했다가 이삼일 후에 돌아오겠습니다. 가서 책을 한 권 준비해올 테니 형님이 출소하신 뒤 염채은을 찾아서 전해 주시겠습니까?"

"그거야 어렵지 않은 일이지. 한데 괜히 내가 불안해진다. 너 이 일을 어떻게 처리하려고 그러냐? 극단적으로 무슨 일을 꾸미는 것 아니지?"

"네, 염려 마세요."

"임마, 니 표정이 너무 살벌해서 그래. 아까 보안과에서 수사접견하고 왔냐?"

"예. 형님, 자세한 것은 따로 적어드리겠지만 염채은은 지금 김선희라는 이름으로 살고 있을 것입니다. 상당한 재산 중 부동산은 모두 그 이름과 주민등록 번호로 등록되어 있을 테니까 찾는 것은 어렵지 않습니다. 문제는 그녀가 제 편지의 지시대로 따라줄 것인가 아닌가입니다……."

백동호는 밤 늦게까지 강인찬과 얘기를 나누었으며, 예정대로 심한 복통을 일으켜 의무과로 실려갔다.


문순철이 부산역에 내릴 즈음엔 제주도에서 북상을 시작한 먹장구름이 상륙, 겨울을 재촉하는 비가 내리고 있었다. 택시를 타고 J수산을 향하는 창가에 스산한 빗방울이 흩뿌렸다.

백동호란 놈, 눈치를 보니 무슨 일인가 저지를 준비가 되어 있는 것 같다. 그리고 장대풍이 역시 누구 못지않은 고집의 소유자이다. 이 사건은 결국 어느 한쪽이 만신창이가 되어버리는 비극으로 끝나지 않을까. 어쩌면 나도 거기에 덤으로 얹혀서 패가망신을 할지도 모르지. 왜 이렇게 좋지 않은 예감이 드는 것일까.

J수산에 도착한 문순철은 나름대로 진지하게 백동호의 제안을 설명했다. 예상했던 대로 장대풍은 한 치의 양보도 없었다.

"어림없는 소리 하지 말라고 해라. 남의 것을 훔쳐간 놈이 사과를 하고 물건을 돌려줄 것이면 다 줘야지, 현금의 일부를 떼고 준다고? 그러고 나는 염채은이 그 가시나 잡아서 밑구멍에다가 말뚝을 박지 않으면 분이 풀리지 않는다. 지금 내 속이 똥구멍 썩은 병아리 주둥이 같다는 것을 몰라서 그러나?"

"장 회장 심사야 내가 알지. 하지만 세상을 성질대로 살 수는 없잖아. 아닌 말로 황소를 맨손으로 때려잡는 천하장사가 소가지 맵

짠 강아지에게 쫓길 수도 있는 것 아니겠어? 백동호 그놈도 막다른 궁지에 몰리면 무슨 일을 저지를지 몰라. 그래도 물건을 되찾는 게 어디야? 돈은 또 벌면 되잖아."

"아니다. 백동호 그놈은 물건과 함께 염채은이를 넘겨주게 되어 있다. 모르긴 몰라도 지 목숨은 내놔도 딸내미 다치는 것은 원하지 않을 거다."

"허허, 개도 도망갈 길은 터두고 쫓으라고 했어. 장 회장이 이렇게 고집을 피운다면 나는 그만 손을 떼겠다. 그 동안 고생한 수고비나 좀 다오."

"뭐라꼬? 문 반장, 네 병 낫든 말든 내 약값이나 달라 이거네? 물건 되찾고 염채은을 잡으면 약속한 것을 줄 테니까 조급하게 가로세로 설치지 말고, 가만히 앉아서 굿이나 보고 떡이나 먹으라고."

"……"

문순철은 더 이상 설득할 수 없다는 것을 깨닫고 있었다. 장대풍의 말대로 굿이나 보고 떡이나 먹는 수밖에 도리가 없는 일이었다.


주영우는 일주일이나 지났는데도 얼굴에 붕대를 감은 모습으로 유치장 면회실에 들어섰다. 보석 전문점 여주인이 와 있었다. 세 번째 면회였다.

"왜 자꾸 찾아오는 거요? 보아하니 내가 출소한 후 보복할까 두려워할 사람도 아닌데."

"주영우 씨 말대로 내가 무엇이 두렵고 아쉬운 것이 있어서 온 건 아니에요. 아닌 말로 강산이 몇 번 바뀔지도 모르는 세월을 교도소에서 보내야 하는 영우씨가 밖에서 못다 한 안타까운 일이 왜 없겠어요. 나도 그런 사정을 잘 아는 사람이기 때문에 하는 말입니

174

다. 보아하니 면회 오는 사람도 없던데 내게 부탁해요."

"당신 뭐하는 여자요? 정체가 궁금합니다."

"후후, 그것은 알 것 없잖아요."

"정말로 부탁을 들어줄 것입니까?"

"예. 내 손으로 징역을 살게 하는데 웬만한 것은 들어줘야지요."

"……."

"어려워 말고 말해요."

"목포 영아원에 여섯 살 된 딸이 하나 있습니다. 이름은 주은혜, 소아마비라서 지팡이에 의지해 걷는 아이입니다. 어린이날에 찾아가 주는 사람이 있으면 좋겠습니다."

"네에! 알겠어요. 약속드리지요."

염채은은 수첩에다 아이의 이름과 영아원을 써넣었다.

'성산포'에 돌아왔으나 이상하게도 주영우의 처연한 표정과 소아마비라는 어린 딸이 자꾸만 마음에 걸렸다. 차라리 부탁 내용이 돈이나 다른 것이었으면 이렇게 심란하지는 않았을 것이다. 자신의 품에서 파닥거리며 죽어간 어린 영혼 고은별이 떠올랐으며, 백동호의 딸도 그 나이라는 생각이 났다. 강도 상해범 아버지는 기약 없는 교도소행, 그 어린 딸은 다리를 절며 고아원에 있다……. 내일이라도 목포에 가봐야겠군.

이런저런 생각을 하며 가게를 서성이는데 손님이 들어왔다. 루비 보석을 샀고 나이트 클럽에서 또 만났던 남자 신광열이었다. 그는 장미를 한아름 들고 있었다.


계획대로 일이 진행될 것인가. 백동호는 기다리는 수밖에 도리가 없었다. 노는 입에 염불이요 군불에 밥짓기라고, 기다림의 지루하고 초조한 나날을 강인찬의 과거 얘기를 듣는 것으로 메워갔다.

강인찬이 부산에서 화물선을 훔쳐 타고 미국으로 밀항, 신비의 동양인으로 불리우며 국제적 킬러로 살아가던 10여 년은 정말 한 편의 소설 같았다. 그후 강인찬은 여러 경로를 통해 일본에서 자리를 잡았고, 지금도 생활 근거지는 일본에 있다고 했다. 세 개의 국적을 지니고 풍운아로 살아온 그의 인생에 백동호는 잠을 이루지 못할 정도였다. 그리고 마침내 헤어지는 날이 다가오고 있었다.

"형님, 만약 제가 훗날 소설가가 될 수 있다면 실미도의 역사적 사실을 밝히는 글을 먼저 쓰고요, 그 다음에는 형님이 안개 낀 부산항 제3부두에서 미국행 화물선 포세이돈 호를 향해 헤엄쳐가는 것을 시작으로 하는 킬러 얘기를 쓸 것입니다."

"후후, 벌써 구상이 다 된 거냐?"

"하지만 소설은 아무나 쓰는 것이 아니지요."

"너는 할 수 있을 거다. 딸 문제만 해결되면 공부 열심히 해라."

"형님은 출소하면 뭘 하실 건데요?"

"글쎄. 네 심부름을 하고 나면 다시 외국으로 나가려 하는데 모르겠다."

"서운한데요. 한국에 사셔야 제가 자주 뵙지요."

"생자필멸, 회자정리 아니냐. 정만 변치 않으면 가끔이라도 만날 수 있겠지. 아무튼 염채은이란 여자를 찾아서 책을 전해주기만 하면 되냐?"

"네, 형님. 혼자 찾으려고 애쓰지 마시고요, 남대문의 B에게 부탁하세요. 또 한 가지, 이번 일에 형님이 하실 역할은 단순히 연락입니다. 깊이 개입하지 않겠다고 약속해주세요."

"알았다. 약속하마. 나는 편지만 전해주겠다. 어쨌거나 일의 결과가 좋아야 할 텐데 걱정이다."

"결과는 하늘에 맡겨야지요. 그런데 형님 없으면 저 어떻게 남은 징역을 살지요? 외로울 것 같아요."

"나도 누구랑 헤어지며 이렇게 가슴이 아려보기는 오랜만인 것 같다."

백동호는 이별 노래를 한 곡 불렀다. 슬픈 심정이야 절절히 담겨 있었지만 목소리는 막걸리 마신 돼지 같았다.

"서편의 달이 호수가에 질 때에 저 건너 산에…… 친구 내 친구, 어이 이별할까나. 친구 내 친구, 잊지 마시오."

"자식, 너 우는구나? 한국에 있는 동안 연락 자주 할게. 그리고 네 소원대로 소설가가 되거나 아동학대 방지를 위한 재단을 설립하면 제일 먼저 달려와서 축하해주마."

"형님, 건강하셔야 돼요."

이별의 밤, 쇠창살 사이로 달이 지고 있었다. 달빛은 교도소 지붕에 부딪혀 얼음처럼 산산이 부서지며 튀어올랐고, 땅으로 떨어지며 해독할 수 없는 암호를 타전했다.


염채은은 목포 영아원에서 돌아오자마자 잠자리에 들었다. 모처럼 배를 탔더니 피곤했던 것이다. 하지만 잠이 오지 않았다. 어린 꽃사슴의 슬픈 눈망울 같던 소아마비 소녀 주은혜가 자꾸만 눈에 밟혔다. 제주도로 데려오고 싶었다. 한때의 기분으로 결정할 일이 아니라서 그냥 오고 보니 마음이 영 편치 않았다.

염채은은 수면제 삼아 와인이나 한잔 하려고 일어섰다. 그때 거실을 울리는 초인종 소리. 가슴이 뜨끔했다. 이 시간에 찾아올 사람이 없었던 것이다. 잔뜩 경계를 하며 커튼 틈으로 내다보았다. 잿빛

바바리 코트의 중년 사내가 대문 앞에 서 있었다. 염채은은 인터폰을 들고 긴장된 목소리로 말했다.

"누구세요?"

"예, 저는 강인찬이란 사람입니다."

"어떻게 오셨는데요?"

"백동호 씨 심부름으로 왔습니다."

쿵, 반가움과 불길함이 뒤섞인 가슴이 내려앉는 소리가 났다. 염채은은 한걸음에 달려나가 강인찬을 맞이했다.

"정말 동호 아저씨가 보내서 오셨나요?"

강인찬은 염채은의 위아래를 훑어보았다. 예상 외로 너무나 반가워했기 때문이었다. 아무리 그래도 그렇지, 신발도 신지 않은 채 맨발로 뛰어나오다니.

"어서 들어오세요."

강인찬은 염채은의 안내에 따라 거실로 들어섰다. 고급스럽고 품위있는 분위기였다. 벽에는 제법 책들이 그득했고, 백동호와 찍은 사진 액자가 걸려 있었다. 염채은이 마주 앉으며 아직도 떨려나오는 목소리로 말했다.

"여기는 어떻게 찾으셨어요?"

"동호는 염채은 씨가 이곳에 살고 있을 거라고 짐작을 하던데요?"

"그런데 아저씨에게 무슨 일이 있나요?"

"우선 차 한잔 주시죠."

"아참, 내 정신 좀 봐."

염채은은 주방에서 녹차 두 잔을 타왔다. 차를 마시고 담배 한 대를 다 태우도록 강인찬은 말이 없었다. 아무래도 심상치 않았다.

염채은이 채근했다.

"동호 아저씨에게 무슨 일이 생긴 거죠?"

"이 책을 주면 안다고 하던데요. 먼저 동호의 편지를 읽어보십시오. 그 다음 보충 설명이 필요하면 내가 해드리겠습니다."

염채은은 황망히 책의 겉장을 뜯어보았다. 다섯 장의 편지. 백동호 특유의 빼곡한 글씨는 처음부터 심상치 않았다.

채은아!

오늘도 또 하루를 보냈다. 막연한 짐작이지만 너는 아마도 제주도 성산포 근처에 자리를 잡지 않았을까 하는 생각이 든다.

너와 나는 전생에 어떤 관계였을까. 3년 전 비 내리는 남산에서 우리가 헤어졌을 때 다시는 못 볼 줄 알았는데, 나는 필요에 의해서 너를 찾아냈다. 그리고 또 일방적으로 이별을 선언하면서, 이번에야말로 영원한 이별이라고 스스로에게 맹세를 했다. 한데 나는 또 너에게 이렇게 구차한 편지를 쓰고 있구나. 어쩌면 이 편지는 네 인생에 파멸을 가져올지도 모른다. 강요하지는 않을 테니 잘 읽어보고, 네가 과연 어떻게 해야 할 것인가를 스스로 결정해라.

장대풍이 내 딸을 담보로 협박, 너와 물건들을 요구하고 있다. 이 상황에서 네가 취할 수 있는 행동은 네 가지가 있을 것이다.

첫째, 이 편지를 받는 순간부터 일주일의 시간을 주마. 죽이 되든 밥이 되든 뒷감당은 내가 하겠다. 모든 재산을 정리해서 잠적해라. 이 방법을 네가 선택한다면 김선희도 염채은도 아닌 새로운 신분으로 살아가야 한다. 외국으로 이민을 가면 더욱 좋겠지.

둘째, 물건을 돌려주고 장대풍의 발 아래 엎드려 용서를 구걸하는 것이다. 내 생각으로는 쉽게 용서가 되지 않을 것 같다.

셋째, 이판사판 경찰에 자수하는 것이다. 그럴 경우 나를 비롯해서 있었던 모든 일을 그대로 밝혀도 좋다. 그것도 아니면 어차피 이판사판, 경찰에 신고를 하는 것도 한 방법이겠지. 신고를 한다면 나를 비롯하여 있었던 모든 것을 그대로 밝히렴.

넷째, 장대풍과 정면 대결이다. 남의 목숨을 초개처럼 아는 놈 치고 제 목숨은 천금처럼 벌벌 떨고 얼지 않는 놈이 없는 것. 장대풍 역시 그런 부류의 인간이다. 네가 죽기를 각오하고 부딪혀간다면 승산은 있다.

섣불리 결정하지 말고 하루 동안 잘 생각해보아라. 다른 결정은 내 도움이 필요 없을 것이다. 넷째 방법을 선택하겠다는 각오가 서면 지금부터 하는 말을 잘 듣고 참조를 하렴.

먼저 장대풍에게 전화를 걸어라. 물론 공중전화를 사용해야 한다. 나중에라도 전화국에 통화 기록을 조회할 가능성이 있으니까, 비행기를 타고 제주도가 아닌 곳에서 걸고 돌아오는 것이 좋을 거다. 전화할 때는 당당하게 말해라…….

편지를 다 읽은 염채은의 얼굴은 무섭게 굳어 있었다. 온갖 흉한 꼴 다 보며 살아온 강인찬조차 섬뜩할 정도였다. 아름다운 여인에게 감도는 싸늘한 냉기는 차라리 감동이었다.

"아저씨, 저 담배 한대 피울게요."

"예, 피우세요."

염채은의 손끝이 파르르 떨리고 있었다.

강인찬은 백동호에게 있었던 그 동안의 일을 설명해주었다. 살해 위협에 시달리는 장면에서 그녀는 눈물을 글썽였고, 물파스 총을 난사(?)하는 결투에서는 박수를 쳤다.

얘기가 다 끝나자 실내에는 정적이 감돌았다. 잠시 후 염채은이 담배 연기를 길게 내뿜으며 말했다.

"아저씨, 죄송하지만 삼일 후 한번 더 수고해주실 수 있어요?"

"내가 도움 되는 일이 있다면 뭐든지 말씀하세요. 동호는 내게 친동생과 같으니까요."

"네, 편지에도 그렇게 씌어 있더군요. 하지만 문을 연 사람이 문을 닫아야 하듯 이 일은 저와 동호 아저씨가 마무리를 해야만 된다고 하셨어요. 만약 일이 잘못되면 전화나 한통 걸어주세요."

"…… 알겠습니다."

"앞으로 사흘 후, 그러니까 목요일 저녁 여섯 시에 부산역 바로 앞에 있는 아리랑 관광호텔 커피숍으로 나와주셨으면 해요. 전화 내용은 그때 말씀드릴게요."

강인찬은 늦었으니 자고 가라는 염채은의 권유를 마다하고 호텔을 찾아 제주 시내로 나갔다.


백동호가 약속한 월말을 하루 남겨놓은 밤, 장대풍은 J수산 건물 삼층 거실에서 TV를 보고 있다가 전화를 받았다.

"여보세요."

"안녕하세요. 저 염채은입니다."

꿈에도 잊지 못하는 요망스러운 계집, 장대풍은 이를 뿌드득 갈며 말했다.

"이 가시나, 지금 어디 있노?"

"한번 만나고 싶은데 그리로 찾아갈까요?"

"그래, 퍼뜩 온나."

"지금은 안되고 내일 밤 여덟 시에 그리로 가지요."

"니, 정말 올 끼제?"

"염려하지 말고 기다려요."

전화가 딸깍 끊겼다. 장대풍은 도무지 실감이 나지 않았다. 아무리 간덩이가 쇳덩이라도 그렇지, 감히 여기가 어디라고 제 발로 찾아오는가. 설마, 안 오겠지. 뭔가 믿는 구석이 있나? 아무튼 이 가시내 잡기만 해봐라. 가랑이에 전봇대를 쑤셔박을 끼다……. 이런저런 생각에 잠겨들던 장대풍이 수화기를 들었다.

"내 장 회장이다. 박 사장 바꿔라…… 그래, 대길이가? 내일 저녁 다섯 시까지 제일 야무진 아이들 스무 명을 추려서 내 집으로 와라. 다들 무장을 하고 와야 한다."

"알겠습니다, 회장님. 그런데 무슨 일이십니까?"

"염채은이란 가시내가 온다더라."

"네에?"

"니도 안 믿기제? 무슨 꿍꿍이가 있는 줄 모르니까 준비들 단단히 하고 오너라."

"제 발로 찾아온다는 것입니까?"

"그래. 서울에 그 가시나 잡으러 갔다가 눈 찔려서 병신 된 아이, 지금도 네 밑에 있나?"

"지석훈과 양명호 말씀이군요. 그럼요, 있습니다."

"분풀이할 기회를 줄 테니 그 아이들도 오라 해라."

"알겠습니다."

박대길에게 소식을 들은 지석훈과 양명호는 그 순간부터 살이 떨려서 밥이 넘어가지 않았고 잠을 잘 수도 없었다.


아리랑 관광호텔 커피숍에 들어서는 염채은의 모습은 밝아 보였다. 사지를 향해 가고 있다는 비장감은 전혀 없어 보였다. 오히려 강인찬이 긴장되어서 말을 제대로 못하고 가시 방석에 앉은 것처럼 안절부절 못했다.

"아저씨, 안녕하세요?"

"…… 예."

"혹시 동호 아저씨에게 가보셨나요?"

"…… 어제 면회를 갔지요. 오늘 여기서 염채은 씨를 만나기로 했다고 일러주었습니다."

"감사합니다. 조금 전 등기속달로 동호 아저씨에게 편지가 담긴 책을 보냈어요. 만약 제가 내일 밤 여덟 시에 이곳으로 전화를 하지 않으면 대검찰청 특수부로 전화해주세요. 백억 대의 필로폰, 수십억의 현금과 금품이 숨겨진 장소, 그리고 이번 사건의 진상은 모두 청주 교도소의 백동호가 알고 있다고요. 더불어 제가 장대풍에게 납치되어서 죽었을지도 모른다는 말도 해주세요."

"염채은 씨, 꼭 이래야 됩니까? 차라리 나하고 함께 갑시다."

"아저씨, 그래서 달라지지 않아요. 염려 마시고 기다려보세요."

"……."

염채은은 깊숙이 고개 숙여 인사를 했다. 그리고 표표히 커피숍을 나갔다.


약속한 시간, J수산 앞에는 불이 환하게 밝혀져 있었다. 황금이 말을 하면 세상의 모든 것이 침묵하는 법. 막대한 자금력을 지닌 염채은이 혹시 병사(?)들을 이끌고 협상을 하러 올지도 모르기에 봉고차 속의 폭력배들은 잔뜩 긴장하고 있었다.

마침내 염채은이 모습을 드러냈다. 그러나 그녀는 간편한 청바지의 여대생 차림으로 혼자였다. 박대길은 설마설마 하다가 그녀가 정말로 나타나자 당황한 몸짓으로 다가갔다.

"혹시 염채은 씨 아닙니까?"

"맞아요."

"회장님께서 기다리고 계십니다."

"후후, 영접까지 나올 필요는 없는데요."

거실에 들어서니 넓은 소파에는 장대풍 혼자 앉아 있었다. 염채은은 아무 말 없이 성큼성큼 다가가서 소파에 앉았다. 피차 인사도 없이 눈싸움을 하듯 바라보았다. 거실에는 숨막히는 긴장이 흘렀다. 장대풍이 쓴웃음과 함께 조용히 말했다.

"내가 무섭기는 했던 모양이지, 성형수술을 한 거 보니까. 하지만 첫눈에 알아볼 만한데?"

"무서웠죠. 지금도 무서워 죽겠는데요."

"그런데 별로 무서워하는 얼굴이 아니군. 무슨 배짱으로 날 찾아왔나?"

"사과를 받으려고요."

"허허, 사과?"

"네. 우선 백동호 씨를 직접 찾아가서, 아무 관련 없는 사람을 괴롭혔다며 사과를 하세요. 그리고 더 이상 나를 쫓지 않겠다면 용서해 드리겠습니다."

도둑이 매를 들어도 유분수고 방귀 뀐 놈이 성질을 내도 정도가 있지, 이건 정말 어불성설이었다.

"지금 그걸 말이라고 하나?"

"이번 일은 모두 나 혼자 계획하고 실행에 옮겼어요. 백동호 씨는 지금 남은 인생을 가난하되 성실하게 살아가려고 뒤늦은 공부

184

를 시작했지요. 장 회장님의 물건은 손톱만큼도 탐내지 않을 사람
이에요. 솔직히 말하면 백동호 씨는 옛 애인인 나의 범죄를 알고는
있었지요."

"내가 그 새빨간 거짓말을 믿을 거라 생각했나? 이렇게 말도 안
되는 조건으로 흥정을 시도하는 자네의 히든카드가 무엇일까?"

염채은은 핸드백에서 녹음 테이프와 한 통의 편지를 꺼냈다.

"이 녹음기에는 사건 당일 밤, 장 회장님과 문순철 반장의 대화
내용이 녹음되어 있습니다. 아마 제가 지금 앉아 있는 소파 밑에
아직도 도청기가 붙어 있을 겁니다. 그리고 이 편지에는 대검찰청
특수부에 보내는 제보 내용이 담겨 있고요. 필로폰이 담겨 있는 비
닐 봉지 수십 개에 모두 장 회장님의 지문이 묻어 있더군요."

"맹랑한 아가씨야, 넘겨짚기 능사로 하면 팔 부러진다. 지금 이
따위 협박이 내한테 통할 것으로 생각하나?"

"호호, 만약에 정말로 대검찰청 특수부에 이것이 가게 되면 당신
의 인생이 끝장나는 것은 물론 주변의 모든 사람이 다치고, 금정산
의 홀어머니는 충격을 받아 심장마비로 돌아가실 겁니다. 시험 삼
아서 한번 보내볼까요?"

"그럼 아직은 안 보냈단 말이지?"

"내가 이십사 시간내로 걸어서 이곳을 나가지 못하면 미리 약속
된 누군가가 보내겠지요."

"아직도 이십사 시간의 여유가 있구나."

"너무 촉박하게 시간을 잡으면 불공평한 게임이 되니까요. 이십
사 시간을 최대한 이용해서 대검찰청으로 제보할 사람이 누구인지,
그리고 물건이 숨겨진 장소가 어디인지 캐내보시지요. 나는 준비
되어 있습니다. 단, 내가 버터내면 장 회장님은 아무것도 돌려받지

못하는 것은 물론 다시는 나와 동호 아저씨를 괴롭히지 않겠다는 약속을 하세요.”

“후후, 내가 그런 약속을 안해도 이번 기회를 놓치면 더 이상 어찌할 방법이 없을 것 같군. 왜 우편으로 이것을 보내서 협박하지 않고 직접 찾아온 거지?”

“얘기했잖아요. 불공평한 게임은 싫다고. 내가 찾아오는 것이 더 확실하게 단념시킬 수도 있고요.”

장대풍이 손가락을 튀겨 딱 소리를 냈다. 그러자 목욕탕, 방 등에 숨어 있던 폭력배 십여 명이 우르르 나타났다. 장대풍이 몸을 일으키면서 말했다.

“계집을 묶어서 우리 회사 창고로 갖다 놔라.”

염채은은 순순히 손과 발을 묶였다. 커다란 가방에 넣어진 그녀는 봉고차에 실렸다. 자동차는 어디론가 한참을 달렸다.

넓찍한 창고에는 이미 연락을 받고 도착한 사람들이 더 있었다. 염채은에 의해서 한쪽 눈을 실명한 지석훈과 양명호였다. 지석훈의 외눈은 이글이글 불타고 있었다. 염채은은 벽에 붙어서 양팔을 벌린 채 꽁꽁 묶였다.

장대풍은 혼자 거실에 남아 녹음기의 내용과 편지를 확인했다. 보통 심각한 문제가 아니었다. 염채은의 협박은 단순한 협박이 아니라 정말로 자신의 인생을 끝장낼 것이 분명했던 것이다. 도청을 하다니…….

장대풍은 소파를 뒤집어보았다. 담뱃갑만한 도청기는 염채은의 말대로 아직도 붙어 있었다. 백동호 이놈! 치가 떨렸지만 현실을 인정하지 않을 수가 없었다. 그는 염채은이 있는 창고를 향해 자동차를 몰면서도 가슴이 찢기는 것 같은 분노 때문에 거의 제정신이

186

아니었다.

창고에서는 모든 준비를 갖춘 채 명령을 기다리고 있었다. 장대풍은 옆 사무실로 박대길을 불렀다.

"죽이면 절대로 안된다. 하지만 저 계집의 말대로 이십사 시간의 여유가 있다. 자백을 받아내지 못하면 어찌 되는지 알겠나?"

"그럼 내일 저녁에는 저 여자를 놓아주어야 합니까?"

"그것은 그때 가서 결정하자. 하지만 저년이 불구가 되거나 죽으면 어떻게 되는지 말 안해도 알겠지?"

"그렇게 믿는 구석이 있으니 당돌하게 찾아왔나 봅니다. 일단 최선을 다하겠습니다."

박대길이 공손하게 인사를 하고 나갔다. 썰렁한 사무실에 홀로 남은 장대풍은 착잡한 얼굴로 담배를 피워물었다.

창고로 돌아간 박대길은 염채은을 놔두고 모두를 불러내서 고문의 행동 지침을 내렸다.

"…… 그러니 석훈이와 명호까지 다섯 명만 남고 모두 돌아가라. 자백하면 사무실로 보고하러 와."

큰 대자로 묶여 있는 염채은은 차라리 눈을 감아버렸다. 내 평생의 가장 긴 하루가 되겠지. 세상에는 단돈 몇십만 원에 목숨을 거는 범죄인이 얼마나 많은가. 나 또한 이 돈이 아니면 선배 언니들(여자 소매치기)처럼 청송 보호감호소에서 청춘을 썩일지 모른다. 이겨내자. 나는 해낼 수 있다. 하룻밤의 고통이 평생을 보장한다. 동호 아저씨, 내게 힘을 주세요.

회의를 끝마쳤는지 다가오는 발자국 소리가 들렸다. 눈을 뜬 염채은은 무표정이었고, 둘러선 사내는 모두 다섯이었다. 그들은 해들해들 웃음을 짓고 있었다.

면도칼을 꺼내든 양명호가 먼저 그녀의 옷을 좌악 찢어내렸다. 겉옷만이 아니라 브래지어와 팬티까지 조금도 망설임없이 찢어버렸다. 그녀의 백옥같이 하얀 살결, 잘록한 허리와 알맞은 젖가슴, 그리고 까만 터럭이 무성한 사타구니가 드러났다.

아직 아무도 말이 없었다. 염채은은 다시 눈을 감아버렸다. 양명호가 악마처럼 잔인한 웃음을 짓더니 뺨을 세차게 후려쳤다. 입술이 터지며 피가 주르륵 흘렀다. 이어서 곁에 있던 지석훈의 몽둥이가 허벅지를 후려쳤다. 염채은은 비명소리를 내지 않기 위해서 이를 악물었다. 계속되는 매질에 허벅지 살이 꺼멓게 멍이 들어도 그녀는 비명소리를 내지 않았다.

"이년 참말로 독하네. 하지만 이제부터 시작이다. 말해라. 물건은 어데 있노?"

염채은은 대답 대신 지석훈의 얼굴에 침을 퉤 뱉었다. 그것은 침이 아니라 피였다. 지석훈이 쓴웃음을 지으며 얼굴을 닦아냈다. 외눈이 증오로 번들번들 빛나고 있었다.

"후후, 염채은. 네가 믿는 구석이 있어서 이러는 모양인데 내는 너를 죽이고 큰형님에게 처벌받을 각오가 되어 있다."

"그때 내가 그렇게 네 눈을 찌르고 도망치지 않았으면 이런 날이 더 빨리 왔겠지. 네 마음대로 해봐."

"그래?"

지석훈은 미리 준비한 고춧가루를 주전자 물에 듬뿍 풀어넣었다. 그리고 염채은의 고개가 뒤로 꺾였다. 고춧가루 물이 콧속에 들어가는 고통이 얼마나 심한 것인가는 당해본 사람이 아니면 절대로 알지 못하리라. 콧속의 예민한 신경을 송곳으로 마구 후벼파는 듯한 통증. 아픔은 온몸으로 퍼져나가 사지를 갈가리 찢어버리는 것 같았다. 염채은은 기어코 처절한 비명을 지르고 말았다.

"아아악—."

지석훈이 주전자를 내려놓더니 염채은의 사타구니를 한 손으로 슬슬 쓰다듬었다. 반항을 해서 무엇하랴. 그녀는 차라리 고문이 잠시 중단된 것을 다행으로 여겼다. 하지만 염채은은 훗날 두고두고 그 징그러운 손길이 떠올라 몸서리를 쳤다. 지석훈은 한껏 빈정거림을 담아 말했다.

"오호, 고춧가루하고는 영 상극인가보지? 이제야 신호가 좀 가네. 이제 겨우 한 시간 지났다. 앞으로 남은 스물세 시간이 천년보다 더 길게 느껴질 걸? 우리 쉽게 이쯤에서 끝내자. 물건 어데 있노?"

염채은은 다시 한번 덩어리 피를 지석훈의 얼굴에 뱉었다.

강인찬은 밤 깊은 용두산 공원을 홀로 걷고 있었다. 범죄 집단, 그것도 마약 조직의 잔혹함을 누구보다도 잘 아는 처지였기에 그는 지금 더 안절부절 못했다. 연신 시계를 들여다봐도 날이 새려면 아직도 몇 시간을 더 기다려야 했다. 더구나 날이 새고도 밤이 되기를 또 기다려야 하다니. 그는 애꿎은 담배를 뻑뻑 빨아댔다.

"이년 안되겠군."

염채은은 탁구대처럼 긴 평상으로 옮겨졌다. 사내들이 빙 둘러서서 가위 바위 보로 순서를 정하는 동안, 영순위의 지석훈과 양명호가 강간을 시작했다. 예정된 코스였다. 염채은은 그저 죽은 듯 몸을 내맡겼다. 상대가 바뀔 때마다 그녀의 사타구니에는 비릿한 정액이 흘러넘쳤다. 나중에는 피가 배어 섞여 나왔다.

'인간이 인간답게 살고자 하는 욕망'은 도대체 무엇인가. 플라톤은 패기와 기개, 마키아벨리는 영광을 추구하는 욕구, 루소는 자존심, 헤겔은 지성, 제임스는 야심이라고 했다. 그리고 니체는 '붉은 뺨을 가진 야수(수치심을 지니고 있는 존재)'라고 인간의 인간다움을 찬양했다. 여인의 가장 은밀한 부위가 다섯 명의 사내에게 적나라하게 노출되고, 돌아가며 강간을 당하다 못해 손전등이 들락거리며 웃음소리가 귀청을 때리고 있었다. 동호 아저씨, 나 지금 잘 참고 있는 거지?

창고 옆 사무실에서 수시로 보고를 받던 장대풍은 신경질적으로 시계를 들여다보았다. 벌써 새벽 세 시가 지나고 있었다. 고문을 당하는 염채은보다 그가 더 초조했다.

"병신 같은 새끼들! 자백하면 집으로 전화해."

장대풍은 소리를 버럭 지르며 사무실을 나와버렸다. 자동차에 올라 밤길을 달리노라니 염채은이란 계집도 지독하지만 청주 교도소에 있는 백동호란 놈의 얼굴이나 한번 보고 싶다는 생각이 들었다. 세상에 독불장군은 없는 것, 거대한 조직을 거느리고 있는 자기가 그까짓 도둑놈 하나에게 이렇게 철저히 당하고 있다는 사실이 못내 분했다.

장대풍은 착잡한 심정으로 J수산 앞에 차를 세웠다. 차 문도 잠그지 않고 내리는데 불쑥 앞을 가로막는 사내가 있었다.

"웬 놈이냐?"

"네가 장대풍이냐?"

"웬 놈이냐고 물었다."

"장대풍이 맞는 모양이구나."

강인찬은 다짜고짜 장대풍의 복부를 세차게 후려쳤다. 욱, 허리를 꺾는 장대풍의 얼굴이 하얗게 질려갔다. 강인찬은 장대풍의 멱살을 잡아 일으켰다. 그리고 목에 대검을 들이대며 계단을 올라갔다. 도저히 그 밤을 그냥 넘길 수 없어서 달려온 강인찬이 정적만이 감도는 J수산 앞을 초조하게 서성이는데 볼보 승용차가 도착했던 것이다.

거실에서 장대풍의 팔을 뒤로 묶은 강인찬은 특유의 탁한 목소리로 나직하게 말했다.

"염채은이 지금 어디 있냐?"

"왜, 알려주면 너 혼자 찾아가려고?"

"후후, 나는 부산 지리를 잘 모른다. 네가 이리 데려오라고 명령을 해야지."

"너는 염채은과 어떤 관계냐?"

"질문과 명령은 내가 내린다. 너는 따르기만 하면 돼."

장대풍은 상대가 잔챙이 주먹이 아니라 여지껏 만나본 적이 없는 거물이라고 느꼈다. 도대체 백동호란 놈은 어떤 존재이기에 이다지도 치밀하게 계산된 움직임을 지시하고 있는 것일까.

"……."

"침묵한다고 될 일이 아니다. 빨리 말해라. 어디 있냐?"

"……."

"경고하겠다. 염채은을 이리로 데려오라는 전화를 당장 하지 않으면 십 초마다 이런 벌을 받을 것이다."

강인찬은 장대풍의 왼손 새끼손가락을 펴 잡더니 뚝 분질러버렸다. 얼마나 완강한 힘인지 손가락은 나무 젓가락처럼 힘없이 부러진 채 덜렁거리고 있었다. 장대풍의 고통에 찬 비명이 거실에 울려퍼졌지만 강인찬은 무표정했다. 무자비한 사내였다.

"으악—."

"일 초, 이 초, 삼 초, 사 초…… 칠 초……."

십 초가 흐르자 어김없이 손가락 하나가 더 부러졌다.

손가락 네 개가 분질러지도록 장대풍은 비명만 지를 뿐 항복하지 않았다. 그렇게 지독한 장대풍을 그윽하게 내려다보던 강인찬의 눈길에 악마와 같은 광채가 서리기 시작했다.

"후후, 이 시간에도 염채은은 고통을 받고 있을 테니 좀더 효과적인 방법을 쓰는 수밖에 없구나. 지금부터는 손가락 분지르는 것을 중단하고 십 초마다 눈알을 하나씩 뽑겠다. 삼십 초가 흐른 뒤에는 너의 성기를 자를 것이다. 왼쪽 눈부터 뽑아주마. 자, 시작한다. 일 초, 이 초, 삼 초…… 육 초…… 팔 초."

"자, 잠깐. 저, 전화하겠다."

강인찬은 여전히 표정의 변화가 없이 수화기를 건네주며 말했다.

"수상한 말을 해서 일을 복잡하게 만들면 사람들이 도착하기 전, 너는 두 눈이 다 뽑힐 거라는 사실을 명심해라."

장대풍은 난생 처음으로 공포에 질려서 전화를 했다.

"장 회장이다. 염채은이를 지금부터 일절 손대지 말고 옷을 입혀서 이리로 데려와라."

"예?"

"이 자식아, 못 들었나? 빨리 데려오란 말이다. 너 혼자 데리고 와라."

잠시 후 현관 벨소리가 울렸고 강인찬이 문을 열어주었다. 삶은 가지처럼 축 늘어진 염채은을 부축해 들어오던 박대길은 낯모르는 사내의 등장에 의심스러운 눈을 번쩍이며 말했다.

"누구십니까?"

"내가 누구인가는 천천히 설명을 해줄 테니 어서 들어와."

"누구인지 먼저 말하시오."

"이렇게 시간 끄는 것을 장대풍이 좋아하지 않을 걸?"

박대길이 고개를 갸웃대면서도 안으로 들어섰다. 강인찬이 염채은을 받아들고는 현관문을 잠그며 말했다.

"어서 장대풍에게 가봐."

들려오는 신음은 분명 장 회장이었다. 박대길이 한걸음에 다가가보니 어처구니없게도 꽁꽁 묶여 있는 것 아닌가.

"회장님!"

박대길은 정신없이 장대풍의 묶인 손발을 끌렀다. 그 동안 강인찬이 염채은을 부축해서 소파에 앉히며 말했다.

"젊은 친구, 다시 묶일 것을 뭐하러 끄르나?"

장대풍이 신음으로 씹어뱉듯 말했다.

"대길아, 저 자슥 죽여라. 뒤책임은 내가 지겠다."

박대길이 분노에 타오르는 얼굴로 일어섰다. 합기도 5단의 그는 맞상대를 해서 한 번도 패한 적이 없는 맹장이었다. 장대풍도 그런 박대길을 믿기에 직접 염채은을 데리고 오라 한 것이다. 하지만 강인찬은 여전히 염채은의 몸 상태를 살펴볼 뿐 다른 것에는 신경쓰지 않고 앉아 있었다.

박대길이 몸을 날려 강인찬의 앞에 우뚝 섰다.

"당신은 어느 식구 사람이오?"

강인찬이 염채은의 어깨를 토닥이며 비로소 고개를 돌렸다.

"후후, 너희들 세계의 족보를 묻는 것이냐? 실개천의 피라미들에게 용궁 소식을 알려주면 알아들을까 모르겠구나."

"늙은 놈 입이 걸구나."

박대길의 오른발이 바람을 가르며 휘잉 들어왔다. 그 순간 강인찬은 앉아 있는 자세 그대로 몸을 거꾸로 솟구쳐 돌며 소파 뒤에 사뿐히 내려섰다.

"제법이구나. 시간이 없으니 세 수를 양보하마. 그리고 한 수만에 이기지 못하면 나의 패배를 인정하겠다. 자, 시작하자."

박대길은 비로소 상대가 자기보다 까마득한 고수일지도 모른다는 생각을 했다. 무심하게 서 있는 자세가 한 치의 빈틈도 보이지 않았다.

"뭐하냐? 시간없다."

"으랏차."

박대길은 공중회전 돌려차기로 강인찬의 관자놀이를 노리며 팔꿈치로 정수리를 내려찍었다.

"두 수! 한 수가 남았구나."

어느새 한 걸음 옆으로 비켜선 강인찬이 조용히 말했다. 박대길은 숨돌릴 새도 없이 이단옆차기로 몸을 날렸다. 강인찬이 허리를 뒤로 사뿐 꺾자 박대길의 몸이 아슬아슬하게 위로 지나쳐서 뒤에 내려섰다.

"쩝, 이제 내가 가르칠 차례구나. 무릎 꿇고 패배를 인정할 마음은 없느냐?"

박대길은 대답 대신 인중을 노리며 주먹을 날렸다. 아니, 날리려고 했다. 한데 번개처럼 달려든 강인찬의 손가락이 옆구리 갈비뼈를 파고들었다. 박대길은 하르르 무너져 내렸다.

강인찬의 얼굴에 서늘한 미소가 어렸다. 그리고 장대풍에게 성큼성큼 걸어가더니 검지와 중지로 두 눈을 세차게 찔렀다.

"으아악!"

장대풍이 비명을 지르며 눈을 질끈 감았다. 그러나 강인찬의 손가락은 장대풍의 눈꺼풀 앞에 멈추어 있었다.

"장대풍, 한 번만 더 내 아우 백동호를 괴롭히거나 염채은의 뒤를 쫓으면 이 손가락이 눈알을 파버릴 것이다. 네가 믿거나 말거나지만, 나는 권총과 기관단총으로 무장한 경호원 열 명에게 둘러싸인 뉴욕 갱단의 보스를 암살한 적도 있다. 차라리 너를 이 자리에서 죽이고 가는 것이 편하지만 백동호가 그런 것을 원하지 않아서 그냥 간다."

"……."

"왜 대답이 없나?"

"예, 예, 알았십니더."

강인찬은 장대풍과 박대길을 묶어놓은 뒤 염채은을 부축해서 일어섰다.

제주도에 돌아온 염채은은 거의 열흘 동안 끙끙 앓았다.


"야아, 눈이다—."

"모두 나와서 눈 구경해라. 첫눈이다."

수학 공부를 하던 백동호는 벌떡 일어나 변소에 들어갔다. 암청색 하늘에서 푸득푸득 눈발이 흩날리고 있었다. 독거수들은 거의 다 변소에 나와 있는지 여기저기에서 하늘을 보며 한마디씩 소리쳤다.

"이야, 눈 내리는 겨울을 열세 번만 보내면 나간다. 이거 정말 미치겠구나. 야—."

"어머니— 눈이 옵니다. 감기 조심하세요."

"하느님— 저는 내년 꽃 피는 춘삼월에 출소합니다. 올 겨울 춥지 않게 해주세요."

백동호는 하염없이 내리는 눈을 우두커니 바라보며 마음속으로 간절하게 기도했다.

'하느님, 부처님, 저는 당신들의 존재를 믿지 않습니다. 하지만 만약 계시다면 제 딸을 지켜주세요. 저는 다시는 범죄하지 않겠습니다. 그리고 남은 인생을 정말로 착하게 살겠습니다.'

백동호는 자신이 우는 줄도 모르고 있었다. 너무도 목이 메어 마른침을 삼키다 보니 뜨거운 눈물 방울이 입가에 흘렀다.

"1592번 백동호, 면회."

복도에서 부르는 소리에 그는 세수를 하듯 두 손을 얼굴에 문지르며 변소를 나왔다. 찬바람 부는 운동장을 지나 면회실에 들어서니 강인찬이 서 있었다.

"동호야, 걱정 많았지? 다 잘되었다."

"네에, 감사합니다, 형님."

"내게 감사할 것은 없다. 염채은이 모진 일을 겪었으니 위로의 말이라도 해라. 내가 전해주마. 같이 면회를 오자니까 싫다더구나."

"고생했다고, 고마워하더라고 전해주십시오. 선물로 제가 읽던 책을 찾아서 갖다 주시고요. 제가 편지에도 썼지만 일이 끝났으니 채은이는 이제 차라리 외국으로 나가 사는 것이 어떨까 싶습니다. 교포들이 많은 미국 아니면 같은 동양권인 일본도 괜찮겠지요. 형님이 알아듣도록 잘 일러주세요."

"그래, 얘기해보마. 공부는 잘되냐? 나도 책 몇 권을 넣었으니 틈틈이 봐라. 그 중에 《세계 상식백과》는 염채은이 선물한 거다."

"예, 열심히 하고 있습니다. 책은 잘 읽을게요."

"건강이 제일이다. 몸 상하지 않도록 해. 나는 연말까지 한국에 머무를 것이니 가끔 오마."

"그러실 필요 없습니다. 자꾸 제 마음만 싱숭생숭해질 겁니다."

"자식! 나가면 오고 싶어도 못 와."

"알고 있습니다. 가시기 전에 채은이나 잘 돌봐주세요. 부탁드립니다."

면회를 마치고 돌아오는 하늘엔 눈발이 그쳐 있었다.


성산포의 그림 같은 집 거실에서 염채은은 강인찬이 건네주는 책을 갈라서 백동호의 편지를 읽었다.


채은아! 이 편지를 네가 받는다면 아마 장대풍의 모진 고문을 이겨낸 뒤겠지. 내 짐작으로는 인찬이 형님이 너와 나의 만류에도 불구하고 너를 구해주었을 가능성이 높다. 어느 쪽이 되었든 장대풍의 간담은 서늘해졌을 것이다.

아직 네가 할일이 끝난 것은 아니다. 물건의 일부를 돌려줄 때는 지금이다. 처음에 돌려주겠다고 나섰으면 다 내놓으라고 미련을 떨었겠지만, 지금은 모든 것을 포기하고 있다가 일부라도 돌아오니 반가워하겠지.

현금 8억, 외국 돈, 금괴 중 20킬로그램은 너의 몫으로 챙기고 나머지는 다 돌려주거라. 그것만으로도 너는 늙어 죽을 때까지 충분히 쓰고 남을 것이다. 돌려주는 것이 억울하면 내 몫을 배당한다고 생각하렴. 돌려주는 방법은…… 그리고 반드시 전화를 한번 걸어 장대풍에게 깊은 사과를 해라.

인찬 형님은 생활에 어려움이 없는 것 같으니 신경쓰지 말되 혹 도와드릴 일이 생기면 나를 생각해서라도 외면하지 말거라.

내 생각으로는 인찬 형님의 도움을 받아서 네가 외국으로 나가 사는 것도 좋을 것 같다. 이제 한국에서는 별볼일 없지 않느냐. 외국에서 네 꿈을 마음껏 펼쳐보든가 좋은 사람 만나서 결혼을 하든가 모두 네 자유지만, 행여 나를 기다릴 생각은 하지 말아라. 내 인생은 이제 너와는 운명을 달리하는…….

염채은은 편지를 다 읽고 나서 하염없이 먼 바다를 바라보았다.

그후, 백동호가 남은 징역을 사는 5년여 동안 장대풍의 사건은 서서히 잊혀져 갔다. 백동호는 말썽 많았던 청주에서 쫓기듯 대전 교도소로 이송을 갔고, 다시 공주 교도소로 옮겼다. 공주에서 그는 평생의 은인이라 할 수 있는 황순헌 변호사(58년생, 사시 25회. 충남 천안의 법원 정문 앞에서 개업중)를 만나 소설을 공부할 수 있는 옥바라지를 받았으며, 1994년 4월 1일 만기 출소했다.

백동호는 출소 후 소설가로 변신, 황순헌 변호사에게 생활비 도움을 받아 전주 모악산에서 글을 쓰던 중 방송을 듣고 찾아온 박명길과 심야의 혈투를 벌였으며, 그날 오후 장대풍의 하수인에게 또 칼을 맞아서 전주 한마음 병원에서 입원 치료를 받고 있는 것이다.

타는 듯이 목이 말랐다. 백동호는 입 안이 쩍쩍 갈라지는 것 같은 느낌으로 눈을 떴다. 동그란 어항 속의 물체처럼 사물들이 일그러져 보이고 있었다. 염채은이 반갑게 손을 잡으며 말했다.

"어머! 아저씨, 정신이 들어?"

"채은이구나. 물 좀 줘라."

염채은은 컵에 물을 따라주며 다정하게 말했다.

198

"그래, 아저씨. 저 채은이예요. 미안해요."

"미안하기는. 다 내가 만든 일이지 뭐."

"그래도 제가 마무리를 잘했으면 이런 일이 없었을 텐데……."

"그 동안 어떻게 지냈니?"

"저야 잘살고 있지요."

"인찬이 형님이 오셨던 것 같은데?"

"서울 가셨어. 내일 다시 온대요."

"서울은 왜?"

"볼일이 있으신가봐요. 아저씨가 깨어나면 나랑 단둘이 얘기 좀 하라고 자리를 피해주는 뜻도 있을 걸요?"

"내가 얼마나 의식을 잃고 있었던 거니?"

"신음소리는 계속 냈는데 정신을 차린 것은 하루 만이에요. 의사 선생님 말이 수술도 잘되었고 상태도 아주 좋대요. 피로가 겹치고 피를 많이 흘려서 깨어나지 못하는 거니까 걱정 말라고 했어요. 깨어나면 간단한 음식을 먹어도 된다던데, 뭐 먹고 싶은 것 없어요?"

"생각없다. 그런데 너 결혼했다며?"

"…… 네. 2년 전에 했다가 지금은 다시 혼자예요."

"그랬구나……."

"제가 제주도에서 성산포라는 보석 전문점을 했다는 것은 아시지요? 그때 손님으로 왔던 재일교포 청년 사업가였어요. 이름은 신광열, 나이는 저보다 다섯 살 많아요. 3년 동안 끈질기게 저를 쫓아 다녔지요. 또 우연히 알게 된 이 형사란 사람이 저의 정체에 대해서 의문을 품고 뒷조사를 하고 다녔던 때라 지긋지긋한 한국을 떠나고 싶었어요. 하지만 결국 십개월 만에 이혼을 하고 말았지요."

"나는 금년말경에 결혼할 거다."

"어머, 애인 있어요? 잘됐다. 소개 좀 시켜줘요."

"이제부터 꼬셔야지. 안나 같은 여자를."

"에이, 그럼 지금은 없다는 얘기잖아요. 그런데 안나는 누구예요?"

"도스토예프스키의 두번째 부인. 내 구원의 여인이거든."

"아저씨, 구원의 여인은 현실에는 없는 거야. 그냥 착하고 매력 있는 여자 만나면 되는 거지."

"나는 안나 아니면 안돼."

"호호, 어떻게 찾지요?"

"내 남은 인생을 걸고 찾아봐야지."

"또 바람둥이 기질이 나오겠군요."

"아니, 예전과 다르다. 지금은 영원한 아내감을 찾아헤매는 거니까. 내 결혼관은 이래. 시장에서 커피잔을 한 개 사더라도 여러 개 중에서 이것저것 요모조모 살펴보고 결정한다. 하물며 인생의 동반자인데 한 사람하고만 연애를 하다가 결혼하는 것은 정말 경솔하고 미련한 짓이다. 미련은 먼저 나고 슬기는 나중 나는 것 아니겠어? 나는 두번째 결혼에 실패하지 않기 위해서 될 수 있는 한 많은 여자와 연애를 해볼 생각이야. 그래서 궁합과 성격이 가장 잘 맞는 여자와 결혼을 하겠다. 물론 결혼 후에는 오직 가정만을 위하는 일등 남편이 될 작정이다."

"호호, 꼭 성공하기를 바라요. 그런데 생활 대책은 있어요?"

"그래서 소설을 쓰고 있잖아."

"글 쓰는 사람은 가난하대요."

"가난하게 시작하는 것도 내 행복 계획의 일부다. 거렁뱅이 맛들이면 평양 감사를 씌워줘도 도망가더라고, 글을 쓰는 것도 그렇더

라. 한 줄을 써도 행복하거든."

"아저씨, 저 돈이 제법 있다는 것 아시죠? 아저씨가 무언가를 다시 시작할 만큼의 도움을 드리면 안될까요?"

염채은의 그 말에 백동호의 얼굴이 돌연 딱딱하게 굳었고, 잠시 동안 말이 없다가 입을 열었다.

"……채은아! 다시는 그런 말 하지 마라. 마흔 살이 되어서도 스스로의 힘으로 한번 정당하게 살아보지 못하면 나는 결국 쓰레기로 남는 거다. 살다 힘들고 먹을 것이 없으면 굶어죽을지라도 내 돈 아닌 것은 십 원 한장 탐내고 싶지 않다."

"……죄송해요."

"일본으로 언제 돌아갈 거니?"

"아저씨 낫는 것 보고요."

"그럴 필요 없다. 내일 날이 밝으면 가거라. 오늘 밤은 그 동안 있었던 얘기나 들려주렴."

그날 밤, 염채은은 백동호와 헤어져 있던 긴 세월을 얘기하며 날을 새웠다.


강인찬은 서울에 간 것이 아니라 염채은의 짐작대로 둘만의 시간을 위해서 자리를 비켜준 것이었다. 행여 장대풍이 또 다시 사람을 보내서 백동호를 해코지할까봐 밤새껏 병원 근처를 맴돌며 지켰다.

창 밖에 희끄무레한 여명이 밝아올 즈음 염채은은 침대에 기대어 잠이 들었고, 그제서야 강인찬이 병실에 들어섰다. 백동호는 강인찬을 발견하자 몸을 일으키려고 움찔했다.

"형님!"

"어! 일어나지 마라, 동호야."

강인찬이 다가와 손을 잡았다. 백동호가 대전 교도소로 이송된 3년 전 면회 때 만나고 처음이었다. 온갖 감회가 두 사람의 가슴속에 강물처럼 흘렀다.

"서울 가셨다고 해서 그런 줄 알았는데."

"그냥 전주 구경을 했다. 장대풍과 통화를 해보았는데, 너를 해치려고 했던 것이 아니라 한번 만나고 싶었을 뿐이래. 앞으로는 찾지 않겠다고 약속했다."

"네에, 그 동안 어떻게 지내셨어요?"

"나야 항상 잘 지내지. 오사카에서 작은 호텔을 운영하고 있다."

"결혼은 하셨어요?"

"아니, 인연 닿는 사람이 없더구나. 그런데 어떻게 하냐? 나는 오늘 저녁에 일본으로 가야 한다."

"그러세요. 서운하지만 할 수 없지요 뭐."

"책은 다 썼냐?"

"네, 거의 마무리가 되어갑니다. 사실은 실미도를 먼저 쓰고 싶었는데 자료 조사에도 시간이 걸리고 해서요. 더군다나 장대풍의 사건도 공소시효가 끝나지 않았잖아요. 그래서 제 어린 시절부터 동산유지 금고털이 사건으로 체포되는 과정을 썼습니다."

"책은 언제쯤 나오니? 사봐야지."

"형님도 참! 제가 소포로 보내드려야지요."

"그렇게 할래? 내 주소 알고 있지?"

"그럼요. 저 공주에 있을 때 편지 보낸 주소잖아요."

"아무튼 그렇게 소원이던 소설가가 기어코 되는구나."

"아직은 아닙니다. 책도 나오지 않았는데요."

"출판 계약도 맺었다며?"

"예. 하지만 마무리 작업을 해야 하는데 모악산에는 돌아갈 수가 없으니 조용한 고시원을 찾아갈까 생각중입니다."

그들이 얘기를 나누는 동안 병실 창가에는 눈부신 해가 축복처럼 쏟아지고 있었다.

# 다시 찾은 모악산

　

사개월 만에 다시 찾아온 모악산은 붉은 단풍 천지였다. 산길에 소슬한 바람이 불어 하롱하롱 낙엽이 흩날리고 등성이에는 타는 듯한 노을이 지고 있었다.

백동호는 염불암으로 올라가는 등산로 입구 작은 공터에 승용차를 세웠다. 살아온 날의 모든 것을 비벼넣어서 그럴 듯한 소설 하나 쓰겠다며 삭발 입산을 했다가 피비린내 흥건한 살인 게임으로 끝을 냈던 곳. 그때 염불암에 남겨놓았던 옷가지와 책을 찾으러 온 것이다.

백동호는 차 안에 앉은 채 감회 서린 눈으로 모악산을 하염없이 바라보았다. 염불암을 떠난 사개월 동안 그에게는 많은 변화가 있었다. 자전적 소설 《대도》 1, 2는 포도원(문학동네)에서 초판을 5만 질이나 찍을 만큼 성공했고, 라면 박스로 하나 가득 찰 만큼의 팬레터가 왔으며, 신문과 잡지, TV에도 출연했다.

생각해보면 참으로 고마운 세상이었다. 감사하며 살아야 하리라.

전화 연락을 받은 염불암의 김씨가 지게에 짐을 지고 내려오는 모습이 보였다. 김씨는 이마에 땀이 송골송골했지만 함박웃음으로 다가오고 있었다.

백동호는 운전석 문을 열었다. 그러나 발이 아니라 텅스텐으로 된 지팡이가 먼저 모습을 드러냈다.

"여어, 백 선생."

"반갑습니다, 김형."

"검은색 양복이 아주 잘 어울립니다. 꼭 대학 교수 같은데요?"

"하하하, 감사합니다."

"왜 지팡이를 짚고 있습니까? 다쳤어요?"

"아, 발목 인대가 늘어나서 수술을 받았어요."

"저런, 조심하시지."

"지금은 다 나아서 걷는 데 불편하지 않습니다. 습관이 되어서 들고 다니는 거지요."

"다행이네요. 차를 샀나봅니다?"

"돌아다닐 일이 생기니까 불편하더군요. 그래서 한 대 장만했습니다."

"역시 백 선생은 물건이야. 내 성공할 줄 알았다고. 참! 그리고 백 선생이 서울 가고 난 뒤 편지 온 것이 있는데."

김씨는 겉옷 주머니에서 편지 한 통을 꺼내주었다. 교도소에 있는 쌍둥이 형 황용주가 쓴 것이었다. 백동호는 선 채로 편지를 뜯어보았다. 편지를 읽을 때마다 느끼는 것이지만 글씨체가 자신과 너무도 닮아 있었다.

사랑하는 나의 절반에게.

동호야! 오늘 새벽 몹시 심란한 꿈을 꾸었다. 그래서인지 하루 종일 기분이 좋지 않다. 혹시 네게 무슨 일이 있는 것은 아닐까, 그런 불안으로 이 글을 쓴다.

꿈속은 함박눈이 펑펑 내리는 겨울이었다. 내가 탄 버스는 한강대교 중간의 검문소에서 멈추었다. 한테 검문을 하려고 올라온 사람은 엉뚱하게도 육모 방망이를 든 조선 시대의 포졸이더라. 승객들은 이처럼 황당한 일을 당연하게 받아들이고 있었다. 전신의 피를 모두 빼버리고 대신 흰 물감을 채워넣은 것처럼 창백한 얼굴의 포졸은 버스 안을 훑어보더니 대뜸 나를 끌어내렸다.

검문소에는 다른 포졸들이 기다리고 있더구나. 나는 이유도 모른 채 그들에게 몰매를 맞았다. 피투성이로 버려져 신음을 하는데 어디에선가 네가 홀연히 나타나 나를 끌어안더군. 잠에서 깨어나 생각하니 꿈속의 나는 내가 아니라 어쩐지 너였다는 생각이 자꾸만 괴롭히고 있다.

동호야, 거의 10년 만에 돌아간 자유의 땅에서 너의 어려움이 어찌 한두 가지겠니. 그래도 부디 자중자애하기를 바랄 뿐이다. 이것은 차마 입에 담을 수 있는 말이 아니지만, 행여 네가 불의의 사고를 당하거나 본의 아닌 일로 교도소에 다시 들어온다면 그처럼 비통한 일이 또 어디 있겠니. 우리는 무슨 일이 있어도 자유의 땅에서 무사히 만나야 한다.

동호야! 세상은 수없이 많은 편가르기로 이루어져 있다. 여당과 야당, 노조와 사업주, 고향, 출신 학교 등등. 모두가 타협과 조화를 이루며 잘 굴러가는 듯하지만 이익분배에 결정적인 불만이 생기면 편가르기가 그 모습을 드러낸다. 서로 상대를 비난하면서 같은 편끼리 똘똘

뭉쳐 싸움을 벌이는 것이다.

나는 이 세상 그 어느 편에도 속하지 못하는 외톨이였다. 너도 그러했을 것이다. 그런데 이제 우리는 가족이라는 최소단위의 내 편이 하나씩 생겼다. 이것은 숨쉬는 공기의 고마움을 모르는 것처럼 대부분의 사람들이 잊고 있는 행운이다.

모든 것을 뛰어넘어서 끈끈한 피로 맺어진 내 편, 그것이 바로 가족 아니겠니. 더구나 우리는 몸은 비록 떨어져 있어도 마음과 영혼이 하나인 일란성 쌍둥이 아니냐.

동호야, 희망을 잃으면 인생의 반을 잃는 것이고 건강을 잃으면 인생의 전부를 잃는 것이라고 하더라. 우리 무엇보다 건강을 잃지 말고 희망을 갖자. 그리고 너는 거기에서, 나는 여기에서 최선을 다해 살자꾸나.

기다림으로 다스려가는 내 어둠의 터널은 아직도 끝이 보이지 않지만, 4천 밤을 웃음으로 이겨냈는데 그까짓 2천 밤쯤 금방 가겠지. 그날이 와서 우리가 얼싸안으면 온몸이 녹아 서로에게 스며들고, 뼈와 살과 피가 어우러져 기쁨의 춤을 추며 노래하는 소리가 하늘까지 닿을 것이다.

동호야! 몹시도 심란한 꿈 때문에 쓰는 글이라서 너의 마음을 어수선하게 만든 것은 아닌가 모르겠다. 책은 마무리가 되었는지, 염불암에서 내려오면 어디로 갈 것인지 궁금하다. 답장해주렴.

                  1994. 7. 2. 너의 또 다른 너, 용주 씀.


추신 : 먼젓번 면회 왔을 때 보니 너 아직도 총각(출소한 뒤) 딱지를 못 뗀 것 같더라. 징역 사는 사람들은 모두 출소하면 무릎이 까지도록 섹스를 하겠다고 벼르잖아. 내 몫까지 즐기지는 못해도 여지껏 여자

를 안지 못했다면 문제가 있는 것 아니냐?


　새삼 일란성 쌍둥이의 신비로움을 느꼈다. 그날, 백동호도 똑같은 꿈을 꾸었던 것이다. 잠시 동안 편지의 여운을 음미하던 백동호는 김씨에게 약간의 돈을 주며 말했다.

　"저는 어두워지기 전에 이만 내려가겠습니다. 그리고 이건……."

　"뭘 이런 것을……."

　"제 성의니까 받아두십시오. 술 생각나면 한잔씩 드세요."

　"그럼 고맙게 받으랍니다. 좀 올라왔다가 가시지?"

　"아닙니다. 스님은 시내에서 뵈었고요, 김형을 만났으니 그냥 가겠습니다."

　백동호는 짐을 싣고 모악산을 내려왔다.

　전주 시내에서 저녁을 먹고 나니 거리에는 어둠이 짙게 깔려 있었다. 커피나 한잔하고 출발할까. 주위를 두리번거리던 그는 코아백화점 근처의 커피숍으로 향했다. 계단을 앞서 올라가는 젊은 여자의 까르르 웃음소리, 미니 스커트의 늘씬한 각선미가 볼 만했다.

　커피숍 안에는 온통 젊은 연인들이었다. 한 잔의 커피와 잔잔한 음악, 내 인생에 한 획을 그은 전주를 이제 영원히 떠나는구나 생각하니 공연히 마음이 싱숭생숭했다. 앞자리의 연인이 찰싹 붙어서 야한 생비디오를 연출하고 있었다. 신음소리까지 들려왔다.

　백동호는 황망히 일어섰다. 밖으로 나오니 바람이 차가웠다. 하지만 생비디오로 달아오른 가슴이 쉽사리 가라앉지 않았다.

　여자…… 보드랍고 나긋나긋한 짐승. 백동호 또한 거칠고 씩씩한 짐승이 되어서 밤이 새도록 씨근벌떡 격렬한 섹스를 하고 싶었다. 사실 징역살이에서 백동호가 가장 목말랐던 것은 섹스였다. 하지

208

만 막상 자유를 얻고 난 뒤에는 곧바로 삭발 입산을 해서 기회가 없었다. 산을 내려오고 나서는 책을 출판하느라 여념이 없었다. 이제 한고비를 넘겼으니 전주를 떠나며 형의 권유처럼 여자를 안고 싶었다. 하룻밤을 즐겁게 보낼 돈은 지니고 있었다. 그러나 10년 동안 고이 간직한 동정(?)을 유흥가에서의 흥정으로 잃고 싶지는 않았다.

백동호는 지나는 여자들을 살폈다. 따라가서 수작을 붙여보고 싶은 상대가 더러 보였다. 옛날 같으면 서슴없이 그랬을 것이다. 하지만 그는 이미 중년 사내였다. 젊은 여자에게 섣불리 접근하면 변태 아저씨 취급을 받거나 맛이 간 사람으로 여겨질 것이었다. 그는 쓴 입맛을 다시며 자동차에 올랐다.

백동호가 전주 코아 백화점 앞에서 자동차에 시동을 거는 그 시간, 서울 용산구 동빙고동 빗물 펌프장 앞에는 낡은 르망 승용차 한 대가 서 있었다. 르망에서는 삼십 중반의 사내 두 명이 벌써 두 시간째 기다림의 지루함을 줄담배로 달래고 있는 중이었다.

"씨팔, 왜 이렇게 안 와?"

"글쎄, 전화 한번 더 해봐라. 혹시 그 동안 와 있을지도 모르잖아."

"그럴까?"

사내 하나가 차에서 내리더니 공중전화로 걸음을 옮겼다. 지나가는 자동차 불빛에 드러난 사내의 얼굴은 오현종이 틀림없었다.

소년원 시절부터 백동호의 심복이었던 오현종은 청주 교도소를 나온 뒤 염채은을 찾아준 심부름 값을 받기도 전 다른 범죄로 체포되었고, 오일 전 의정부 교도소에서 만기 출소했다. 그는 출소해서 먼저 백동호부터 찾아나섰고 오늘에야 집을 알아냈던 것이다.

오현종은 공중전화 수화기를 들었다. 그러나 발신음이 세 번 울린 뒤 '저는 지금 외출중입니다. 메시지를 남겨주십시오. 돌아오는 대로 연락드리겠습니다'라는 음성이 들려왔다. 그는 잔기침을 한 뒤 메시지를 남겼다.

"동호 형님, 저 오현종입니다. 지금 형님 집 앞에 와 있고 벌써 다섯번째 드리는 전화입니다. 내일 오전 열 시에 다시 연락드리겠습니다."

오현종은 자동차로 돌아왔다.

차 안에 있는 또 한 사람은 깔창(유리창) 곽부혁이었다. 사이가 나쁜 교도관의 얼굴에 유리창문을 덮어씌운 뒤 깔창이라는 별명을 얻은 그는 의리파지만 앞뒤가 꽉 막혀서 창호(벽창호)라 불리기도 했다. 오현종과는 의정부 교도소 동창이었다. 곽부혁은 피우던 담배 꽁초를 손가락으로 튕겨 밖으로 버리더니, 차에 오르는 오현종에게 말했다.

"그 자식, 너에게 심부름 값 안 주려고 수작 부릴 놈은 아니지?"

"그럼! 경우 하나는 대쪽인 사람이다. 그리고 내 선배면 너의 선배도 되는 거다. 없을 때라도 이놈 저놈 함부로 부르지 마."

"짜식, 늙은 홀아비 라면 봉지 뜯는 소리 하고 자빠졌네. 없을 때는 임금님도 욕을 한다는데 아직 만나지도 않은 사람에게 그런 소리도 못해?"

"내가 듣기 껄끄러우니까 그렇지, 이 새끼야."

"하하하, 되게 충성이네. 알았다, 조심하마. 그건 그렇고 네 말에 따르면 돈이 엄청 많은 사람인데 어째서 저런 원룸에서 생활을 하냐?"

"그 양반 아이큐가 백오십이다. 출소하자마자 돈을 펑펑 쓰면 좋을 것 없잖아. 만나보면 너도 형님 삼고 싶은 생각이 저절로 들 거다. 아무튼 오늘은 이만 돌아가고 내일 낮에 다시 오자."

"그런데 저기 있는 봉고차 말야, 아무래도 좀 수상하다."

"왜?"

"아까부터 가끔 한번씩 내려서는 그 양반이 살고 있다는 원룸에 불이 켜져 있나 살피고 오는 것 같더라. 내 느낌으로는 저놈도 네 선배를 찾아왔는데, 좋은 일 때문에 온 것은 아니다. 어디서 많이 본 것도 같은데……."

"어디서 보았는데?"

"아마 학교(교도소)겠지. 홍성 아니면 안양 같은데."

"그래? 어, 저 새끼 내린다. 가만있어봐."

오현종은 살그머니 뒤를 밟았다.

사내는 과연 골목길에 들어서더니 백동호의 집으로 접근을 했다. 그 집은 들어가는 골목이 양갈래라서 한쪽만 지켜보면 놓칠 우려가 있었다. 때문에 못 본 사이에 백동호가 들어와 있는지 확인을 하려는 것 같았다. 사내는 골목을 서성이며 살피더니 아예 열려진 대문 안으로 들어갔다. 오현종은 전봇대에 몸을 숨기고 지켜보았다.

사내는 백동호의 원룸 문 앞에 서더니 귀를 기울였다. 아무도 없음을 확인한 사내가 다시 봉고차로 돌아가자 오현종도 승용차로 돌아왔다.

"야, 저 자식 정말 수상하다. 한번 가볼까?"

"우리가 가서 뭐하게?"

"동호 형님이랑 관계있는 일이면 모르는 척할 수 없지. 내가 그래도 한때 그 양반 오른팔 아니었냐."

"쩝, 괜히 긁어 부스럼을 만들었군."

"잔소리 말고 내려."

그들은 봉고를 향해 씩씩한 걸음을 옮겼다.


고속도로를 향하던 백동호는 '전주역 2Km'라는 간판이 보이자 잠깐 망설이더니 핸들을 돌렸다. 역 광장에 차를 세운 그는 지팡이를 뒤 트렁크에 넣고는 성큼성큼 걸어갔다.

밤 깊은 대합실은 스산했다. 잠잘 곳이 없어 찾아든 것으로 보이는 후줄근한 사내 옆으로 왁자지껄한 아줌마들이 대여섯, 짐 보따리가 올망졸망했다.

청춘 남녀 한 쌍, 할머니, 등산 배낭을 옆에 놓은 청년 셋, 아가씨 하나가 무심하게 앉아 있었다. 아가씨는 단발 머리에 화장기 없는 계란형 얼굴, 아기처럼 고운 피부를 지닌 이십대 초반이었다. 그녀에게서 눈길을 거둔 백동호는 대합실 사람들에게 큰 소리로 말했다.

"잠깐 저를 주목해주십시오. 서울로 올라가는 빈 승용차가 한 대 있습니다. 함께 갈 사람을 찾습니다. 물론 요금은 받지 않습니다. 대신 제가 졸지 않도록 말동무나 좀 해주십시오."

말을 마친 백동호는 대합실을 둘러보았다. 예상대로 사람들은 이 돌연한 호의에 미심쩍은 눈으로 서로를 돌아보았다. 공짜로 자가용을 타고 서울까지 가고는 싶지만 흉흉한 세상에 낯모르는 사람을 선뜻 따라나서기가 뭣했던 것이다. 백동호가 다시 주위를 둘러보며 말했다.

"안 계십니까? 참고로 저는 어금니 썩은 것이 하나 있을 뿐 신체

건강하고 정신 또한 그러해서 여러분이 길동무 삼을 만한 놈이라는 것을 말씀드리겠습니다. 기회는 머리만 있고 꼬리는 없어서, 올 때 잡아야지 갈 때는 잡을 수가 없다고 합니다. 지원자가 없으면 저는 이만 돌아서겠습니다. 마지막으로 말씀드립니다. 저와 유쾌하고 편안하게 여행을 하실 분 안 계십니까?"

백동호는 빨리 지원하지 않으면 혼자 가겠다는 의사 표시로 마지막 권유를 했다. 역시 예상했던 대로 할머니가 제일 먼저 손을 들었다.

"나 좀 데려다 주시오."

"네, 그러면 세 분 남았습니다."

군중 심리란 묘한 것이어서 한 사람이 정해지자 다음은 쉬웠다. 여기저기에서 같이 가자는 말들이 튀어나왔다. 아주머니 일행, 등산 배낭의 남자들, 남녀 한 쌍이 나섰다. 선택권은 물론 백동호에게 있었다. 그는 남녀 한 쌍을 지적하며 말했다.

"여기 두 분 당첨입니다. 그러면 한 분만 더 가시면 되겠습니다."

다들 일행이 있었고 혼자인 사람은 아가씨뿐이었다. 잠깐의 정적이 흐른 뒤 아가씨가 조금 망설이며 일어섰다.

"저도 갈까요?"

"그러시죠."

백동호까지 다섯 명이 대합실을 나섰다. 할머니의 짐이 제일 많아서 트렁크에 실었다. 아가씨의 짐도 만만치 않게 무거웠다. 한 쌍의 남녀는 여자만 꽃을 들었을 뿐 빈손이었다. 할머니를 상석인 뒷좌석 제일 안쪽에 모셨다. 청춘 남녀는 그 옆으로, 아가씨는 자연스레 백동호의 옆자리에 앉게 되었다.

자동차는 서울을 향해 출발했다. 할머니가 보따리에서 캔 사이다를 꺼내 백동호에게만 권하며 말했다.

"이것 좀 드시우. 고마워요, 사장님."

"뭘요, 지루하지 않게 되었으니 오히려 제가 고맙지요."

백동호는 최진희의 노래를 틀며 캔 사이다를 받아들었다. 일차 작전은 성공이었다. 싸움꾼 늙어도 왼다리질 하나는 남고 놀던 계집 늙어도 엉덩이 돌리는 기술은 남아 있더라고, 백동호 역시 왕년의 가락이 있어 혼자 앉아 있던 아가씨를 태우는 데 부드럽게 성공한 것이다.

낯선 여자에게 접근할 때 명심해야 할 제1조는 치한으로 오인받지 않고 자연스러워야 한다는 것이다.

백동호가 조금 전 목표물인 아가씨에게만 다가가서 서울에 함께 가자고 했으면 거절했을 확률이 90퍼센트 이상이었다. 할머니부터 공략한 것은 병법으로 말하면 성동격서(聲東擊西, 소리는 동쪽에서 내고 서쪽을 친다)인 것이다. 만약 아가씨의 목적지가 서울이 아니거나 함께 가겠다고 나서지 않았으면 다른 사람들만 기분 좋게 태워줄 작정이었다.

낯선 여자와 합석에까지 성공했다면 작전 제2조는 유머와 칭찬, 그리고 호기심의 유발이다. 이 세 가지는 사람의 마음을 열게 하는 마법의 열쇠인 것이다. 아무리 현대 여성의 정조관념이 희박하다지만 갈보도 신명이 나야 아랫도리에 물이 괴고 개도 발에 땀이 나야 뛴다는데, 돈으로 흥정하는 상대가 아닌 다음에야 마음에 드는 구석이 없으면 접근을 허용할 리 만무 아닌가.

할머니는 곧 잠이 들었다. 백동호가 먼저 수작을 붙일 필요는 없었다. 동행하는 시간은 충분했고, 누군가 말을 걸게 되어 있는 것이다. 과연 고속도로에 접어들자 뒷좌석의 꽃다발을 든 여자가 말문을 열었다. 목소리가 상당히 당돌했다.

"아저씨는 뭐하는 분이세요?"

"흠…… 한마디로 대답을 하기가 곤란하네."

"그럼 두 마디로 대답하셔도 돼요."

"후후, 사연이 삼국지 열 권이라서 두 마디로만 대답을 할 수가 없는데요."

여자는 조금 샐쭉한 어조로 따지고(?) 들었다.

"피이, 뭐가 그렇게 복잡해요. 누가 사연 듣자고 했어요? 직업을 물었지."

"하얀 손."

"하얀 손?"

"백수."

"아저씨, 부티가 물씬 나는데 호구조사하기 전에 이실직고해요. 지금 백수면 전직은 뭐예요?"

"캄캄한 인생살이 정처없이 떠돌며 바람 밥 먹고 구름 똥 싸다가, 불혹이 되어서야 겨우 정신차린 사람이라고 해둡시다. 너무 썰렁한 대답인가?"

"썰렁하지는 않은데 무슨 소리인지 감이 안 잡히네요."

"그 과거를 밑천 삼아서 한 달 전 소설을 냈고, 지금 종로서적에 가면 금주의 추천도서에 올라 있지요. 그러니까 굳이 이름을 붙이면, 낯간지럽기는 하지만 소설가라고 해둡시다."

"옴마, 소설가래! 멋있다. 제목이 뭐예요? 사보게."

"내리실 때 모두에게 한 권씩 무료로 사인해드리지요."

"지금 주세요."

"뒤 트렁크에 있는데 고속도로에서 세우기가 그렇잖아요."

사실 백동호가 책을 곧바로 주지 못하는 이유는 다른 곳에 있었다. 베스트셀러에 진입한 책이지만 작가 프로필에 전과 6범, 동산 유지 금고털이 사건으로 어쩌고 되어 있으니 경계심을 일으켜서 대화가 단절될 수도 있었던 것이다. 책을 다 읽은 사람들은 대개가 호의를 보이지만 첫 느낌이야 어디 그런가.

　뒷좌석의 여자는 여전히 호들갑이었다.

　"와아! 아무튼 난 오늘 행운이네. 꼭 주셔야 돼요."

　"드리지요. 그런데 묻기만 하고 자기소개는 안하면 나쁜 어린이입니다."

　"저는 영등포 살고요, 직장 다녀요. 나이는 스물둘이고요."

　백동호는 여자의 동행에게 물었다.

　"남자분은?"

　"저는 청파동에 살고요…….."

　"잠깐!"

　백동호가 사내의 말을 가로막았다. 사람들은 의아한 눈빛으로 무슨 말을 하려는가 바라보았다.

　"저는 나중에 추리 소설도 쓰려고 합니다. 젊은 친구의 다음 소개 내용과 신상명세를 맞춰볼까요?"

　"하하, 그러시겠어요?"

　"음…… 두 분 남녀는 각각 신랑의 친구와 신부의 친구로 결혼식에 참석했다가 동행이 되었을 뿐, 전부터 아는 사이는 아니군요. 신랑은 군대 시절 친구였고요. 지금 청파동에서는 하숙을 하고 있는데 직장은 서울역 부근에 있으며…….."

　"어어! 다 맞습니다. 거참 신기하네요."

　"틀릴 수도 있었는데 운 좋게 다 적중했군요."

여지껏 침묵을 지키던 앞자리의 여자가 호기심 서린 표정으로 말했다.

"어머, 아저씨. 그러면 저도 좀 맞혀보세요."

백동호는 생각지도 않았다는 듯 잠시 뜸을 들였다.

"음, 한 가지만 물어볼게요. 직장 일이 육체적으로 좀 고달픈 것 아닌가요? 특히 어깨가 많이 사용되고요."

"어머나! 네, 맞아요."

"아가씨는 글씨를 예쁘게 쓰지 않는군요. 지금 직장은 다닌 지가 얼마 되지 않았고요, 하숙이 아니라 자취를 하고 있지요. 혹시 애인 있습니까?"

"지금은 없어요."

"자취방은 친구와 같이 사용하고 있을 것입니다. 지금 가는 곳은 서울에서 전철을 타고 한참을 가서 다시 버스를 타야 하는 곳이고요. 출근 시간이 일정하지 않군요. 보통은 아침 아홉 시에서 열 시까지, 때로는 새벽 네다섯 시에도 나가야 합니다. 음, 그리고 아홉 더하기 아홉이란 숫자와 깊은 관계가 있습니다. 직장내에는 사이가 안 좋은 사람이 있고요. 그 여자는 아가씨보다 절대로 마음도 얼굴도 예쁘지가 않습니다. 어떤 사람은 아가씨더러 운동도 하고 돈도 벌어서 좋겠다고 농담을 하지만, 그때 이렇게 대답하고 싶을 것입니다……."

"어머나, 정말 신기하네. 혹시 아저씨 전직이 점쟁이 아니세요? 다 맞아요. 그런데 내가 어떻게 대답하고 싶어할 것 같아요?"

"'운동하고 노동도 구별을 못하세요'라고 쏘아주고 싶겠죠."

"호호, 맞다 맞다. 다음에는 그렇게 쏘아주어야지. 그런데 정말 어떻게 알았어요?"

"추리란 설명을 하기 전에는 신기해도 설명을 하고 나면 아무것
도 아닙니다. 때문에 앞으로 두 시간은 비밀에 부치겠어요."

여자는 이제 서서히 백동호의 페이스로 말려들고 있었다. 이름
은 윤은지, 나이는 스물둘이라 했다.

백동호가 그녀의 직업을 골프장 캐디라고 생각했던 것은 트렁크
에 실었던 짐 중에 곤지암의 화장품 가게 쇼핑백 하나가 단서였다.

곤지암은 경기도 광주에 있다. 그런 시골과 연관이 없이는 그 쇼
핑백을 지니지 않았을 것이다. 고추장과 김치를 가져가는 것을 보
면 자취를 한다. 유흥가 분위기는 아니다. 그렇다면 이 젊은 여자의
직업은 무엇일까? 곤지암에는 예전부터 골프장이 여러 개 있다. 혹
시 캐디?

틀리면 망신이니까 확인사살이 필요했다. 육체 노동, 특히 어깨
를 많이 사용하느냐는 질문은 그래서 필요했던 것이다.

그 다음부터는 일사천리였다. 자취방은 애인이 없는 바에야 혼
자보다 동료랑 같이 있을 것이고…… . 또 여자가 많이 모이는 곳에
는 필연적으로 미운 사람이 있게 마련이었다. 노골적으로 캐디라
는 것을 밝히면 추리의 신비감이 사라지기 때문에 한 바퀴 굴려서
18홀을 아홉 더하기 아홉이라는 등 바람을 잡은 것이다. 그렇게 바
람을 잡은 또 하나의 이유는 자신이 캐디라는 것을 사람들에게 밝
히고 싶지 않을 수도 있다는 배려였다.

여지껏 잠든 줄로 알았던 할머니가 끼어들며 말했다.

"내가 첫눈에 보통 사람이 아닌 줄 알아보았당께. 나도 점 좀 봐
주시오, 선상님."

"하하, 저는 점쟁이가 아닙니다. 방금 말한 것은 점이 아니라 추
리예요, 할머니."

"아따, 사람의 일을 맞히면 그것이 점쟁이지 별것 있당가. 내가 몇 살까지 살겠능가요?"

"무병장수에 백열세 살까지 사시겠는데요."

"참말이랑가?"

"할머니는 착하게 사셨고 평생 동안 일을 많이 했으니 장수하실 거예요. 삼베 농사를 오래 지으셨죠? 지금 서울의 딸에게 가시는 길이고요."

"오메! 신통한 거."

백동호는 화제를 돌려 사람들에게 노래 한 곡씩을 시켰고, 넌센스 퀴즈와 재미있는 얘기들을 교환하다가 금강 휴게소에 들어섰다.

수상한 사내의 봉고는 일반적인 승합차가 아니라 뒷좌석이 화물 칸으로 되어 있는 3인승 밴이었다. 사내는 화물칸에 있는지 운전석에는 보이지 않았다. 오현종과 곽부혁은 눈짓을 교환한 뒤 문을 두드렸다.

"봅시다. 차에 있는 사람, 얘기 좀 합시다."

"……."

"차에 있는 것 다 알고 있으니 나오라니까."

"……."

"니기미, 귀에다 좆을 박아놓았나, 왜 대답이 없어? 차에 있는 사람, 얘기 좀 합시다. 문을 열어봐."

"왜 그러시오?"

"질문할 것이 좀 있습니다."

"물어봐요."

곽부혁이 화를 벌컥 내며 말했다.

"씨팔놈아, 삽살강아지처럼 안에서만 앙알대지 말고 문 좀 열어봐."

"이 좆 같은 자식들이 왜 시비야?"

차 문이 벌컥 열렸다. 내다보는 사내는 인상이 제법 험상궂었다. 그러나 오현종과 곽부혁이 누구인가. 전국 교도소 독거사동을 전전하며 꼴통으로 명성을 날리던 역전의 용사들이었다. 오현종은 여차하면 한바탕하겠다는 자세로 말했다.

"허허, 좆 같은 자식? 좆이 갓 같으면 쓰고나 다니지. 정말 좆 같은 소리 하고 자빠졌네, 씨팔놈."

"이 자식들 왜 이래?"

"너야말로 뭔데 남의 집을 족제비 눈으로 살피고 다니는 거냐?"

"남의 집이라니?"

"너 지금 동호 형님 집을 살피고 왔잖아."

"누가 뭘 보았다는 거야?"

"니가 임마 조금 전에 그랬잖아."

"이 자식들 미친놈 아냐?"

사내는 당황한 빛이 역력했다. 얼른 차 문을 닫더니 도어 록을 눌러버렸다. 오현종이 문을 두들겼다.

"야, 임마. 문 안 열어?"

그러나 봉고는 부웅, 급출발을 했다.

"어어! 저 새끼 봐."

오현종과 곽부혁은 르망으로 뛰어가서 시동을 걸었다. 이래서 깊은 밤, 낯모르는 사람들이 왜 그래야 되는지 자세한 이유도 모르면서 쫓고 쫓기는 레이스를 시작했다.

금강 휴게소에 정차한 백동호는 일행들의 우동값을 냈다. 할머니가 조금 과장된 어조로 말했다.

　"오메, 우동값은 우리가 내야 하는디 미안해서 어쩐당가."

　"글쎄 말예요. 형님, 제가 낼게요."

　"괜찮습니다. 제 차에 타신 손님들인데 대접을 해야지요."

　잠시 후 할머니는 화장실에 들렀다가 자동차로 돌아갔고, 청춘 남녀는 광장을 함께 걸었다.

　백동호와 윤은지는 식당에 남아 커피를 마셨다. 밤 안개 자욱한 창 밖에 금강이 흐르고 식당의 스피커에서는 최성수의 '동행'이 감미롭게 넘실대고 있었다.

　"아저씨, 저 노래 참 좋지요?"

　"나는 아름답고 매력 넘치는 은지만 보이지 노래는 들리지도 않는 걸."

　"피이, 거짓말."

　"아냐. 나는 일주일에 한 번 이상 거짓말을 하면 두드러기가 나는 사람이야. 이번주 것은 어제 이미 했거든. 그래서 지금 한 말은
……."

　"진실이라고요?"

　"아니, 다음주 거짓말을 가불한 거라고."

　"호호, 이래서 한국말은 끝까지 들어봐야 한다니까. 아저씨 젊었을 때 바람깨나 피웠겠어요."

　"두말 하면 잔소리지. 우리 집안 내력이야."

　"집안 내력이오?"

　"응, 아버지가 읍내에서 대장간을 하셨어. 어린 나는 매일 아침마다 풀무질로 바람을 피워서 용광로에 불을 붙였거든. 나처럼 바

람을 많이 피운 사람은 드물 걸?"

"농담 좀 그만해요. 글 쓰기 전에는 뭐하셨어요?"

"밑바닥 생활은 안해본 것 없지. 사람을 상하게는 안했지만 나쁜 짓으로 돈도 엄청 많이 벌어서 물 쓰듯 한 적도 있고."

"물 쓰듯, 이란 어느 정도를 말하는 거예요?"

"수준에 따라 틀리지만 10년 전 내 한 달 용돈이 천만 원이 넘었으니 요즘으로 하면 5천만 원쯤 될 거야."

"정말 한 달에 그만큼 썼어요? 에이, 거짓말."

"내 소설을 읽어보면 믿게 될 거야. 자전 소설이거든."

"정말인가보네. 《대도》 말고 지금 다른 소설을 쓰고 있는 건 없어요?"

"자료를 수집중이지. 서울에 올라가는 대로 머리도 식힐 겸, 실미도라는 섬에 가서 현장답사를 시작으로 새로운 글을 쓸 거야."

"실미도? 그게 어디에 있는 건데요?"

백동호는 실미도 사건의 배경과 소설 구상을 간략하게 설명해주었다.

"…… 어쩌면 지금 은지와 얘기를 나누는 장면도 그대로 나올지 몰라."

"호호, 아저씨에게 잘 보여야겠네. 그런데 말예요, 아까 저에 대해서 어떻게 맞힌 거예요?"

백동호는 추리의 대략을 말해주었다. 윤은지가 감탄을 하며 말했다.

"그럼 제가 글씨를 못 쓴다는 것은 어떻게 알았어요?"

"옛말이 괜히 생겼겠어? 미인은 악필이다. 나도 미인이 글씨 예쁘게 쓰는 건 못 보았거든."

"헤헤, 칭찬이에요, 비난인가요?"

"당연히 칭찬이지. 어! 사람들이 우리를 기다리나보다. 가면서 얘기하자."

다시 서울을 향해 출발, 천안 휴게소를 지날 무렵에는 뒷좌석 사람들은 모두 잠이 들고 윤은지와 백동호만이 뜬눈으로 얘기를 나누었다.

"아저씨는 파란만장한 과거였다는데 그 얘기 좀 해주세요."

"글쎄. 듣고 나면 놀랄 걸?"

"왜 사람 얘기를 듣고 놀라겠어요? 해주세요."

백동호는 《대도》의 내용을 요약해서 들려주었다.

이런저런 얘기를 나누다 보니 서울에 도착했다. 새벽 두 시, 강남에서 할머니를, 방배동에서 청춘 남녀를 내려준 뒤 백동호는 윤은지를 태우고 가며 말했다.

"오늘은 몇 시에 출근이야?"

"내일부터 해요."

"그런데 왜 벌써 올라왔어?"

"집이 싫어서요."

"집이 싫은 것이 아니라 요즈음 은지 신변에 복잡한 일이 생긴 것 아냐? 얼굴에 그늘이 있는데 그래."

"사실은 얼마 전 애인과 헤어졌어요. 심란해서 일도 손에 안 잡혀 휴가를 냈는데, 집에 갔더니 또 답답해서 하루 만에 올라오는 길이에요……."

"출근을 안해도 된다면 술 한잔 할까?"

"그래요. 어디서?"

"내 집에서."

"좋아요."

백동호는 동빙고동 자신의 원룸으로 차를 몰았다.


봉고는 용산 가족공원 방향으로 질주를 하다가 동작대교를 탔다. 오현종의 르망은 악착같이 쫓아갔다. 동작대교에서 우회전, 중앙대를 지나서 한강대교로 또 우회전, 르망은 봉고 옆 차선으로 달리며 소리쳤다.

"차 세워! 차 세우라니까!"

세울 리가 없었다. 봉고는 한강대교 북단에서 용산 가족공원으로 달렸다. 한 바퀴를 돌아서 원점으로 가까워지고 있었다. 때마침 좌회전 신호가 바뀌었고 봉고는 이태원으로 달렸다. 크라운 관광호텔에서 검은색 승용차 한 대가 나오고 있었다. 봉고는 급하게 브레이크를 밟으며 핸들을 꺾었다.

"어어!"

꽝, 뒤따르던 르망이 미처 피하지 못하고 검은색 승용차와 충돌하고 말았다. 앞 유리창에 머리를 들이박은 오현종이 간신히 정신을 차려 내렸지만 봉고는 어느새 횡하니 사라지고 없었다.


원룸에는 조촐한 술상이 차려졌다. 윤은지는 백동호를 결혼 상대로는 애당초 생각지 않고 있어서인지 술이 취하자 비교적 솔직하게 자신의 과거를 털어놓았다.

전주가 고향인 그녀는 여고를 졸업하고 곧바로 서울로 올라와서, 작은아버지가 운영하는 세운상가 전자 대리점의 경리사원으로 일했다. 그리고 거기에서 함께 일하는 스물아홉 살 총각과 사랑에 빠지게 되었다.

기침과 사랑은 숨기기 어려운 것. 작은아버지는 둘 사이를 눈치 챘고, 이왕에 서로가 좋다면 결혼을 하라며 시골에 있는 은지의 부모에게도 그 사실을 알려주었다. 한데 양가 부모가 만나고 혼담이 오가게 되자 남자의 네 살 된 아들과 이혼 경력이 드러났다. 윤은지는 그것을 감수하려 했지만 부모는 펄쩍 뛰었다. 남자는 대리점에서 해고되었으며 윤은지는 시골집으로 끌려가고 말았다. 하지만 그들은 이미 정신적 사랑은 물론 색정이 들 대로 들어 있었다. 만나지 말아야 한다는 것을 알면서도 만나지 않으면 몸이 견디지를 못하였다.

윤은지는 시골집을 도망나왔다. 〈벼룩시장〉을 보고 골프장 캐디로 취직했고 경기도 성남에다가 월셋방을 얻었다.

물론 연락을 받은 남자 역시 집을 나왔고 그들은 동거 생활을 시작했다. 남자가 청소하고 반찬을 만들었으며 생활비는 여자가 벌었다. 하루 평균 5만 원, 많으면 10만 원 가량이었는데 둘이서 생활하기에는 충분했다.

남자의 잠자리 주특기는 끈질기고 정성스러운 애무였다. 이어서 갖가지 체위로 얼크러지고 설크러지면 은지는 까무러칠 것 같았다. 이래서 사람들이 죽자 사자 사랑을 하는구나. 그녀는 점점 더 자극적인 섹스를 자주 원했고 남자는 코피를 쏟는 날이 많아졌다. 그리고 어느 날, 남자는 옷 가방만 챙겨들고 떠났다. 편지 한 장 없는 이별이었다.

은지의 충격은 이루 말할 수가 없었다. 누운들 잠이 오며 기다린들 임이 오랴. 오뉴월 긴긴 해에 점심은 굶고 살아도 동짓달 긴긴 밤에 임 없이는 난 못 살겠네. 은지는 날로 야위어갔고 겨우 몸과 마음을 추슬러서 골프장을 곤지암으로 옮긴 것이 이십일 전이었다.

윤은지의 얘기가 끝나자 날이 훤하게 밝아오고 있었다. 백동호는 그녀에게 가벼운 입맞춤, 그리고 좀더 진한 키스를 나누었다. 자고로 구운 생선과 여자는 얼른 먹어치우지 않으면 고양이가 물어가거나 다른 놈팽이가 채가는 것. 백동호는 그녀의 손을 잡아끌며 침대에 올라갔다.

"이리 와."

은지는 별저항 없이 다가와 안겼다. 백동호는 침대에 기대앉은 채 젖가슴을 살살 쓰다듬다가 미니 스커트 안으로 손을 넣었다. 팬티 위를 살살 쓰다듬었다. 까실까실한 음모의 감촉이 느껴졌다.

"아아—."

젖어드는 팬티 위를 지루하게 더듬던 손이 안으로 들어갔다. 가운뎃손가락이 질 입구에 흘러나온 애액을 묻혀 부드럽게 클리토리스를 진동시키자 그녀는 심하게 헐떡거리기 시작했다. 은지의 손이 뒤로 와서 백동호의 남근 위를 누르며 말했다.

"아아, 미치겠어."

백동호는 손동작을 멈추지 않으며 한 손으로는 옷을 벗겨내렸다. 이어서 백동호는 남근을 잡고 사타구니 근처를 슬슬 스치다가 흥건한 애액을 묻히며 감질나게 하더니 서서히 침입을 시도했다.

그러나 10년 만에 처음으로 시도되는 섹스, 새벽마다 아프도록 성을 내던 백동호의 남근은 여인의 사타구니가 낯설어 그런지 맥을 추지 못하고 흐물흐물댔다. 한때 왕으로 크다 해서 왕동호라 불리던 그로서는 체면이 영 서질 않는 일이었다. 허허 참, 쪽팔리는 탄식이 절로 나왔다.

은지가 그런 백동호를 반듯하게 눕히며 말했다.

"아저씨, 편안하게 생각하고 눈 감아요."

226

백동호는 시키는 대로 했다. 은지의 부드러운 혀가 젖꼭지에 떨어지더니 우유를 핥는 강아지처럼 널름널름 간지럼을 태웠다. 그녀의 입술은 부드럽게 원을 맴돌며 아래로 점점 내려오더니 이윽고 남근을 한입 가득히 머금었다. 긴 머리칼이 허벅지와 배를 간지럽게 했다. 남근은 서서히 용트림을 시작했다. 귀두가 한껏 부풀어 오른 그것은 겨우 옛 명성을 찾으려는 것 같았다. 백동호는 행여 발기가 죽을새라 서둘러 여자를 눕힌 뒤 엉덩이를 위에서 아래로 내리꽂았다.

　"아아악―."

　여자의 입에서 비명이 터져 나왔다. 그 비명은 옆집 사람의 잠을 깨울 만큼 컸다. 얼마나 그리웠던 여자이며 하고 싶었던 섹스였던가. 정상위로 씨근벌떡 거친 숨을 몰아쉬던 백동호는 여자를 엎어 놓고 엉덩이를 쳐들게 한 다음 힘차게 찍어눌렀다. 다시 여자를 옆으로 눕게 하고는 한껏 벌린 다리 사이에 걸터앉아 전진과 후퇴를 반복했다. 은지 역시 참고 참았던 섹스의 황홀경에 코 먹은 신음이 그칠 줄 몰랐다.

　"아아…… 좋아. 아저씨, 오래오래 해줘."

　연이은 두 번의 섹스가 끝났을 때는 아침 여덟 시였다.


　오현종의 르망을 따돌리는 데 성공한 봉고는 남산 2호 터널을 통과해서 남산 국립극장 앞에서 멈추었다. 담배를 피워문 사내는 깊은 한숨과 함께 연기를 뱉어냈다. 나는 정말 백동호란 놈에게 도저히 안되는 것일까? 생각할수록 기가 막혔다. 차에서 내린 사내는 서늘한 밤 바람 속을 거닐었다.

　봉고의 사내는 바로 사개월 전, 어둠의 모악산에서 백동호와 혈투를 벌인 박명길이었다.

그날 백동호의 교묘한 그물에 걸려든 박명길은 구사일생으로 도주, 서울행 기차에 몸을 실었다. 자취방으로 돌아와 만 하루 동안을 죽은 듯이 잠만 잤다. 너무나 혼비백산했던 탓에 다시 복수를 하겠다는 생각은 엄두가 나지 않았다.

문제는 그 다음날이었다. 출근을 하자마자 배차부장이 부르는 것이었다.

"박명길 씨, 사흘 동안 뭐하고 왔어요?"

어감이 영 좋지 않은 질문이었다. 박명길은 떨떠름하게 대답했다.

"말했잖아요. 시골의 어머니가 몹시 편찮으셔서 휴가를 냈던 것 아닙니까?"

"박명길 씨, 거짓말을 하는군요. 길게 얘기하고 싶지 않으니까 오늘부터 회사 그만두세요."

"네에? 갑자기 왜 그러시는 겁니까?"

"이유는 집에 가서 잘 생각해봐요."

일이 묘하게 꼬여버린 것이다. 전날 백동호가 경찰관을 사칭해서 박명길의 신원조회를 부탁했던 택시공제조합의 숙직원이 하필 배차부장과 친구였다. 숙직원은 다음날 배차부장에게 박명길이 부녀자 강도강간 혐의로 경찰의 조사를 받고 있다는 사실을 알려주었다.

전직 경찰이었던 배차부장은 사방에 수소문을 했지만 박명길을 찾을 수 없었다. 옛 동료에게 부탁해서 박명길의 신원조회를 해보았다. 전과가 있는 것은 그냥 넘어갈 수 있지만 10년 전 택시 운전을 하면서 손님을 강간했다는 것이다. 게다가 돌아가신 어머니가 아프다는 핑계로 휴가를 얻다니.

박명길은 변명의 여지가 없었다. 어느 놈이 경찰관을 사칭해서 나를 조사했을까. 혹시 백동호 그놈이? 아무래도 미심쩍었던 그는 일산의 커피숍을 찾아갔다. 역시 그곳에도 누가 전화를 걸어 꼬치 꼬치 캐물었다고 했다.

백동호 이놈, 그래놓고서 내게 신통력이 어쩌고 사기를 쳤구나. 분노가 하늘을 찔렀지만 벼락 때린 하늘에 눈 흘기기처럼 소용없 는 일이었다.

결국 백동호로 인해 직장까지 잃고 만 박명길은 악이 받쳤다. 너 죽고 나 죽자는 심정으로 다시 한번 모악산을 찾아갔다. 그러나 종 적이 묘연했다. 그때 백동호는 대전 백마고시원에서 소설의 마무 리 작업을 하고 있었던 것이다.

박명길은 좌절에 빠져 거리를 방황했다. 직업은 잃었지만 밥을 안 먹으면 배가 고프고 잠을 안 자면 졸린 것이 인간의 육체인 것. 돈이 있어야 했다. 이미 전과 5범인 그가 범죄를 다시 시작한 것은 당연한 귀결이었다. 교도소에서 배운 대로 연립주택이나 빌라의 도시가스 배관을 타고 들어가서 빈집털이를 시작했다. 또 동사무 소 직원이나 외판원을 가장하여 부녀자가 있는 집에 침입, 강도강 간을 하기도 했다.

그러던 박명길은 며칠 전 지하철 서점 진열대에서 우연히 백동 호의 소설을 발견했고 그가 서울에 있다고 확신했다. 수소문을 한 결과 오늘 오후에야 주소를 알아냈던 것이다. 한데 가는 날이 장날 이고 노처녀 시집 가는 날 등창 난다던가. 하필 공교롭게도 백동호 를 찾아온 또 다른 인물 오현종의 눈에 띈 것이다.

박명길은 그들이 겁나서 도망친 것이 아니었다. 자신의 정체를 알리고 싶지 않았던 것이다. 하지만 가만히 생각해보니 이제 자동차가 드러났으니 굳이 자신을 숨길 필요도 없어진 것이다.

봉고 화물칸에서 잠시 눈을 붙인 박명길은 다시 동빙고동을 향해 차를 몰았다.


곤히 잠든 사람을 깨우는 전화는 어째서 불길하고 안 좋은 소식만을 전하는 것일까.

"따르릉, 따르릉, 따르릉······."

고집불통 아이의 끈질긴 칭얼거림처럼 전화벨이 울리고 있었다. 백동호는 잠에 취해서 더듬더듬 수화기를 들었다.

"여보세요."

"저, 백동호 씨 댁입니까?"

"제가 백동호입니다. 누구십니까?"

"여기는 이태원동 파출소입니다. 오현종이란 사람을 아십니까?"

"그런 사람 모르는데요."

"그래요? 잠깐 기다리세요."

순경은 누구에게 말을 하더니 전화를 바꿔주는 것 같았다.

"형님, 반갑습니다. 저 오현종입니다."

"오현종?"

"예, 청주에서 염채은 씨를 찾아오라고 형님이 심부름시켰던 오현종이오. 책 잘 읽었습니다."

"그래그래, 오랜만이다. 어떻게 된 거냐?"

"저는 그때 소공동에서 노깡(노상 강도)으로 달려서 오일 전에 나왔습니다. 그런데 형님, 제가 메시지 남겨놓은 것 들으셨나요?"

"아니, 아직 메시지 확인을 안했다."

"아무튼 이리로 좀 와주십시오. 형님 집을 엿보는 수상한 놈을 쫓아가다 교통사고가 났습니다. 차량 번호는 적어두었고요. 새벽 두 시까지 계속 전화를 했는데 받지를 않아서 이렇게 날 샌 뒤에 연락드리는 것입니다."

"보험은 들었냐?"

"예. 그런데 전과 때문인지 신원 보증인이 있어야 한다는 겁니다. 내 참 더러워서."

"알았다. 지금 갈게."

백동호는 떨떠름한 심정으로 집을 나섰다. 오현종이야 자신을 친형처럼 생각하겠지만 지금 백동호의 입장에서는 그리 달가운 상대가 아니었던 것이다. 틀림없이 그 옛날의 심부름 값을 달라고 할 텐데…….

어두운 표정으로 노상 주차장을 향해 걸음을 재촉하던 그는 우뚝 멈춰섰다. 가슴이 철렁했다. 맞은편에서 골목을 걸어오는 사내는 분명히 박명길이었던 것이다.

박명길은 방금 동빙고동으로 돌아와서 백동호에게 전화를 걸었더니 통화중이었다. 이 새끼 돌아왔구나. 염탐을 가다가 맞은편에서 걸어오는 백동호를 발견한 것이었다. 그들은 둘 다 당황했으며, 박명길이 황급히 회칼을 꺼내들었다. 침착을 되찾은 백동호가 지팡이로 땅바닥을 두드리며 해들해들 미소를 짓고 있었다. 결코 반가움의 표시는 아닌 웃음이었다.

"박명길, 오랜만이다."

"썹새끼야, 네 인사 받고 싶지 않다. 덤벼!"

박명길은 살기로 충만한 칼을 겨누며 손을 상하좌우로 조금씩 흔들었다. 그러나 성큼 달려들지는 못하고 있었다. 백동호가 다시

느물느물 말했다.

"후후, 덤비라고? 습격이 아니라 이렇게 마주 선 상태에서는 만약 내가 맨손이고 너는 칼을 들었다 해도 쉽게 나를 해칠 수가 없을 것이다. 왜냐하면 나는 너보다 훨씬 몸이 날렵하고 싸움을 잘하거든."

"……기, 길고 짧은 것은 대봐야지."

"우리는 지난 20년 동안 이미 세 번이나 대보았잖아? 게다가 나는 지금 한 방에 네 머리통을 박살낼 수 있는 쇠 지팡이를 들고 있다. 손잡이를 잡아당기면 시퍼런 장검이 나오지. 이래도 덤비라는 말이 나오느냐?"

"……."

"박명길, 경고한다. 칼 버려라. 해치지 않고 얘기만 나눌 것을 약속하마."

"시, 싫다. 덤벼라, 이 새끼야."

그러나 박명길은 눈빛이 흔들리고 있었다. 불구대천의 원수를 눈앞에 두고서도 어쩌지 못하는 분함에 턱도 덜덜 떨렸다. 백동호의 목소리가 점점 차가워졌다.

"상황 판단을 다시 한번 잘해봐라. 나를 해칠 기회는 앞으로 많을 것이다. 하지만 지금은 그 기회가 아니다. 우리 얘기나 좀 하자."

"네, 네가 먼저 지팡이를 버려라. 그럼 나도 버리겠다."

"박명길, 나는 이제 옛날의 범법자가 아니라 소설가이며 정직한 시민이다. 어떤 일이 있어도 교도소에 갈 범죄 행위는 하지 않는다. 그런데 칼을 버린 너를 여기에서 때려눕히면 정당방위가 아니라 형법 제257조 1항 상해죄가 성립된다. 하지만 네놈은 개의치 않고 나를 공격할 것이다. 누가 먼저 무기를 버려야 하겠니? 입 아프지만 다시 한번 경고하겠다. 칼을 버려라."

"……."

"음…… 셋을 셀 동안 버리지 않으면 할 수 없이 팔을 부러뜨리겠다. 하나, 두울."

"자, 잠깐! 버리겠다. 대신 얘기만 하겠다는 약속을 지켜라."

박명길은 똥으로 속을 넣은 만두를 씹은 것처럼 우그러진 얼굴로 칼을 버렸다. 백동호는 지팡이를 겨눈 채 자신의 지문이 묻지 않도록 신경을 쓰며 칼을 주워들었다. 골목을 지나려던 여자가 겁에 질려 새파란 얼굴로 서 있었다. 백동호가 웃음 지은 얼굴로 고개를 까딱하며 말했다.

"아주머니, 괜찮으니까 지나가세요."

여자는 염병 난 동네를 피해 가는 나그네처럼 그들을 외면하며 지나쳤다. 백동호가 칼을 품에 넣었다.

"가자."

"어디로?"

"조금 걸어 나가면 놀이터가 있다. 행여 도망칠 생각은 하지 마라. 절대로 놓치지 않을 테니까."

그들은 반포대교 못 미쳐 작은 놀이터의 벤치에 나란히 앉았다. 놀이터 옆으로는 해맑은 얼굴의 초등학교 아이들이 재잘대며 등교를 하고 있었다. 그 모습을 우두커니 바라보던 백동호가 담배를 꺼내 물며 말했다.

"명길아, 내가 지금 무슨 말을 해도 너는 마음이 닫혀 있어서 들리지 않을 것이다. 우선 너 먼저 하고 싶은 말을 해봐라."

"모악산에서 신통력 어쩌고 했던 것 다 사기지?"

"하하, 눈치 못 채도록 신경을 썼는데 들켰구나."

"그것 때문에 나는 직장을 잃었다. 더 할말 없으니 보내다오."

"내가 어떻게 해야 네가 과거를 잊고 다시 살아가겠냐?"

"나도 모르겠다. 생각해보고 전화를 하겠다."

"명길아, 너도 알다시피 나는 죄가 많은 놈이다. 속죄를 하는 의미에서 소년가장 몇을 도와주고 있다. 너도 새출발을 하겠다면 자립할 수 있도록 해주마."

"……."

"하지만 계속 나를 괴롭히거나 죽이려고 하면, 다시는 그렇게 하지 못하도록 네 인생을 철저히 부숴버리는 수밖에 도리가 없다."

"너는 법을 어기지 않는다며?"

"물론이다. 하지만 그것을 믿고 배짱을 부리면 역으로 당할 수도 있다. 법을 어기지 않아도 그것을 이용할 수는 있지 않겠냐?"

"후후, 나를 고발하겠다고?"

"방법은 여러 가지가 있겠지."

"네 마음대로 해라. 나 이제 그만 가도 되냐?"

"부탁한다. 과거를 잊고 나를 용서해라. 그것이 서로에게 좋은 것 아니냐?"

"나도 그러고 싶다. 하지만 우리는 둘 중의 하나가 죽어야만 끝날 운명인 것 같다."

"……."

"보복이 두려우면 지금 여기서 나를 죽이든지 아니면 네가 자살을 해라. 방금 깨달은 게 있다. 앞으로 내가 네 앞에 나타나도, 너는 나를 해치지 못할 것이란 사실이다. 너는 법을 어겨서 교도소에 또 들어가지는 않을 테니까."

박명길은 봉고를 타고 떠나갔다. 봉고가 보이지 않을 때까지 하염없이 바라보는 백동호의 심정은 뭐랄까, 머리에 뜨거운 화로를 이고 있어서 내려놓자니 쏟아질 것 같고 계속 올려놓고 있자니 뜨거우며, 가슴에 무등산 수박만한 혹이 있는데 떼어내면 목숨을 잃기에 어쩔 수 없이 달고 다니는 것 같았다.

그는 착잡한 얼굴로 파출소를 향했다.

오현종은 반색을 하며 백동호를 맞이했다. 백동호는 파출소 직원 모두에게 《대도》를 사인해주고 신원 보증서에 도장을 찍었다. 오현종과 곽부혁을 데리고 나온 그는 집으로 가고 싶었지만 윤은지가 있어서 곤란했다. 이른 시간이라서 커피숍도 문을 연 곳이 없었다.

"목욕이나 가자."

그들은 해밀턴 호텔 사우나에 들어갔다. 백동호 역시 피곤했던 참이라서 뜨거운 물에 몸을 담그니 온몸이 짜르르했다.

공주 교도소를 나오던 날 사우나에서 감사하며 살자, 과거를 버리고 욕심을 버리고, 평화롭게 살자고 다짐했던 기억이 새로웠다. 나는 왜 그때 과거가 내 앞날을 이다지도 끊임없이 가로막을 것이란 사실을 몰랐던 것일까.

잠시 후 곽부혁은 잠을 자러 수면실로 갔으며, 백동호와 오현종은 휴게실에서 얘기를 나누었다.

"언제 나왔다고?"

"오일 전에 나왔습니다. 의정부에 있을 때 형님에게 제 소식을 알리고 싶어 청주로 이감 가는 사람에게 편지를 보냈는데, 다른 곳으로 가셨다고 하더군요."

"나는 그후 대전으로 공주로 돌아다니다가 출소했다."

"나와서 형님 찾는 데 시간 다 보냈습니다. 출판사에 형님의 주소와 전화번호를 물었더니 가르쳐주지를 않더란 말입니다. 그래서 청주, 대전, 공주까지 추적하여 주민등록 번호를 알아낸 뒤 조회를 해보니 동빙고동에 살고 계시더군요."

"음, 그랬구나."

오현종은 오늘 새벽의 일을 장황하게 설명했다.

"……파출소에 그 설명을 하니까 차적 조회를 해보던데요. 차 주인 이름은 박명길이라고 합디다."

"오다가 집 앞에서 만났다. 악연이 끈질긴 놈이지."

"아는 놈이었군요?"

"그래."

"…… 형님, 단도직입하겠습니다. 한번 살려주십시오."

"살려주다니?"

"이제 와서 7년 전의 심부름 값을 달라기는 쑥스럽지만, 사실 따지고 보면 제가 7년이나 징역을 산 것도 염채은 씨 옥바라지를 위해서 돈을 서둘러 마련하다 보니 그렇게 된 것 아닙니까. 이제 저도 곧 사십이 돼가는데 형편은 이렇고…… 형님이 좀 도와주십시오."

"……."

"부산의 형사가 수사접견을 와서 염채은 씨 사건도 알고 있습니다."

"현종아, 《대도》를 읽었지?"

"예."

"그렇다면 내가 이제 어둠의 세계와 손 끊은 것을 너도 알겠구나."

"형님, 그러니까 비밀을 무덤까지 갖고 가겠습니다. 살려주시는 셈 치고 한 번만 도와주십시오."

"미안하다. 네가 마음 잡고 사는 나를 도와주렴."

"형님이야 이제 먹고 살 수 있는 길이 있다 이거 아닙니까? 저는 억울해서도 그냥은 못 돌아가겠습니다."

"못 돌아가면?"

"아닌 말로 이게 다 형님이 뿌린 씨앗 아닙니까?"

"하지만 사정이 달라졌지 않느냐?"

"그것은 형님 입장이지요. 저는 아닙니다. 믿었던 형님이 이렇게 나오시니 하늘이 무너지는 것 같습니다."

"도와달라는 구체적 내용이 뭐냐?"

"……"

"말해봐."

"금고 기술을 전수해주시든지 현금으로 1억만 빌려주십시오. 차용증 써드리고 3년 안에 갚겠습니다."

"현종아, 금고 기술을 가르쳐주는 것은 내 입장에서 범죄이고, 나는 지금 천만 원에 월 20만 원짜리 원룸에 산다."

"형님, 너무하십니다. 염채은 씨 사건으로 백억을 꿀꺽하셨지 않습니까? 형님이 가난하다면 지나가는 개가 다 웃겠습니다."

"그 사건으로 내가 얻은 것은 아무것도 없다. 오히려 죽을 고비만 여러 번 넘겼지."

"……"

백동호는 J수산 장대풍과 얽혔던 사건 내용을 대충 설명했지만 오현종은 믿을 수 없다는 표정을 지었다.

"형님이 정 그렇다면 염채은 씨를 만나게 해주십시오. 그 여자는 저를 도와줄 수 있을 것 아닙니까?"

더 이상 얘기가 안될 것 같았다. 백동호는 저녁때 다시 만나기로 하고 사우나를 나오고 말았다.

백동호가 돌아간 뒤 펄펄 뛴 것은 오현종보다 오히려 곽부혁이
었다.

"거 봐라. 자고로 머리 좋은 놈 치고 인간성도 좋은 놈 못 보았다.
어쩐지 그 자식 닭 잡아먹고 오리발 내밀 것 같더라."

"……."

"그런 자식을 그냥 보내? 으이그, 멀대 같은 놈."

"야, 나 좀 내버려둬라. 생각중이다."

"짜식아, 생각은 무슨 생각. 좆나게 두들겨 패고 네 몫을 달라고
해야지."

"씨팔놈아, 나 좀 내버려두라고 했잖아. 똥은 내가 싸는데 왜 힘
은 네가 주고 지랄이야?"

"환장하겠네. 좆 같은 새끼야, 백동호에게 도움 받으면 같이 장
사하자고 네가 먼저 제의했잖아."

"……."

해밀턴 호텔 사우나에서 오현종과 곽부혁의 말다툼이 심각해지
고 있을 때, 백동호가 집에 들어가며 우편함을 보니 독자 편지 세
통이 와 있었다. 윤은지 때문에 확인을 잊었던 전화 메시지도 다섯
개나 있었다.

부스럭거리는 소리에 깨어난 윤은지가 백동호의 다리에 손을 얹
으며 말했다.

"아저씨, 어디 갔다와?"

"아는 사람을 만나고 왔다. 더 자."

"응, 나 졸려. 잔다."

다시 잠드는 은지를 깨울까봐 전화 메시지는 확인을 미루고 편

238

지부터 뜯었다.

첫 편지는 백령도에 근무하는 해병 조명훈 하사에게서 온 것이었다. 《대도》를 읽은 감상문은 '필승'이라는 경례로 끝나고 있었다. 두번째 편지는 심옥순이라는 마흔 살의 공무원에게서 온 것이었으며, 세번째 편지가 압권이었다.

백동호 선생님, 안녕하세요.
늦가을 차가운 밤 바람이 창문을 흔들고 있습니다.
선생님의 《대도》 2권 마지막 장을 덮고 소설 속의 한 구절처럼 '바람찬 겨울밤 빈 대추나무를 바라보듯' 우두커니 앉아 있었습니다.
여기는 인천시 동구 만석동 311번지 동일방직 주식회사 기숙사고요, 저는 열여덟 살의 산업체 여고생입니다. 작고 동그란 얼굴에 갸름한 은테 안경을 낀 저는 항상 방글방글 웃고 다녀서 처음 본 사람은 열다섯 중학생으로 생각할 만치 앳되어 보이는 소녀입니다. 이름은 김막래(헤헤, 저는 여지껏 이름 때문에 충분한 놀림을 당했으니까 선생님은 부디 웃지 마세요).
선생님, 제가 드디어 첫사랑을 시작했어요. 상대는 소설 속의 주인공 백동호입니다. 흔히들 첫사랑은 이루어질 수 없다고 하던데 저도 그럴 것 같아요. 하지만 거역할 수 없는 이 감정을 어찌할 바 모르겠어요.
선생님을 사랑해선 안되는 이유를 찾아내려고 애를 써보았습니다. 나이 차이는 아무런 상관이 없더군요. 문제는 선생님의 인생과 사람됨을 과연 제가 사랑해도 되는가 하는 것이었습니다. 세상은 더불어 살아가는 곳인데, 어려운 환경에서 성장했다는 것을 감안하더라도 똑똑하고 말 잘하고 배짱이 있으면 그렇게 세상의 법률과 도덕을 무시하고 자기 마음대로 살아도 되는 것인가.

만약 저의 아버지가 평생을 성실 근면하게 일해서 커다란 공장을 세우셨다고 가정을 하고(참고로 돌아가신 제 아버지는 중학교 교장 선생님입니다) 선생님이 경리과에 침입해서 몽땅 털어갔다면, 그래서 제가 피해자의 입장이 되었다면, 과연 선생님이 이렇게 멋지고 다정하게 느껴질 것인가 생각했습니다.

하지만 저는 지금 여전히 선생님을 사랑합니다. 복잡한 여자 관계를 지닌 바람둥이(죄송)면서도 토끼라는 여자를 끝까지 동생으로 보호하고 지켜주는 선생님이 너무 마음에 들었거든요. 선생님, 제 사랑은 짝사랑으로 그칠 확률이 99.99퍼센트겠지요. 아마도 지금쯤 선생님 곁에는 어느 여인이 있을 걸요? 예전의 실력을 보면요. 그래서 저는 눈물을 머금고 독자의 사랑만을 바치기로 했습니다.

선생님! 선생님을 존경하고 사랑하는 제가 소원하는 것이 있습니다. 들어주실 거죠?

선생님은 어둠의 세계에서 성공(?)하셨던 것처럼 이제 밝은 곳에서 또 한번 성공하셔야 돼요. 아니, 하실 수 있다고 믿어요. 성공을 하시면 힘겹고 절박하게 살아가는 착한 이웃을 찾아내 많이 도와주셨으면 합니다. 법률적 죄값이야 이미 다 치르셨지만 하느님이 보시기에는 아직도 속죄할 것이 남았을 테니까요.

선생님, 그래서 앞으로 20년 뒤 누군가 선생님의 일생을 다시 썼으면 합니다. 그때의 제목은 '대도(大盜)'가 아니라 '대인(大人)'이었으면 합니다. '대인'이 나올 즈음 저는 엉덩이 펑퍼짐한 아줌마가 되어 있겠지만, 멀리서나마 첫사랑 선생님에게 뜨거운 박수를 칠 거예요. 선생님! 너무 주제넘었지요?

하지만 제 어린 소견으로는 선생님의 따뜻한 마음과 뛰어난 능력이 잘못 쓰여진 채 빛을 보지 못하고 말면 너무나 안타까운 일이기에 드리는 말씀입니다. 누가 뭐라고 해도 저는 선생님이 좋은 사람이란 것을 믿어요.

다시 한번 존경과 사랑을 바치며 오늘은 이만 쓸게요. 날씨가 많이 추워졌어요. 감기 조심하세요.

　　　　1994. 11. 1. 《대도》의 마지막장을 덮으며, 김막래 올림


가슴이 뭉클했다. 어린 소녀의 소견이 너무도 깊고 고마웠기 때문이었다. 백동호의 눈가에는 눈물까지 그렁그렁 맺혀 있었다.

'네 마음의 잔을 감격과 감사로 채워라. 그것이 행복의 지름길이다.'

백동호는 가만히 눈을 감았다. 세상 여러분, 그리고 독자님들, 저 열심히 살겠습니다.

백동호가 지난 세월 동안 고마운 사람, 골치 아픈 문제, 자신으로 인해 눈물 흘렸을 피해자를 생각하며 여전히 눈을 감고 있는데 전화벨이 방정맞게 울렸다. 수화기를 드는 그의 목소리는 꽉 잠겨 있었다.

"여보세요."

"동호 형님이세요?"

"네, 그렇습니다만……."

"저 썰두입니다. 이게 얼마 만입니까? 반갑습니다, 정말 반갑습니다. 달렸다는(체포되었다는) 소식을 듣고서도 그 동안 면회 한번 못 갔습니다. 가끔씩 형님 생각을 했으면서도 이미룩 저미룩 하다가 이제서야 인사를 드립니다. 죄송합니다."

"오랜만이구나."

"구의동에서 여관을 하는 진섭이와 통화하다가 형님 얘기가 나왔습니다. 소설을 내셨다면서요? 먹고 사는 데 바쁘다 보니까 이렇게 소식이 깡통입니다."

썰두는 입술이 아프리카 원주민처럼 툭 튀어나와서 '썰면 두 접시'가 될 것이라는 농담이 썰두로 변했다. 그는 옛날에 범죄를 같이 하던 후배이며, 책에도 썰두란 별명이 그대로 등장한다. 백동호는 비로소 양해를 구했다.

"그래, 《대도》라는 제목으로 두 권이다. 너에게 양해도 구하지 않고 그냥 썰두로 등장을 시켰다."

"진섭이에게 들었습니다. 제가 책에 등장하면 영광이지요."

"이해를 해주니 고맙구나."

"애들 소식 모르지요? 휘규는 사당동에서 단란주점을 하구요, 경수 형은 창고(노름방)를 운영하다가 달렸는데 3년 받아서 내년 7월이 만기입니다. 깜상은 맨날 그 타령이고요. 석범이 형이 성공했지요. 종로에서 성인 오락실을 해서 수억 벌었습니다. 벤츠 타고 다녀요. 영덕이는 마포에서 이삿짐 센터를 합니다. 그리고 태수 형이 동호 형님 소식을 몰라 애태우던데 만나보았습니까? 대전에 계실 때 면회도 갔다면서요?"

"모두 자리를 잡았구나."

"그럼요. 10년 아닙니까. 요즘은 1, 2년에 세상이 팍팍 변합니다. 하지만 속 못 차린 놈들은 여전히 그 타령이지요."

"영덕이가 이삿짐 센터를 해?"

"예, 트럭이 몇 대 되는 모양이던데요. 형님 이사하실 일 있으면 영덕이에게 부탁하세요."

"너는 뭐하냐?"

"영등포에서 계집 장사합니다. 얼마 전 미짜(미성년자)를 고용했다가 3천만 원 깨졌습니다. 제 발로 찾아와 사정하는 것을 받아주었더니, 요것들이 짜고 그러는지 며칠 만에 엄마가 형사를 대동하고 와서 씨겁했습니다. 하마터면 달릴 뻔했지요. 다 때려치우고 싶었지만 배운 것이 도둑질이라고, 달리 할 짓도 마땅치 않아서 딱 2년만 더 하기로 했습니다. 깨진 돈도 아깝고, 또 위험한 장사가 많이 남는 거 아니겠습니까. 내 주제에 무얼 해서 한 달에 돈 천만 원씩을 벌겠습니까. 동호 형님, 그런데 언제 우리 한번 모여야지요. 술은 제가 사겠습니다. 대철이가 전국구 건달이 되어서 강남에서 술장사를 하는데 형님하고 같이 가면 반가워할 겁니다. 제 연락처 좀 적어두세요."

"그래, 잠깐 기다려라."

백동호는 몇 사람의 전화번호를 받아 적었다. 썰두는 한참 떠들다가 꼭 연락하라는 당부를 반복하고는 전화를 끊었다.

전화 소리에 깨어난 윤은지가 그의 남근을 만지작거리며 또 한 번의 섹스를 원했지만 머리가 복잡해서 흥이 나지를 않았다. 백동호는 그녀의 손을 부드럽게 밀어냈다.

"아저씨, 왜 그래요? 안색이 좋지 않다."

"아무것도 아니다. 생각할 것이 있어서 그래."

"아! 나 오늘부터 여기서 살고 싶다."

"은지야, 솔직하게 얘기해서 우리는 결혼을 약속하지 않는 조건의 애인이라면 몰라도 동거는 안돼. 그것은 앞으로 더 사귀면서 충분한 시간을 갖고 생각할 문제 아니겠냐?"

"미안해요. 그냥 해본 소리야. 대신 놀러 오는 것은 괜찮지?"

"그럼, 항상 환영이지."

"피이, 알았어요."

윤은지는 욕실로 가서 씻더니 아침 겸 점심을 짓기 시작했다. 그 동안 백동호는 전화 메시지를 들었다.

"동호야, 나 B다. 책 출판 축하한다. 왜 이렇게 통화가 어렵냐? 전화 한번 해라."

"선생님, 오태란입니다. 밑반찬을 동부슈퍼에 맡겨놓았으니 찾아 드세요. 다음에 다시 전화드릴게요."

그 밖에는 오현종, 〈조선일보〉에서 발행하는 여성 잡지 〈필〉의 기자 등에게서 온 것이었다.

백동호는 침대에 벌렁 누워버렸다. 박명길의 문제가 여전히 가슴을 짓누르고 있었다. 오현종도 골치 아팠다. 어찌 보면 별것 아닐 수도 있지만 오현종의 성격을 보아서 쉽게 포기할 것 같지가 않았다. 서울에 오자마자 실미도에 가려던 계획은 당분간 미뤄질 수밖에 없었다.

윤은지가 김치를 썰며 의미심장한 어조로 물었다.

"아저씨, 오태란이 누구인데 밑반찬을 해와요?"

"……."

대답 없이 무언가를 골똘히 생각하던 백동호는 다시 주섬주섬 옷을 입었다.

"어디 가? 밥 다 되었는데요."

"급한 일이 생각나서. 나 컴퓨터 학원 갔다가 사람 만나고 늦게 올 텐데 너는 어떻게 할래?"

"내일 출근이니까 여기 있을게요. 대신 아침 일찍 곤지암까지 태워다 주세요."

백동호는 선선히 태워주겠다는 약속을 하고는 밖으로 나왔다.

남대문 근처의 주차장에 차를 세우고 사설 흥신소를 하는 B의 사무실 근처 커피숍에서 전화를 걸었다. B는 전화를 받자마자 나와주었다.

"형님, 이게 얼마 만입니까?"

"얼굴을 본 지는 10년이 넘었구나. 미안하다. 면회도 한번 못 가보고."

"그래도 제가 사람을 보낼 때마다 많이 도와주셨지 않습니까."

"그거야 내 직업인 걸."

"오래도 하시네. 이제 그만 은퇴하고 슬슬 낚시나 다니세요."

"놀면 뭐하냐, 소일 삼아 나오는 거지. 일은 직원들이 다 하고 나는 바둑이나 둔다. 책은 잘 나가냐?"

"네, 그럭저럭."

"그런데 웬 지팡이냐? 다리를 다친 것 같지는 않은데."

"후후, 역시 형님 눈은 못 속이는군요."

백동호는 부딪힌 난관들을 상세히 설명했다.

"음, 심각하구나."

"그래서 하는 말인데요, 형님이 좀 도와주십시오."

"어떻게?"

"오늘 들어가서 생각을 해보고 구체적인 것을 말씀드릴게요. 아무래도 형님의 힘이 필요한 일들 같습니다. 내일 저녁에 시간 있으세요?"

"나야 항상 있지 뭐."

"그러면 저녁 여섯 시에 여기서 뵙지요. 식사하지 말고 오세요. 오늘은 제가 약속이 있어서 이만 가봐야겠습니다."

커피숍을 나온 백동호는 컴퓨터 학원으로 갔지만 저녁때 오현종을 만나 또 무슨 말을 할 것인가. 도통 공부가 되지 않았다.

한편 박명길은 정처없이 봉고를 몰았다. 뚝섬 한강시민공원 입구에 정차한 그는 도대체 어떻게 해야 백동호를 후련하게 해치울 수 있을까 생각했다. 놈의 불행은 나의 행복, 우선 전화로나마 괴롭혀주고 싶었다.

그는 담배를 피워물며 공중전화 박스로 향했다.

"여보세요?"

"네."

"거기 백동호네 집 아닙니까?"

"맞는데요."

"백동호 좀 바꿔주세요."

"지금 나가고 안 계시는데요. 저녁 늦게나 오신다고 했습니다. 누구시라고 전할까요?"

"전화 받는 사람은 누구요?"

"저는 여자친구인데요."

"지금 같이 동거하고 있습니까?"

"아닙니다."

"이 씨팔년아, 가랑이를 찢어버리기 전에 그 새끼 만나지 마."

"여보세요, 무슨 말을 그렇게 하세요?"

"농담 아니다. 만약 그 새끼 만나는 것 내 눈에 걸리면 뒤따라가서 면도칼로 얼굴을 난자질할 테니까 알아서 해."

전화를 끊은 박명길은 어디로 갈까 생각했다. 돈이 떨어져 가고 있었던 것이다.

해밀턴 호텔 커피숍에는 오현종과 곽부혁이 미리 와 있었다. 백동호는 의자에 털썩 주저앉으며 밝은 목소리로 말했다.

"차 시켰냐?"

"예, 우리는 먼저 마셨습니다."

백동호는 커피를 시켰다. 그러나 커피를 마시고 담배를 피워도 그들은 말이 없었다. 백동호도 가만히 있었다. 납덩이처럼 무거운 침묵이 끝없이 흘렀다. 목마른 놈이 샘 파고, 성질 급한 놈이 술값 먼저 낸다던가. 참다 못한 곽부혁이 입을 열고야 말았다.

"보소, 백동호 씨. 현종이가 하도 칭찬을 해서 잔뜩 기대를 했는 데 당신 형편없는 사람이네."

"……."

"사람이 어떻게 그럴 수가 있는 거야? 소설을 손으로 썼는지 똥 구멍으로 썼는지는 몰라도 먼저 인간이 돼야지. 왜 내가 틀린 말 했소?"

"쩝……."

"니기미 씨팔. 말이 좆 같나, 사람이 좆 같나. 왜 반응이 없어?"

"……."

백동호는 꽁초의 불을 새 담배에 옮겨 붙이며 냉정한 목소리로 말했다.

"현종아, 너는 차마 내게 대들지 못하겠으니 이 자식에게 시켰 냐? 앞으로 나를 만날 때 한 번만 더 이런 분위기 만들면 둘 다 용서하지 않는다."

"형님, 그게 아닙니다."

오현종의 변명이 끝나기도 전 곽부혁이 냉큼 말을 받았다.

"씨팔놈, 이 판국에 형님은 무슨 얼어죽을 형님이야?"

백동호는 텅스텐 지팡이를 잡은 손에 힘을 주고 있었다. 이 자식 을 두들겨 패도 고발은 못할 것이다.

"어이, 깔창이라고 했나? 입 냄새 풍기지 말고 다무는 것이 어때?"

"뭐라구?"

"자크 채우라고, 이 자식아!"

말대답을 잘못하면 텅스텐 지팡이가 금방이라도 춤을 출 것 같은 분위기였다. 어찌 된 일인지 곽부혁은 노려만 볼 뿐 더 이상 말을 하지 않았다. 백동호는 커피값이 적힌 쪽지를 들고 조용히 일어나서 계산대로 걸음을 옮겼다.

집으로 돌아가는 백동호의 얼굴은 무표정했지만 머릿속은 헝클어진 실타래 같았다. 노상 주차장에 차를 세우며 혹시 봉고가 있는가 살폈다. 골목을 들어가면서는 박명길이 튀어나올까봐 바짝 긴장을 해야 했다. 집에 들어가 보니 윤은지는 없고 책상 위에 편지 한 장이 놓여 있었다.

아저씨! 두려움을 이기지 못하고 떠납니다. 어떤 남자에게 전화가 왔는데, 죽여버리기 전에 다시는 아저씨를 만나지 말라며 온갖 욕설을 하더군요. 살기 찬 목소리는 장난이 아니었어요. 아저씨를 다시 만날 용기가 나지 않아요. 건강하시고 몸조심하세요.

　　　　　　　　　　　　　　　　　　　　　　　　윤은지 올림

10년 만에 여자 맛(?)을 보여준 은지는 그렇게 떠났다. 놓친 버스와 여자는 다시 온다지만 백동호는 서운함과 미안함에 가슴이 저려왔다.

이 자식은 앞으로 내가 만나는 여자마다 훼방을 놓겠지……

담배는 수심을 쓸어버리는 빗자루라던가. 그러나 백동호의 원룸

엔 자욱한 담배 연기만큼이나 혼탁한 수심이 너울너울 춤을 추고 있었다.

백동호는 새벽녘에 겨우 잠이 들었으나 교도소의 기상 시간인 아침 일곱 시에 깨어났다. 샤워를 한 뒤 신문을 보고 있는데 전화가 왔다. 오현종이었다. 뜻밖에도 그의 목소리는 풀이 팍 죽어 있었다.

"형님, 어제 일 죄송합니다."

"…… 만나서 얘기하자."

"저, 지금 근처에 와 있습니다."

"그럼 이리로 와라. 내 집은 어디인지 알지?"

잠시 후 초인종 소리가 났다. 백동호는 지팡이를 들고 문을 열었다. 오현종이었다.

"들어와."

"예."

그들은 조금 어색한 표정으로 소파에 나란히 앉았다.

"아침은 먹었냐?"

"괜찮습니다. 형님, 말씀드리고 싶은 것이 있습니다."

"해봐."

"저 어제 한숨도 못 자고 생각했습니다. 우리가 함께 지낸 것은 몇 년 안되지만 만남은 20년이 넘고, 저는 형님을 알 만치 알고 있다고 생각합니다. 23년 전 충주 소년원에서 처음 모실 때부터 지금까지, 형님은 제가 세상에서 존경하는 단 한 사람이십니다. 제가 형님에게 꾸적꾸적하게 엉기거나 어설픈 공갈 협박을 해봐야 원하는 것을 얻어내지 못한다는 사실도 잘 알고 있습니다. 형님이 오해를 하셔도 할 수 없지만, 어제 곽부혁의 무례한 행동은 정말 제가 시켰던 것이 아니라는 걸 말씀드리고 싶습니다. 녀석이 그렇게 하는데 말리지 않고 구경만 한 것은 무어라 변명할 말이 없습니다."

"네 심정은 이해한다."

"형님이 마음 잡고 사시는 데 저도 동참을 시켜주십시오."

"왜 하루 만에 마음이 바뀌었냐?"

"살아갈 길이 없습니다. 저도 이제 곧 마흔 살이 되는데 예전에 하던 좀도둑질로는 또 교도소에 가기 십상이고, 형님에게 한 수 가르침을 받기도 가망 없으니 죽고 싶을 뿐입니다."

"……."

"나무는 큰 나무 덕을 못 봐도 사람은 큰 사람 덕을 본다고 안합디까? 무얼 하든 제가 또 교도소에 가지만 않도록 도와주십시오."

"…… 현종아, 몸으로 때울 각오만 되어 있다면 정당한 방법으로 자립할 수 있도록 내가 도와주겠다. 지금 어디 갈 데 있냐?"

"없습니다."

"곽부혁하고는 어떻게 하기로 했어?"

"어제 싸우고 헤어졌습니다."

"그럼 집에서 비디오나 보고 있어라. 나는 사람을 만나고 올게. 혹시라도 어제 네가 보았던 박명길이란 놈을 만날지 모르니까 주의해라. 명심할 것은 놈이 너에게 시비를 걸지 않는 한 절대로 네가 먼저 말을 걸지 마라."

"그 자식은 형님께 무슨 원한이 있는 것입니까?"

"자세한 것은 이따 얘기해주마."

오현종을 남겨두고 집을 나선 백동호는 남대문으로 차를 몰았다. B에게 몇 가지를 부탁하기 위해서였다.

제법 밤이 이슥해서 노상 주차장에 차를 세운 백동호는 매우 경계를 하며 집을 향했지만 박명길은 보이지 않았다. 오현종은 그때까지 안 자고 기다리고 있었다.

"형님, 이제 오십니까?"

"그래. 왜 안 잤니?"

"잠이 와야지요. 그런데 봉고 그놈은 뭡니까? 하루 종일 궁금하던데요."

백동호는 박명길과의 긴 악연을 얘기해주었다. 다 듣고 난 오현종이 담배를 피워물며 말했다.

"그 정도라면 말로 타일러서 돌아설 상대가 아닌 것 같습니다. 형님, 제가 손을 봐줄까요?"

백동호가 TV 채널을 돌리며 가볍게 대답했다.

"놔둬라. 아예 죽이지 않을 거면 문제가 더 복잡해진다. 지금 나도 놈을 어떻게 할까 연구중이니 곧 해결책이 나오겠지."

그러나 백동호도 별 뾰족한 수가 없는 표정이었다. 오현종이 말머리를 돌렸다.

"그런데 웬 생활 정보지는 이렇게 잔뜩 가져오셨습니까?"

"너 운전면허 일종보통이지?"

"네."

"네가 할일을 찾아보려고 가져왔다. 피곤하다. 자자."

"먼저 주무십시오. 저는 낮잠을 많이 잤더니……."

백동호의 숨소리가 어느새 낮아지고 있었다.

다음날 아침 식사를 마친 백동호는 오현종이 설거지를 하는 동안 전화를 걸었다.

"여보세요, 이삿짐 센터지요? 사장님 좀 부탁합니다. 영덕이냐? 오랜만이다. 나 백동호다. 그래, 너도 잘 지냈냐? 소문에 듣자니까 너 재미가 쏠쏠하다며? 임마, 알았어. 한번 만나야지. 그건 그렇고 뭐 하나 물어보자. 영업용 1톤 트럭 값이 얼마나 하냐? 1천3백에서 8백? 왜 그렇게 범위가 넓어? 음, 차량 상태에 따라서 다르다고. 그럼 한 달 단위로 빌리는 것은? 야 임마, 영업용 택시도 이교대로 한 달에 70만 원이면 된다더라. 그래, 둘이 합치면 140이지. 어때, 한 달에 50 줄게 1톤짜리 몇 달만 빌리자. 아니, 내가 잘 아는 동생 일 좀 시키려고. 알았어, 내가 책임질게. 이번주 일요일부터 빌리는 것으로 하고 돈은 오늘 갖다 주마. 거기 위치가 어디냐? 아아, 그래? 나, 임마 요즈음 그 옆의 컴퓨터 학원 다니고 있잖아. 오후 두 시에 가면 되냐? 알았다. 이따가 보자."

전화를 끊은 백동호는 생활정보지를 펼쳐들고 밑줄을 하나씩 그어가며 전화를 시작했다. 영업용 1톤 트럭으로 이사가 가능한 방 한 칸짜리 광고만 골라서 거는 전화였다.

"여보세요. 〈벼룩시장〉 보고 전화 드리는 겁니다. 방 나갔습니까? 네, 여기는 이삿짐 센터입니다. 아직 어느 곳을 정하지 않으셨으면 저의 가게를 이용해주셨으면 해서요. 이삿짐 센터는 조금씩 가격 차이가 나지요. 몇 군데 전화를 걸어보시고, 제일 싼 곳과 똑같은 가격으로 해드리겠습니다. 그런데 저를 이용해주시면 보너스가 있습니다. 첫째는 지금 서점에서 잘 팔리고 있는 소설 두 권을 저자가 직접 사인해서 무료로 드리고요. 네? 아, 사실은 제가 소설가입니다. 이름이오? 유명한 사람은 아니라서 책을 받기 전에는 잘 모르실 겁니다. 동생이 개인용달을 하는데 워낙 불경기라서 제가 판촉 활동에 나섰습니다. 그리고 두번째 보너스는 이삿짐을 소중하게 다루겠다는 약속입니다. 네, 그렇지요. 웃돈이나 수고비는 절대로 받지 않겠습니다. 아이고, 감사합니다. 이사 예정일과 번지를 좀 불러주십시오. 네, 이사 가시기 전 책을 들고 동생이 한번 찾아갈 것입니다. 안녕히 계세요."

　백동호는 세 시간 만에 열두 건의 예약을 받았다. 남들은 하루 한 탕도 뛰기 어려울 텐데 시간만 잘 조정하면 하루에 네다섯 탕은 너끈할 것 같았다. 더구나 방 한 칸짜리 이삿짐을 이런 식으로 판촉하는 사람이 없으니 당분간은 재미를 볼 수 있을 것이었다.

## 실미도 잠행

　서부이촌동에 하숙을 정한 오현종은 이삿짐 예약한 사람을 찾아
다니며 《대도》와 남대문 시장에서 싸게 구입한 돼지 저금통을 전
하고, 이사 갈 코스를 미리 점검하는 등 신바람이 나서 돌아다녔다.
　백동호는 실미도 사건에 대한 자료 조사를 위해서 매일 국회도
서관으로 출근을 했다. 박명길 문제를 해결하지 못한 찜찜함이 가
슴속에 먹장 구름으로 남아 있었지만, 그럭저럭 평온한 나날이었
다.

　박명길은 밤 늦은 시간에 백동호의 집 근처 노상 주차장에 차를
세웠다. 창문에는 불이 켜져 있었다. 화장실에 가는 것일까. 책상
앞에 앉아 있던 백동호의 그림자가 창문에 어른거렸다. 도대체 어
떻게 해야 저 괴물 같은 놈을 통쾌하게 해치워버릴 수가 있을까?
새삼 분노와 오기가 들끓었다.

박명길은 생활비 마련을 위해서 지난 며칠 동안 절도와 강도 행
각을 벌이며 돌아다니는 동안에도 백동호 생각을 한시도 잊은 적
이 없었다. 상황을 보니 과거와 달리 내가 해치지 않는 한 놈이 먼
저 공격하지는 않을 것이다. 서둘러서 실수를 하면 안된다. 천천히
괴롭히며 즐기다가 결정적으로 기회가 오면 단숨에 요절을 내자,
그런 결론을 내렸다.

박명길은 봉고에서 내려 백동호의 집을 한 바퀴 돌고는 주차장
으로 돌아왔다. 저만큼 앞에 세워진 백동호의 승용차가 보였다. 그
래, 이 새끼야. 내일 아침에 열 좀 받아봐라.

박명길은 어두운 밤거리, 드문 행인의 눈치를 살피며 백동호의
승용차 옆구리에 주머니칼 끝을 갖다 댔다. 그리고 손목에 힘을 잔
뜩 준 채 긁으며 앞으로 걸었다.

마치 꼴 보기 싫은 백동호의 얼굴을 면도칼로 찌익 그어버리는
듯한 쾌감이 온몸을 훑고 지나갔다. 보닛을 열십자로, 반대쪽 옆구
리도 사정없이 긁었다. 내친김에 전조등과 백미러도 발로 차서 깨
뜨려버렸다.

출고한 지 한 달 남짓한 새 차는 순식간에 상처투성이의 패잔병
처럼 참혹하게 변해버렸다. 박명길은 회심의 미소를 지으며 봉고
로 돌아가 화물칸에 몸을 눕혔다.


백동호는 도서관을 가려고 이른 아침에 집을 나섰다. 노상 주차
장의 자동차를 무심코 바라보던 그는 가슴이 덜컥 내려앉아 허둥
지둥 달려가 살폈다. 자동차는 참혹하게 부서져 있었다. 그는 똥
씹은 얼굴로 주위를 둘러보았다. 주차장 저 끝에 세워진 박명길의
봉고 3밴이 보였다.

이 나쁜 새끼, 백동호는 얼굴을 붉히며 잰걸음으로 다가갔다. 박명길은 화물칸에서 태평스레 잠을 자고 있었다. 백동호는 지팡이로 뒤 유리문을 두드리며 소리쳤다.

"야, 박명길! 일어나, 임마. 일어나라니까."

몇 번이나 불러도 대답이 없다가 차를 흔들흔들하자 박명길은 겨우 몸을 일으키며 말했다.

"누구야?"

"이 새끼야! 남의 자동차를 저 꼴로 만들어놓고서 네가 애 밴 나를 어쩔래, 배짱 부리는 거야 뭐야?"

"무슨 자동차?"

"이 자식을 그냥! 너 이리 나와."

"내가 그랬다는 증거 있냐?"

"네가 안 그러면 누가 그랬겠어, 임마."

"넘겨짚기 능사로 하다가 팔 부러진다. 증거 있으면 경찰에 고발하고 없으면 꺼져, 이 새끼야."

아닌게아니라 더 이상 말싸움을 해보았자 소득도 없이 속만 상할 일이었다. 백동호는 혼자 씩씩대다가 말없이 자동차로 돌아갔다. 형편 무인지경의 자동차에 올라앉으니 새 옷을 발기발기 찢어서 입은 기분이었다.

그는 도서관을 포기하고 파출소로 향했다. 파출소에는 젊은 순경 혼자만 자리를 지키고 있었다.

"어떻게 오셨습니까?"

"아침에 나와보니 누군가 자동차를 쇠붙이로 긁어놓았습니다. '확인서'가 필요해서요."

"그것이 왜 필요합니까?"

"보험처리를 하려고요."

"어! 그런 경우도 보험에서 고쳐주나요? 내 차도 누군가 못으로 긁어서 그냥 타고 다니는데?"

"그럼요. 노상이라도 흰 선이 그어진 주차 공간에 정당하게 세워진 것을 누군가 훼손했다면 보험 할증료가 붙지 않고 처리되고요, 불법 주차된 것이라면 할증료가 붙어서 처리됩니다."

백동호는 자동차 훼손의 몇 가지 보험 상식에 관한 대화를 나누고는 '보유불명 확인서'를 받아 나왔다. 박명길의 성격으로 보아 앞으로 몇 번이나 더 정비공장을 가야 할지 모르는 일이었지만, 그래도 자동차는 고쳐야 했던 것이다.

박명길은 틈만 나면 노상 주차장에 차를 세워두고 있었다. 백동호가 몇 번 차 문을 두드려가며 좋은 말로 달랬지만 씨가 먹힐 리 없었다. 오다가다 놈의 봉고를 발견하면 탄식이 절로 나왔다. 정말 패 죽일 수도, 그냥 두고 볼 수도 없는 골칫덩어리였다. 걱정한 대로 자동차는 세 번이나 더 정비공장을 다녀와야 했다.

피를 말리는 신경전은 전화도 있었다. 벨이 울려서 받으면 한마디 말도 없이 짐승의 숨소리 같은 침묵. 화를 내고 끊으면 또 다시 걸려왔다.

"야, 임마. 박명길, 자꾸 전화질할 거야?"

"후후, 백동호. 곧 죽여줄 테니 기다려라. 어둠 속에서 너를 찌른 뒤 꼭 간을 꺼내 씹어 먹겠다."

"열 번 벼르지 말고 한 번 치라고 하더라. 자신있으면 지금이라도 와봐, 임마."

"나는 좀더 천천히 가고 싶은데?"

그렇게 전화가 끊기면 울화통이 치밀어오른 백동호는 주먹을 쥐었다 폈다 하며 방안을 서성였다. 흥분하지 말자. 놈이 원하는 것은 내가 전화를 받고 분에 못 이겨 날뛰거나 겁에 질리는 것이다. 이 새끼, 언제든 내게 걸려들기만 해라. 용서하지 않겠다. 백동호는 이를 갈았다.

　하지만 빈총도 안 맞는 것만 못하더라고, 문 밖을 나설 때마다 긴장으로 피가 마르는 것 같았다.


　암회색으로 낮게 드리워진 하늘에서 어둠과 함께 부슬부슬 빗방울이 내리고 있었다.

　도서관에서 돌아오는 백동호는 그날 따라 유독 기분이 착잡했다. 오늘도 박명길의 습격을 경계하며 집으로 들어가야 한다는 사실이 못 견디게 싫었다. 이대로 어디론가 영원히 떠나서 다시는 돌아오지 않고 싶었다. 백동호는 반포대교 밑에서 차를 돌려 한강 시민공원으로 향했다.

　평소에도 그랬지만 쌀쌀한 날씨에 비까지 내려서인지 반포대교 북단 한강 둑은 더욱 인적이 없었다. 강물은 '네 고민 난 모른다'며 도도히 흐르는데, 백동호는 우산도 없이 우두커니 서서 비를 맞았다. 다시 시작하는 내 인생은 그저 마음 편히 살려는 작은 욕심뿐이다. 도대체 언제까지 이렇게 살아야 한다는 말이냐, 목청이 터져라 소리 지르며 강물에 뛰어들고 싶었다.

　갑자기 뒤에서 급브레이크를 밟는 소리가 들렸다. 백동호는 반사적으로 지팡이를 움켜쥐며 고개를 돌렸다. 은회색 쏘나타가 저만큼 앞에서 급정거를 하고 있었다. 한 사내가 내리더니 조수석 문을 거칠게 열었고, 머리채를 휘어잡힌 채 끌려나오는 젊은 여자의 비명이 허공에 흩어졌다.

"아아악!"

"이리 와, 이 개 같은 년아."

마치 여자를 강물에 던져버릴 것같이 살기등등한 기세였다. 사내는 끌려가지 않으려는 여자를 인정사정 없이 차고 때렸다. 무엇 때문에 저러는 것일까.

백동호는 남의 일에 참견할 기분이 아니어서 다시 고개를 돌렸다. 강 건너편 올림픽 대로에는 누구든지 앞을 가로막으면 용서치 않겠다는 듯 자동차들이 씽씽 달렸고, 바람이 우웅우웅 울며 강물을 거슬러 올라가고 있었다.

뒤에서 여자의 비명이 더욱 자지러들었다. 가뜩이나 심란한데 사내의 무자비한 구타가 알미늄 냄비를 긁는 수저 소리처럼 점점 신경에 거슬렸다.

백동호는 저도 모르게 다가갔다. 사내는 낯선 사람이 접근해도 아랑곳없이 매질을 계속하고 있었다. 나이는 둘 다 이십대 후반으로 보였다. 쓰러진 여자의 몸은 흙투성이였다. 머리와 얼굴에서는 피가 흐르고 있었다.

"이년아, 도망가면 내가 못 찾을 줄 알았냐?"

사내가 배를 걷어찼다. 여자는 속수무책으로 신음을 흘렸다. 묵묵히 바라보던 백동호가 기어코 끼어들고 말았다.

"여보시오, 거 너무하지 않소?"

"상관 말고 가. 부부싸움은 경찰도 관여를 못하는 거니까."

부부라는 말에 백동호는 머쓱해졌다. 참견을 하기도, 그렇다고 그냥 돌아서기도 껄쩍지근했다. 그때 여자가 백동호를 보며 숨넘어가는 소리로 말했다.

"아저씨, 나 좀 살려주세요."

"……."

"우리 부부 아니에요. 살려주세요."

사내의 매질이 더욱 광기를 띠어갔다. 그는 쓰러진 여자의 옆구리를 무자비하게 내지르며 말했다.

"이년아, 3년을 한이불 덮고 살았는데 뭐? 부부가 아니라고?"

짧은 시간이었지만 얼마나 악을 품고 때렸던지 거친 숨을 몰아쉬던 사내가 제법 큰 돌멩이를 주워들었다. 공포에 질린 여자가 두 손으로 얼굴을 가렸다.

사내가 치켜든 돌멩이를 내려찍으려는 순간, 백동호가 몸을 날리며 떠밀어버렸다. 엉덩방아를 찧은 사내가 눈구석에 쌍가래톳을 세우며 일어났다.

"씨팔놈아, 왜 참견이야?"

백동호는 와락 달려드는 사내를 피해 살짝 주저앉으며 발목을 걸어찼다. 사내가 다시 꽈당 넘어졌다. 백동호는 일어서려는 사내의 배를 걸어찬 뒤 가슴을 발로 밟았다. 그리고 지팡이로 목을 지그시 누르며 말했다.

"이 상태로 조금만 더 힘을 주면 지팡이가 네 목을 꿰뚫을 걸."

백동호는 지팡이를 정말로 눌러버리고 싶은 충동에 몸을 떨었다. 훗날 생각해보면 그 순간의 살의는 사내에게 향한 것이 아니라 멀리 있는 박명길을 향한 분노였다. 백동호의 단호하고 살벌한 태도에 사내는 겁 질려 목소리가 떨려나왔다.

"왜, 왜 이러는 거요?"

"너희가 부부인지 아닌지는 몰라도 나는 일단 아니라는 여자의 말을 믿기로 했고, 눈앞에서 살인이 벌어질 것 같아서 그것을 막고 있는 거다. 내가 가고 나면 신고를 하든지 말든지 마음대로 하되 지금은 여자를 데려가겠다."

자고로 여자에게 잔인한 놈 치고 남자끼리의 대결에서 당찬 놈은 없는 것, 더구나 이런 상황에서 사내는 백동호의 상대가 아니었다. 사내는 얼음판 위에 나자빠진 황소처럼 멀뚱멀뚱한 눈으로 쳐다볼 뿐 반항은 엄두도 내지 못했다. 백동호가 지팡이를 거두며 쐐기를 박았다.

"따라오지 말아라. 그러면 나는 이 여자의 생명을 보호하기 위해서 네 팔다리를 부러뜨릴지 모른다."

백동호는 신음하는 여자를 부축해서 자신의 승용차에 태웠다. 비 때문에 유리창에 김이 잔뜩 서려 있었지만 머뭇거리고 싶지 않아서 그냥 출발했다.

자동차가 큰길에 들어서도 사내의 쏘나타는 따라오는 기색이 없었다. 창문을 조금 연 백동호가 담뱃불을 붙이며 말했다.

"아주머니, 아까 그 남자 남편 맞아요?"

"…… 혼인신고는 안되어 있지만 동거를 했어요."

"그런데 왜……?"

"하도 때려서 제가 얼마 전부터 헤어지자고 했더니……."

"전에도 이렇게 구타를 했나봐요?"

"장 파열로 진단이 팔주가 나와 병원에서 나온 지 얼마 안돼요."

"팔주?"

팔주라면 구타가 아니라 살인미수 수준이었다. 여자는 남편을 잘못 만나면 죽 세 끼에 매 세 끼라더니 정말 그런 것 같았다. 백동호는 용산역 근처의 중대 부속병원 주차장에 차를 세웠다.

"우선 치료부터 받읍시다."

"아저씨, 치료는 필요 없어요."

"왜요? 많이 다치셨는데."

"부끄러운 얘기지만 하도 맞아서 이 정도는 아무렇지도 않게 참을 수 있어요."

"…… 그럼 어떻게 할까요?"

"죄송하지만 저를 아무 여관에나 데려다 주세요. 그리고 돈이 없는데 여관비를 빌려주시면 꼭 갚아드릴게요. 지금 집으로 돌아가면 그 사람이 기다리고 있을 것 같아서 무서워 그래요."

"……."

백동호는 아무 말 없이 중대 병원을 나왔다.

다시 반포대교 밑을 지나 집 근처의 잠수장 여관에 여자를 눕힌 뒤, 약국에서 거즈와 머큐로크롬, 연고, 파스 등을 사가지고 다시 갔다. 여자는 끙끙 신음을 하다가 백동호가 들어서자 몸을 일으켰다.

"일어나지 마세요."

"초면에 너무 실례가 많아요. 죄송하고요."

"괜찮습니다. 친정 오빠처럼 편하게 대하세요."

백동호는 여자의 머리를 허벅지에 눕히고 찢겨진 이마를 정성껏 소독했다. 옆구리와 허벅지는 혼자 붙이라며 파스를 건네주었다.

"저는 내일 아침에 다시 올 테니 쉬세요. 이것은 제 전화번호입니다. 오늘 밤에라도 많이 아프거나 잠이 오지 않으면 연락하세요. 말동무하러 올게요."

과부가 제 설움에 운다더니, 여자는 제 신세가 서러워서인지 하염없이 눈물을 흘리고 있었다.

백동호는 착잡한 얼굴로 여관을 나왔다. 그리고 그 경황에도 박명길의 자동차가 어디 있는가 살폈다. 오늘은 보이지 않았다. 비디오 가게에 들른 그는 새로 나온 프로를 살폈다.

같은 시간, 박명길은 골목에 자동차를 세워두고 있었다. 백동호는 좀처럼 돌아오지 않았다. 세상에서 가장 괴로운 일이 사람을 증오하는 것. 놈을 생각할 때마다 분노로 몸을 떨 것이 아니라 오늘은 아예 깔아버릴 작정으로 승용차를 훔쳐서 기다리는 중이었다. 어둠의 골목에 비까지 내리고 있으니 일을 벌이기에는 안성맞춤이었다.

백동호는 〈미저리〉와 〈용서받지 못한 자〉를 빌려 들고 비디오 가게를 나와 주위를 살피며 걸었다. 아까 박명길의 봉고가 있는지 둘러보았지만, 그래도 혹시 어느 곳에 숨어서 습격을 노리고 있을지 몰라서 경계를 늦출 수가 없었던 것이다. 반듯한 골목 안에는 주차된 승용차 한 대뿐 인적이 전혀 없었다.

이 새끼, 드디어 나타났구나!

박명길은 이를 뿌드득 갈며 시동을 걸었다. 목격자가 있을 리 없다. 자동차도 훔친 것이다. 설령 저 자식이 뒈져서 내가 용의자로 검거되어도 오리발을 잘 내밀면 무죄다. 박명길은 자동차를 부앙, 급출발했다.

백동호는 갑자기 앞에서 헤드라이트조차 켜지 않고 달려오는 자동차를 발견했다. 너무나 당황해서 엉거주춤하는 동안 자동차는 코앞까지 와 있었다. 백동호는 엉겁결에 옆의 담벼락을 잡고 껑충 몸을 피했다. 자동차는 아슬아슬하게 그의 발을 스치고 지나갔다.

담벼락에서 내려서니 식은땀이 흘렀다. 박명길 이 새끼! 마음 같아서는 뒤쫓아가서 요절을 내고 싶었다. 하지만 이미 멀리 갔을 것이었다. 빗물에 젖은 비디오 테이프, 지팡이, 우산을 주워들고 계단을 오르려니 다리가 후들거렸다.

현관문을 여는데 전화벨이 울리고 있었다. 놈이 벌써 전화를? 받을까 말까 딸막딸막하던 손이 결국 수화기를 들었다.

"여보세요."

"형님, 저 현종입니다."

"그래, 잘 지냈냐?"

"예, 오늘 아침에 첫 이삿짐을 날랐습니다. 그래서 제일 먼저 형님에게 알려드리려고요."

"축하한다. 열심히 해라. 일꾼이 필요할 때면 전화해. 내가 가서 도와주마."

"어떻게 감히 형님을 일꾼으로 씁니까?"

"임마, 나 소설이 안 팔렸으면 포장마차하려고 했다."

"잘 팔렸잖아요. 그런데 요즘 박명길인가 하는 놈에게 전화는 안 옵니까?"

"왜 아니냐? 그러지 않아도 나 오늘 밥숟갈 놓을 뻔했다."

백동호는 조금 전에 있었던 박명길의 습격과 한강에서 여자를 구해주었던 일을 얘기했다.

"형님, 지금 그리로 가겠습니다. 놈을 어떻게 처리할 것인지 상의도 할 겸, 제가 평생 처음 정당하게 번 돈으로 소주 한잔 대접하겠습니다."

"그러자. 나도 잠이 올 것 같지 않다."

잠시 후 오현종은 소주와 오징어를 사들고 왔다.

술이 두어 잔 돌았고 화제는 주로 박명길이었다. '형님은 모른 척하십시오. 모든 것은 제가 알아서 처리하겠습니다' 하는 것이 오현종의 일관된 주장이었고, 백동호는 자신이 알아서 하겠다는 대답의 반복이었다. 그러다 한강에서 만난 여자 얘기가 나오자 오현종이 정색을 하고 말했다.

"그래서 그 여자가 지금 여관에 있다는 겁니까?"

"요 앞 잠수장에."

"괜한 참견을 하신 것 같습니다."

"그런 상황에서 어떻게 못 본 척하냐?"

"자고로 사내는 부모 죽인 원수는 잊어도 제 계집 뺏어간 놈은 못 잊는다는 말도 있지 않습니까? 박명길의 문제도 해결을 못하고 쩔쩔매면서 또 골칫덩어리를 만들다니요."

"내 팔자가 그런 모양이다. 하지만 그 자식은 여자를 빼앗긴 것이 아니다. 여자가 싫어서 도망을 다니는 거지. 그리고 나는 그 여자를 애인 삼을 마음도 없다."

"예뻐요?"

"수수해. 나이는 이십대 후반이고, 착해 보이더라. 끼가 있는 것은 아니지만 아마도 유흥가 생활을 했을 거다. 치료를 해주는데 낯선 남자를 대하는 자세가 아주 자연스럽더군."

"정말 여자로서 형님이 관심을 두지 않는 거지요?"

"그렇다니까. 내 스타일도 아니고, 또 나는 당분간 여자를 사귈 입장이 못된다. 박명길 자식이 여자에게 나를 만나면 죽이겠다며 협박을 해대거든. 얼마 전에도 그렇게 해서 하나가 떠나갔다."

"그렇다면 저에게 소개를 좀 시켜주십시오."

"하하하, 임마, 너는 방금 남의 여자를 뺏으면 원수가 된다고 했잖아."

"저는 형님과 입장이 다르지요. 괜찮습니다. 더구나 그 여자는 동거하던 남자로부터 보호해줄 사람이 필요할 것 아닙니까? 제가 직접 나서지 않아도 그까짓 놈 하나 처리하는 것은 수박에 박치기죠 뭐."

"정식 소개는 그렇고, 내일 아침에 밥이나 같이 먹자. 그 다음은 너의 수단에 맡기되 절대로 싫다는 것을 끈적끈적하게 굴면 안된다."

"알겠습니다."

그때 전화벨이 울렸다. 백동호는 혹시 박명길이 아닐까 싶어서 짜증나는 표정으로 수화기를 들었다.

"여보세요."

"지금 주무시고 계셨나요?"

잠수장 여관에 있는 여자의 목소리였다.

"아닙니다. 후배와 술을 마시고 있습니다. 왜, 어디 아프세요?"

"아니오. 잠이 안 와서 망설이다가 용기를 냈어요. 저랑 술 한잔 하지 않을래요?"

"그러면 제가 지금 모시러 갈게요. 우리집에서 한잔합시다."

전화를 끊은 백동호는 잠수장 여관으로 향했다. 함께 동행하는 오현종의 얼굴에 벙싯벙싯 웃음이 피어오르고 있었다.

잠시 후 백동호의 원룸에는 술상이 다시 차려졌다. 여자의 이름은 한은미, 고향은 강릉. 스물한 살 때 서울에 올라와서 다방 생활을 하던 중 지금의 남자가 거의 스토킹 수준으로 집요하게 구애를 해서 동거를 시작했다고 한다.

처음에는 간이라도 빼줄 것처럼 잘하던 남자가, 정비 공장 동료들과 집들이를 하는 자리에서 웃으며 농담을 했다는 이유로 엄청 화를 내며 때리더라는 것이다. 그 뒤로 의처증은 말도 못하게 심해졌다. 전화를 삼십 초내로 받지 않거나 시장에 갔다 조금만 늦게

오면 몽둥이로 마구 때리며 누구를 만나고 오냐고 다그쳤다. 그래서 두 번이나 도망을 쳤는데, 그때마다 잡혀서 입원을 할 정도로 매를 맞았다는 것이다.

한은미의 넋두리가 끝난 뒤 오현종이 호쾌하게 말했다.

"은미씨, 이 술 한잔 드시고 앞으로는 걱정하지 마세요. 제가 지켜 드리겠습니다."

"정말 그 남자의 손아귀에서 벗어날 수만 있다면 무슨 짓이라도 하겠어요."

백동호는 죽이 척척 맞아 돌아가는 두 사람을 미소로 바라보았다.

새벽 두 시가 넘어서야 한은미는 여관으로, 오현종은 하숙집으로 돌아갔다. 백동호는 이런 생각 저런 생각으로 잠을 못 이루며 뒤척였다. 전화벨이 울린 것은 새벽 세 시가 거의 다 되어서였다. 그 시간에 전화할 사람은 박명길밖에 없었다.

"여보세요."

"백동호, 안 자고 있었나보지?"

"…… 너 이 자식! 살인미수로 고발한다."

"후후, 무슨 증거로? 나는 절대로 너를 죽이거나 해치려는 마음이 없다."

"그러면 어젯밤 나를 치어버리려고 달려든 것은 뭐야, 임마."

"오해를 했나보다. 오늘은 날씨가 좋지 않아서 난 하루 종일 잠만 잤다. 물론 너의 집 근처에는 가지도 않았고. 아마 다른 사람이 너에게 원한이 있었던 모양이지."

"……."

"누가 그랬을까 잘 생각해봐. 나는 절대로 아니니까. 너에게 기쁜 소식을 하나 전하려 했는데 느닷없이 살인미수라니 서운하다."

"⋯⋯."

"앞으로 한 달 동안 네게 모습을 보이지 않고 전화도 걸지 않겠다. 후후, 사실은 그 동안 여행을 하려고 하거든. 나도 여자가 생겨서 실컷 즐겨보려고⋯⋯ 고슴도치도 짝이 있다더니 나 같은 놈에게도 그런 행운이 오는구나. 여행을 하는 동안 너와 내가 어떻게 끝장을 볼 것인가 생각해보마."


박명길은 정말 여행을 떠난 것처럼 자동차 습격 실패 이후 모습을 드러내지 않고 있었다. 하지만 그렇다고 마음을 놓을 수는 없었다. 백동호는 컴퓨터 학원이나 도서관에서 화장실을 갈 때조차 뒤에서 조금만 이상한 기척이 들려도 소스라쳐 지팡이를 겨누고는 했다.

한은미는 노량진에 보증금 천만 원에 월 70만 원짜리 다방을 얻었다 했다. 오현종은 아예 그 다방에서 출퇴근하면서 내부 수리를 도와주고 있는 것 같았다.

개업 이틀 전, 마침 한은미의 생일이라서 장미 한 다발을 사들고 갔다. 그들은 마치 부부처럼 나란히 서서 활짝 웃으며 백동호를 맞이했다.

"은미씨, 생일 축하합니다."

장미를 받아드는 한은미의 눈가에 그렁그렁 눈물이 맺혔다.

"고마워요, 백 선생님."

아직 다 정리되지 않은 실내에 조촐한 잔치상이 차려지는 동안 백동호는 오현종과 대화를 나누었다.

"은미씨 신변에 별일은 없는 거냐?"

"네. 놈이 우리를 찾아내기 전에 먼저 제가 손을 써두었습니다."

"하하, 어떻게?"

"곽부혁을 만나서 화해하고 제 사정을 설명하며 부탁을 했지요. 아마 놈이 자고 있는 방에 복면을 하고 들어가서 작두(이발소용 면도칼)를 들이댄 모양입니다. 히히, 꽁꽁 묶어놓고 바지를 벗긴 뒤 거시기에다가 작두를 대고 자를 것처럼 손을 들먹들먹했대요. 낯모르는 강도가 불문곡직하고 남자의 상징을 잘라버리려 하니 얼마나 씨겁을 했겠습니까?"

"하하하, 킬킬킬…… 임마, 너무 심하다. 또 징역 가면 어쩌려고 그래?"

"형님, 장사 한두 번 합니까? 은미와 저는 그날 밤 완벽한 알리바이를 만들어두었고, 부혁이도 노골적이 아니라 은미를 더 이상 괴롭히지 말라는 암시만 주었습니다. 만약 조금이라도 수틀리면 좆을 자르든지 아킬레스건을 잘라서 병신을 만들어 버리겠다고 아퀴를 지었다니 소름깨나 끼쳤을 겁니다. 자고로 사내는 목숨을 잃어도 성불구는 되기 싫어하잖아요."

"…… 후후, 나도 10년 전 동산유지 사건으로 체포되었을 때, 경찰서에서 와사비 물이 코로 들어가도 참을 수가 있는데 성기를 전기봉으로 지지는 데는 견디어낼 재간이 없더라. 그건 그렇고 너 하는 일은 잘되냐?"

"네, 요즈음 서너 탕은 꼭 해요."

"오호, 짭짤하네."

"형님 덕분이지요. 그래서 오늘 돈도 갚고 부탁드릴 것이 있습니다."

"그 돈은 돌려받으려고 했던 것이 아니다. 몇 푼 안되지만 네 새

출발을 축하하는 뜻으로 그냥 둬라. 내게 부탁할 건 뭐냐?"

"…… 저 한은미 씨와 결혼합니다."

"후후, 그럴 줄 알았다. 잘되었구나."

"그래서 말입니다, 형님이 주례를 좀 서주십시오."

"하하하, 임마. 주례? 말이 되는 소리를 해. 아무나 그런 거 하는 것이 아니다."

"형님, 부탁합니다."

"어어! 이 자식 안 일어나?"

백동호는 정색을 하고 무릎을 꿇는 오현종을 일으켰다. 그때까지 둘이 대화하도록 자리를 피해주었던 한은미가 다가오며 말했다.

"백 선생님, 현종씨 말대로 부탁드려요."

백동호는 생각해보겠다는 대답을 할 수밖에 없었다.


오산 중학교 뒷길에 봉고를 숨겨둔 박명길은 큰길을 피해 골목으로만 걸어서 백동호의 집에 도착했다. 순전히 세를 놓기 위해서 만들어진 그 집은 방이 열두 개이며, 계단은 모두 외부로 나 있었다. 집안은 조용했다. 주변에 사람들이 없는 것을 다시 한번 확인한 뒤 삼층으로 올라갔다.

옥상에는 사람들이 이사를 가면서 슬쩍 버린 의자와 장식장, 탁자 등이 어지럽게 널려 있었다. 백동호가 평소 컴퓨터 학원에서 돌아오는 것은 오후 다섯 시 반경이었으며, 현재 시간은 다섯 시였다. 장식장 사이에 몸을 숨긴 박명길은 품속에서 쇠파이프 두 개를 꺼내 암수의 나사를 맞춰 돌렸다. 육개월 전, 비 내리는 모악산에서 조립한 회칼 창과 똑같은 파이프였다. 칼은 아직 파이프에 끼우지 않고 있었다.

한 달간 애인과 여행을 떠난다고 한 지 오늘로 이십일 째, 백동호의 경계심이 어느 정도 느슨해졌으리라 판단했다. 자신은 백동호로 인해서 20여 년간 피눈물을 흘리며 살아왔는데 놈은 날이 갈수록 잘사는 모습이 견딜 수가 없었다. 오늘은 꼭 놈을 해치우리라 다짐을 거듭했다.

　박명길은 반포대교 밑 도로를 망원경으로 지켜보았다. 정확히 다섯 시 이십 분에 백동호의 승용차가 모습을 드러냈다. 도로변 노상 주차장에 차를 세운 그는 봉고가 있나 두루 살펴보는 것 같았다. 여전히 지팡이를 들고 있었다.

　박명길은 옥상에서 일층까지 한숨에 달려 내려왔다. 골목에는 아직 백동호의 모습이 보이지 않고 있었다. 대문을 들어서면 코앞에 계단이 있고 백동호의 방은 이층이었다. 계단은 모두 밖으로 드러나 있어서 몸을 숨길 곳은 일층 계단 밑뿐이었다. 박명길은 민첩하게 일층 계단 아래로 들어갔다. 품속에서 꺼낸 회칼을 파이프에 단단하게 끼우고 한숨 돌렸을 때, 백동호의 구둣발소리보다 말소리가 먼저 들려오고 있었다.

　"정신차려라, 썰두야. 뭘 배워? 가뜩이나 끼가 많은 놈이 춤까지 배우면……."

　핸드폰 통화와 함께 점점 다가오는 발소리가 첫 계단을 오르고 있었다. 박명길은 살그머니 몸을 일으켰다. 등을 보이며 계단을 오르는 백동호는 여전히 통화에 여념이 없었다.

　"너는 임마, 옛날에……."

　여섯 계단 위였다.

　이 새끼를 오늘에야 드디어 죽이는구나. 박명길의 눈에 잔혹한 희열이 흐르고 있었다. 발끝을 세우며 한번에 두 계단, 또 한번 두 계단을 뛰어오른 박명길은 회칼 창을 힘껏 찔렀다.

그러나 그 순간 마치 뒤통수에 눈이 달린 듯 백동호가 간발의 차이로 몸을 돌렸다. 그가 발로 회칼 창을 옆으로 차내는 동시에 텅스텐 파이프가 쌔앵 바람을 갈랐다.

"으아악—!"

박명길은 처절하게 비명을 지르며 왼쪽 어깨를 움켜잡았다. 지팡이는 숨돌릴 새도 없이 공중으로 솟아올랐다. 박명길은 순간 혼이 빠진 얼굴로 입을 벌렸다.

"사, 살려다오. 다, 다시는 이러지 않겠다."

하지만 백동호의 눈길은 냉정했다. 그리고 치켜 올라간 텅스텐 지팡이가 악마의 장풍처럼 무자비하게 떨어져 내렸다.

"허억!"

박명길은 경악의 눈을 깜빡이지도 못했다. 지팡이가 바람을 가르며 계단 옆 시멘트 난간을 후려쳤다.

"꽝!"

시멘트 난간이 소낙비에 흙담 무너지듯 와르르 부서져 내렸다. 먼지가 뽀얗게 피어올랐다. 백동호는 무표정한 얼굴로 박명길에게 편지 봉투를 하나 던졌다. 그러고는 아무 일 없었다는 듯 다시 계단을 올라가며 말했다.

"편지 봉투에 중요한 것이 들었다. 잃어버리지 마."

박명길은 편지를 주워들고 힘없이 그곳을 나왔다. 얼마나 넋이 빠졌는지 똥과 오줌을 한꺼번에 지린 것도 깨닫지 못하고 있었다. 겨우 정신을 차린 박명길이 뜯어본 봉투 안에는 천만 원권 자기앞 수표 한 장과 편지가 들어 있었다.

명길아, 아마 이 편지를 읽고 있는 너는 어디에선가 나를 습격하다가 실패했을 것이다. 그 장소가 내 집이라면, 네가 일층 계단 밑으로 숨어드는 것에서부터 뒤에서 칼을 들고 달려드는 모습이 맞은편 삼층 건물의 창문에서 비디오로 찍혔다고 보면 된다. 물론 며칠 전부터 네가 나 없는 동안 건물의 여러 곳을 살피고, 특히 일층 계단 밑을 유심히 관찰한 것도 모두 촬영되었다. 조금 전의 핸드폰은 너의 행동을 중계해주고 있었던 거다. 여행 떠난다는 말을 설마 내가 믿었다고 생각했다면 너는 정말 어리석은 놈이다.

명길아, 방금 나는 네 목숨을 살려준 것이다. 나의 지팡이가 머리를 후려쳤어도 정당방위가 성립된다는 말이다. 물론 나는 왜 살인 지팡이를 갖고 다녀야 했던가를 법원에 설명할 수도 있다. 너에게 목숨을 위협받고 있다고 경찰에 신고를 했거든. 일부러 횡설수설해서 수사가 미진했던 거다.

여기 동봉한 수표는 네 인생을 보상하기에는 적은 액수지만 내 형편으로는 큰 출혈이다. 앞으로 다시는 나를 괴롭히지 않기를 바란다.

명길아, 세상은 자신이 쓰고 있는 안경 빛깔대로 변한다. 누가 뭐라 해도 세상은 아름답고 살아볼 만한 곳이다. 네 안경을 복수의 붉은 빛깔에서 생명의 연둣빛으로 바꾼다면 내가 너를 살려준 보람이 있을 것이다. 너의 앞날에 행복이 있기를 간절히 기도하마.


백동호는 홀가분한 마음으로 방에 들어갔다. 전화 메시지가 세 개나 와 있었다. 강인찬의 안부, 〈시사저널〉의 기자, 그리고 우리 극장 대표이며 연극 연출가 고금석이 《대도》를 연극으로 하자는 내용이었다. 백동호는 고금석에게 전화를 걸어 만날 약속을 했다.

멀거니 앉아서 담배를 피우던 그는 남대문의 B에게 전화를 걸어서 박명길의 문제를 상의했다.

"…… 그러니 이제 그만 사람들을 다 철수시켜 주십시오."

"아직 안심하기에는 이르다. 며칠 더 지켜보는 것이 어떠냐?"

"이 일 때문에 저도 속을 썩을 만치 썩었습니다. 황순헌 변호사에게 돈도 빌렸고요. 더 이상 박명길의 행방이나 쫓을 수는 없지 않습니까?"

"네 책에 나오는 변호사 말하는 거냐?"

"예, 요즘 세상에 보기 드문 사람이지요. 아무튼 이제 또 한번 놈이 저를 노린다면 그때는 저도 잔인해질 수밖에 없습니다. 준비는 다 되어 있지 않습니까?"

"알았다. 철수시키마. 비용 중 인건비를 제외한 나머지는 탕감해 줄 테니 내일 계산하러 와라. 저녁때 술 한잔 하자."

"내일은 저녁 때 약속이 있습니다. 연극 연출가를 만나기로 했거든요. 모레 저녁이 어떠세요?"

전화를 끊은 백동호는 그날 밤 위스키 한 병을 다 비웠다.


저녁 일곱 시, 대학로의 커피숍 밀다원에 들어서니 뿔테 안경의 중년 사내가 일어서며 손을 들었다.

"전화를 주셨던 고금석 선생님?"

"예, 앉으시지요."

"어떻게 저를 대뜸 알아보셨나요?"

"책에 나와 있는 사진을 봤지요. 아주 재미있게 읽었습니다."

"감사합니다. 더군다나 관심을 가지고 연극까지 하시겠다니요."

"그런데……."

고금석은 무슨 말인가를 할 듯 할 듯하면서도 차마 말을 꺼내지 못하고 있었다. 백동호가 그런 눈치를 알아채고 말했다.

"저는 연극에 대해서는 문외한이지만 연극인들이 적자에 허덕이고 매우 가난한 분들이 많다는 것은 압니다. 물론 저작권료도 제대로 지불하지 못할 수 있다는 것도요. 그 문제에 대해서는 제가 충분히 감안을 하겠지만 좀 기다려주십시오. 혹시 영화 교섭이 있지 않을까 싶어서요."

"먼저 말을 꺼내주시니 감사합니다. 아무튼 이왕 오셨으니 제가 연출하고 있는 연극을 보시고, 끝나면 단원들과 생맥주나 한잔하시지요."

"그럴까요?"

12년 만에 보는 연극이었다. 에어로빅 강사가 사랑에 빠져서 사랑의 도피를 약속하지만 어린 시절, 첩 때문에 고통을 겪던 이웃 아주머니를 떠올리며 유부남을 포기한다는 줄거리였다.

연극이 끝난 뒤 회식을 했다. 돌아가면서 인사를 나누었는데 백동호 맞은편의 여자를 소개하면서 고금석이 말했다.

"아까 보셨지요, 여주인공. 마영 씨는 연극계의 다크호스입니다."

"반갑습니다. 백동호입니다."

"마영이에요."

아름다운 여자였다. 미소가 온화하고, 통닭을 뜯어서 먹기 좋게 살을 발라놓는 손길이 섬세했다. 백동호는 작가라는 체면 때문에 무심한 척 앉아 있었지만 자꾸만 마영에게 눈길이 갔다. 어쩌다 눈이 마주치면 가슴이 뜨끔했다.

술자리는 이런저런 얘기꽃을 피웠지만 연극에 문외한인 백동호는 그저 미소로 침묵이었다. 대화 도중 마영이 백동호에게 말했다.

"백 선생님, 아시는지 몰라도 우리 연극계는 스타 몇을 빼놓고는 무척 생활이 어려워요. 우리 극단만 하더라도 연출을 하시는 고 선생님이 신문사에서 활자를 뽑아 받는 월급으로 단원들 술과 밥을 사주세요. 그러니 원작료를 많이 받으실 생각은 하지 마세요."

"방금 말씀하신 것에 대한 제 대답은……."

"말씀하세요."

"대단한 미인이십니다."

"호호, 감사합니다."

그날의 모임에서 백동호가 기억하는 것은 이 대화뿐이었다. 다른 데에는 도무지 신경이 가지 않을 만큼 그녀에게 마음을 빼앗겼던 것이다.

밖을 나오니 비가 내리고 있었다. 사람들 모두가 택시를 타려는 것 같았다. 백동호가 마영에게 물었다.

"어느 방향으로 가세요?"

"논현동요."

"잘되었군요. 저도 그쪽 방향이니 모시겠습니다."

다행히 그녀는 선뜻 호응을 해주었다.

"그래주시겠어요?"

백동호는 마영을 태우고 빗속을 달렸다. 온실 속의 꽃, 하늘 나라의 천사와 함께 가는 것만 같았다. 마영이 특유의 온화한 미소로 말했다.

"아까부터 느낀 건데, 백 선생님은 참 대단하신 분 같아요."

"어리둥절합니다. 뭐가 대단하다는 말인가요?"

"단원 중 한 사람이 《대도》를 읽었는데 선생님을 얼마나 칭찬하는지 한번 뵙고 싶었거든요. 그런데 과연 만나보니……."

"저야 부끄러운 삶이지요. 돈 안되는 연극에 정열을 바치는 마영 씨 같은 분들이야말로 존경받아 마땅한 아름다운 삶이고요. 앞으로 가끔 공연장에 갈 테니 아름답게 사는 사람들 속에 저도 끼워주십시오."

"어머, 언제든지 환영이니까 오세요."

이런저런 얘기를 나누며 마영을 바래다주고 돌아오는 백동호의 가슴은 알 수 없는 설렘으로 파도치고 있었다. 첫사랑 이후 처음 느껴보는 감정이었다.

하지만 동빙고동에 도착하자 가슴이 식었다. 박명길의 존재가 아직도 그를 괴롭히고 있는 것이다. 백동호는 지팡이를 움켜쥔 채 사방을 둘러본 뒤 집으로 향했다.

백동호의 생활에 겨우 평화가 찾아왔다. 본격적으로 소설 《실미도》의 집필을 시작했다. 자료 수집을 위해 날마다 도서관으로 출근하지 않으면 관계자를 찾아다녔고, 저녁이면 연극배우 마영과 데이트를 하며 서로에 대한 호감을 키워갔다. 이래저래 실미도 현장 답사는 자꾸 늦어지고 있었다.

박명길은 생활정보지를 부지런히 살폈다. 교도소에서 배운 제화 기술을 살려 구두 가게를 하려는 것이었다. 그러나 백동호에게 받은 돈과 범죄로 모은 돈으로는 턱없이 부족했다. 좀더 싼 곳은 없을까. 그래서 찾아든 곳이 성남시였다.

봉고를 타고 이리저리 돌아다니던 그는 성남 모란시장에서 점심을 먹었다. 그곳은 한국판 몬도가네였다. 개고기를 비롯해서 갖가지 야생 동물, 벌레, 한약재, 심지어는 어린아이의 태반까지 정력에 좋다는 것은 무엇이든 있었다. 박명길은 시장을 두루 돌며 구경을 했다. 생사탕(뱀)집 앞에서 걸음을 멈춘 그는 우글우글한 뱀을 물 끄러미 바라보았다.

그때 어째서 잊어버리자고 다짐했던 백동호가 떠올랐던 것일까. 그 새끼가 잠을 자는 곳에 저 뱀들을 집어넣으면? 그는 지금 백동호를 원수로서 죽이고 싶은 마음보다, 도대체가 패배를 모르는 괴물을 단 한 번만이라도 거꾸러뜨려 보고 싶다는 욕망이 더 강하게 일고 있었다. 공포에 질려서 비명을 지르는 놈의 모습은 상상만 해도 전율이 일었다.

겨우 앙금으로 가라앉아가던 증오가 새삼 뿌옇게 피어올랐다. 개새끼, 겨우 돈 천만 원으로 내 청춘을 보상하려 들다니…… 쓸데없는 꽃뱀이나 구렁이 여러 마리보다 살무사 한 마리가 더 효과적일 것이다. 돈을 주고 사면 증거가 남으니 훔쳐야 한다.

박명길은 독사가 어디 있는가를 살폈다.


결혼식 문제를 상의하러 온 오현종과 포장마차에서 술을 마신 백동호는 얼큰하게 취해서 현관문을 열었다. 무언가 서늘한 냉기가 감도는 것을 느꼈지만 별생각 없이 무심코 들어섰다.

뜨거운 물로 목욕을 한 뒤 책상 앞에 앉아 국회 도서관에서 복사해온 자료를 주제별로 정리하는데, 발등에 차가운 무엇인가가 지나가는 느낌이 들었다. 책상 밑을 들여다보았더니 아무것도 없었다. 이상하네. 괜히 가슴이 두근거렸다. 그는 노트를 덮고 어제 빌려다 놓은 비디오를 틀었다.

칼리토(알 파치노)는 뒷골목 세계에서 전설적인 인물이지만 오랜 징역살이를 마치고 나오니 세상은 변해 있었다. 그는 애송이 마약 장수들이 판치는 뒷골목을 떠나려 한다……

백동호는 옷을 입은 채 침대에 누워 비디오를 보고 있었지만 생각은 조금 전 섬뜩한 발등의 감촉에 가 있었다. 분명히 뭐가 지나갔는데…… 백동호는 플래시를 꺼내들고 책상 밑을 들여다보았다. 하지만 구석구석을 살펴도 이상한 물체는 발견할 수 없었다. 다시 비디오에 눈길을 주던 그는 어느새 스르르 잠이 들고 말았다.

백동호는 TV의 지지직거리는 소리와 함께 싸늘한 무엇이 가슴을 스쳐가는 느낌이 들었다. 그는 잠결에도 몸을 움직이면 안된다는 것을 본능적으로 깨달았다. 살그머니 눈을 떴다. 그리고 숨을 딱 멈추었다. 이것이 꿈인가 생시인가. 대가리가 삼각형으로 뾰쪽한 뱀 한 마리가 그의 가슴에서 머리를 쳐든 채 혀를 널름거리고 있었던 것이다.

머리털이 쭈뼛했다. 박명길, 이 새끼 짓이구나. 눈을 돌려보니 방바닥에도 뱀 한 마리가 또아리를 틀고 있었다. 치가 떨리는 것은 둘째 문제였다. 우선 가슴의 뱀을 어떻게 처치할 것인가. 속수무책으로 지켜보는 수밖에 도리가 없었다. 이놈아, 제발 물지 마라. 나는 더 살아야 한다. 손으로 쳐내며 벌떡 일어설까 말까. 머릿속은 부지런히 움직였지만 몸은 손가락 하나 까딱할 수가 없었다.

짧고도 긴 시간이 흐르고 나서 독사가 슬그머니 다리 아래로 내려가고 있었다. 백동호는 그야말로 뱀 만난 메뚜기처럼 펄쩍 뛰어 책상 위에 올라앉았다. 그리고 지팡이로 옷을 걸어 입은 뒤 껑충껑충 뛰어서 현관문을 열었다.

자동차에 타고서도 분노로 가슴이 떨려 운전을 할 수가 없었다. 시계를 보니 새벽 한 시였다. 아니, 놈의 짓이 아닐 수도 있지. 백동호는 박명길의 핸드폰 번호를 눌렀다.

"여보세요."

"박명길, 아직 안 자고 있구나. 보내준 뱀탕이 고마워서 감사 인사나 하려고 걸었다."

"배, 뱀이라니? 내 전화번호는 어떻게 알았냐?"

"후후, 손오공 날아봤자 부처님 손바닥 안이지. 진즉 알고 있었지만 굳이 걸 필요가 없었을 뿐이다. 네가 나를 잊기를 바랐지만, 그래도 믿을 수가 없어서 CCTV 카메라를 계속 작동시켜놓았다. 녹화된 오늘의 네 모습을 보고 내 기분이 어땠는가를 짐작할 수 있겠냐?"

"……."

"너는 스스로 무덤을 파고 말았다. 몸조심해라."

전화를 끊었다. 역시 놈이었구나. 백동호는 자동차를 몰고 한강 시민공원으로 나갔다. 짙은 안개가 자동차의 유리창으로 우욱우욱 달려들고 있었다. 온 세상이 바다이고 자동차는 그 위에 홀로 떠 있는 것처럼 느껴졌다. 살을 저미듯 외로웠고 눈알이 쏟아질 것같이 머리가 아팠다.

자동차에 앉은 채 밤을 새운 백동호는 날이 밝자마자 B에게 전화를 걸었다. 사무실에는 아직 아무도 출근을 하지 않은 것 같았다. 집으로 다시 걸었다.

"형님, 저 백동호입니다. 아침부터 죄송합니다."

"무슨 일 있나?"

"지금 옆에 아무도 없습니까?"

"없다. 괜찮으니까 말해."

백동호는 잠자다가 가슴 위에서 발견한 독사 얘기를 했다.

"허허, 큰일 날 뻔했구나. 놈의 미행을 조금 더 시킬 것인데 우리가 너무 서둘러 그만둔 것 같다."

"이 새끼, 절대로 용서하지 않겠습니다."

"그거야 서두르지 않아도 된다. 먼저 신고해서 방안의 뱀부터 잡아야지."

"소동 벌여서 좋을 것이 뭐 있습니까? 사람을 시켜 잡겠습니다."

"만나서 상의할 것도 있으니 두 시간 뒤 그 커피숍으로 와라. 나도 그리로 갈게."

"알겠습니다."

약속 시간까지는 아직도 많이 남아 있었다. 이번에는 오현종에게 전화를 걸었다.

"현종아, 나다. 그래, 여전히 바쁘냐? 다행이구나. 그런데 내게 문제가 좀 있다. 너 뱀 잡아본 적 있냐?"

"제 고향이 구례잖아요. 어려서 지리산으로 뱀을 잡으러 다녔지요. 그런데 느닷없이 웬 뱀입니까?"

"그럼 잘되었다. 내 집에 가서 뱀 좀 잡아다오. 박명길 놈이 기어코…… 담배하고 백분을 잔뜩 사서 집안 구석구석에 뿌리고…… 나는 뱀하고는 상극이라서 생각만 해도……."

"형님, 전화로 얘기할 것이 아니라 제가 지금 그리로 가겠습니다."

오현종은 즉시 한강으로 나왔다. 박명길을 죽여버리겠다고 펄펄 뛰는 오현종에게 백동호는 집 열쇠를 건네주며 말했다.

"흥분한다고 될 일이 아니다. 혹시라도 이와 비슷한 일이 있을까 봐 얼마 전부터 준비해둔 것이 있으니 걱정 마라. 너는 뱀을 잡은 뒤 이삿짐을 꾸려서 새 집으로 옮겨주면 된다."

"이사 가시게요?"

"소름 끼쳐서 그 집으로 되돌아가고 싶지 않다. 오피스텔이나 하나 얻을 테니 나머지는 네가 좀 처리해다오. 이사 갈 곳을 당분간 놈이 모르게 할 것이니 새벽에 짐을 옮겨라."

"알겠습니다."

"그리고 도움을 청할 것이 또 있구나."

"뭔데요? 말씀만 하십시오."

백동호는 머리에 떠오르는 구상을 대충 얘기해주고는 남대문의 B를 만나기 위해 한강 시민공원을 빠져나왔다. 출근 시간이라서 거리는 자동차들이 꽉 메우고 있었다.

열흘 뒤, 백동호는 벼르고 벼르던 대로 실미도를 향한 배에 몸을 실었다. 여객선은 비 내리는 바다를 힘겹게 헤쳐갔다. 날씨 탓으로 출항을 한다 못한다 말이 많더니 기어코 선실 유리창을 때리는 빗방울이 굵어지고 있었다.

백동호는 묵묵히 선실 밖을 보았다. 패연히 쏟아지는 겨울비가 하늘과 바다를 온통 검은 회색으로 물들이고 있었다. 여객선은 지친 짐승처럼 거친 숨을 헐떡이며 전진을 계속했다.

얼마의 시간이 흐른 것일까. 살풋 잠이 들었던 그는 뱃고동 소리에 눈을 떴다. 무의도가 코앞에 다가와 있었다. 여객선은 폐타이어를 달아맨 옆구리를 선착장에 천천히 갖다 대고 있었다. 승객들이 우르르 출입문을 향했다. 백동호는 조용히 앉아 있었다. 사람들 눈에 띄지 않으려면 마지막 하선이 좋을 듯해서였다.

백동호는 마지막으로 선실을 나왔다. 빗줄기가 바람과 합세해서 얼굴을 후려쳤다. 후련한 매질이었다. 비를 맞으며 그냥 걷고 싶었지만 그 또한 사람의 시선을 끄는 짓이었다. 배낭에서 내키지 않는 우산을 꺼내들었다.

백동호는 부지런히 걸었다. 방파제에는 어선들이 출렁이는 파도

282

를 따라 덩덩 덩더꿍, 신명난 무당 모둠발 춤을 추고 있었다. 비바람은 점점 기세를 더해갔다. 길 옆 구멍가게 안에서 중년 아낙이 비 내리는 바다를 멍하니 바라보고 있었다. 쓸쓸한 표정이었다. 우산 속에서 그녀를 힐끔거리며 지나쳤다.

백동호는 고갯마루에서 걸음을 멈추었다. 실미도가 저만큼 앞에 누워 있었다. 숨이 막혔다. 그것은 저항할 수 없는 마력을 지닌 요부의 육체 같았다. 길고 느슨한 봉우리 사이에서 비릿한 정액이 흐르고 있을 것만 같았다. 이러고 있을 때가 아니지. 그는 사방을 살핀 뒤 왼쪽 수풀에 뛰어들었다.

고개 정상에서 왼쪽으로 2백 미터 지점에 굽은 바위 구덩이가 있다 했는데 쉽게 찾을 수가 없었다. 비바람과 수풀 탓이었다. 그는 접은 우산으로 아카시아 가시를 헤치며 걸었다. 조심을 했어도 얼굴과 손이 가시에 긁혀 쓰라렸다. 등산화도 물을 먹어 질척거리기 시작했다.

마침내 노인바위가 보였다. 주름살에 허리까지 굽은 그 바위는 실미도와 마주한 언덕에 있었다. 백동호는 반가운 얼굴로 다가갔다. 바위 밑에는 정말 사람 하나 딱 들어갈 만큼의 공간이 있었다.

오후 세 시 사십 분, 썰물이 시작되려면 아직도 다섯 시간을 더 기다려야 했다. 배낭에서 미싯가루, 물, 초콜릿을 주섬주섬 꺼냈다. 송곳바람이 젖은 몸을 쿡쿡 찔러대고 있었다. 그는 추위 때문에 가끔씩 진저리를 치며 식사를 했다. 입가심으로 담배를 피울 때는 불빛이 보이지 않도록 두 손을 공처럼 모아서 피웠다.

실미도는 여전히 음산한 모습으로 비를 맞고 있었다. 백동호는 쪼그려 앉은 채 실미도를 우두커니 바라보았다. 괜히 두려운 생각이 들었다.

저곳은 군사상 취약지구이자 민간인의 출입이 통제된 곳이다. 어둠 속에서 사람 모습이 어른거리면 해안 경비대가 간첩으로 오인, 다짜고짜 총알 세례를 퍼부을지도 모른다. 플래시도 켜지 못하는 캄캄한 밤길, 수영을 못하는 내가 방향 감각을 잃고 헤매다가 비바람 치는 바다에 휩쓸리면? 에이, 생각을 말자. 얼마나 와보고 싶었던 곳인데 이제 와서 포기할 수는 없잖아. 백동호는 무릎 위에 고개를 묻었다.

밤 열한 시, 백동호는 호룡곡산을 내려왔다. 칠흑 같은 어둠 속에서도 바닷물이 거의 빠진 것을 알 수 있었다. 야광 나침반에 의지해서 조심조심 전진했다. 걱정했던 것과는 달리 별어려움 없이 실미도에 도착할 수 있었다.

백사장을 지나 언덕을 넘어야 부대 자리가 나온다. 하지만 어둠 속에서 그 길을 찾는 것은 불가능했다. 섬의 가장자리로 돌아가기로 했다.

짧은 백사장은 곧 끝이 났다. 백동호는 조심조심 바위를 건너뛰며 전진했다. 풀 이끼와 비바람에 젖은 바위는 매우 미끄러웠다. 이럴 줄 알았으면 숲속에 숨어서 기다렸다가 날이 밝으면 움직일 것을, 후회가 되었다. 다시 넓은 간격의 바위. 껑충 건너뛰었다. '어 어 어!' 백동호는 바위 아래로 곤두박질쳐 버리고 말았다. 커다란 바위 사이에 몸이 낀 그는 위로 올라가기 위해서 안간힘을 썼지만 워낙 미끄러워서 가망이 없었다.

백동호가 실미도의 바위 틈에 갇혀서 살 길을 모색하고 있을 때, 밤 깊은 뚝섬 한강공원 입구에는 검은 승용차 한 대가 미끄러지듯 멈추더니 건장한 사내 네 명이 내렸다.

그들은 아무런 말 없이 10여 미터 앞에 세워져 있는 봉고 3밴을 향해 접근했다. 미리 와서 근처를 서성이던 사내 두 명도 대열에 합류했다. 봉고는 실내등이 꺼져 있었지만 라디오 소리가 들렸다. 화물칸의 박명길이 듣고 있는 것이 분명했다.

그들은 봉고의 앞뒤 바퀴에 압정처럼 생긴 큰 못을 받쳐놓았다. 이제 놈은 독 안에 든 쥐였다. 뒷문으로 간 두 사람이 술에 취한 것처럼 말다툼을 시작했다.

"임마, 네가 나에게 이럴 수가 있어?"

"미안하다. 어떻게 해서든 네게만은 피해를 안 주려고 했는데 이렇게 되고 말았다."

"캬! 보증 서주는 자식을 낳지도 말라는 속담도 있건만 내가 미쳤지."

사내가 울분을 못 참겠다는 듯 봉고 뒷문을 주먹으로 탕탕 두들겼다. 안에 있던 박명길이 고함을 질렀다.

"씨팔, 거 싸우려면 저리 가서 싸우시오. 왜 남의 자동차는 두들기고 난리야?"

하지만 박명길의 항의에도 아랑곳없이 사내는 상대의 멱살을 잡아 봉고 뒷문에 쿵쿵 밀어붙이며 소리쳤다.

"임마, 어떻게 할 거야? 나는 그렇다 쳐도 다섯 식구가 길바닥으로 쫓겨나게 생겼단 말야."

차가 흔들흔들 움직이기 시작했다. 박명길이 마침내 화물칸 옆문을 열며 말했다.

"씨팔놈들이 달밤에 체조를 하나. 다른 데 가서 싸우라고 했잖아!"

그 순간 숨어 있던 사내들이 사냥감을 협공하는 늑대처럼 왈칵 달려들었다. 뒤에서 말다툼을 하던 사람들까지 합세를 하니 박명길은 속절없는 어린 양이었다.

"놔, 이것 놓으란 말야! 너희들 뭐야?"

"박명길, 너를 강도상해 및 강간치상, 절도 등의 혐의로 체포한다. 너는 묵비권을 행사……."

"몰라. 나는 모르는 일이란 말야. 이것 놔."

처절하게 항변을 했지만 통할 리가 없었다. 한 달 전 봉고로 백동호를 습격한 뒤 그 동안 박명길이 저지른 두 건의 강도 사건과 여덟건의 절도 행위가 비디오로 찍혀 있는 것이다. 침입과 나오는 장면뿐이지만 강도 사건은 피해자와 대질심문을 하면 되고, 절도 역시장물이 숨겨져 있는 곳을 아니까 입증이 어렵지 않을 것이었다.

제보 내용 중 비디오 테이프에 담겨 있지는 않지만 가장 최근에저지른 범죄는 일주일 전, 노량진에서 다방을 운영하는 신혼 부부의 셋방에 침입하여 남편이 보는 앞에서 새댁을 강간한 것이었다. 가정파괴범은 최하가 10년 이상의 징역이니 그가 범한 죄 중에 가장 큰 죄였다.

퀵 서비스로 용산 경찰서 형사과에 배달된 테이프와 편지는 범인의 검거 방법까지 훈수를 하고 있었다.


무인도에서 사람 살리라는 고함이 무슨 소용 있겠는가. 무언가다른 방법을 찾아야 했다. 플래시로 사방을 살펴보니 4미터쯤 위에굽은 소나무 한 그루가 있었다.

배낭에서 칼을 꺼냈다. 추울 것 같아서 가져온 내복을 10센티 넓이로 잘라내서 긴 끈을 만든 백동호는 끝에다가 반으로 접힌 우산을 묶었다. 그리고 소나무를 향해 던졌다. 지푸라기라도 잡는 심정으로 시도한 그 일은 쉽지가 않았다. 나무를 맞히기만 할 뿐 걸려들

286

지를 않는 것이다. 무려 한 시간 가까이 필사적으로 팔운동을 했을 때, 마침내 우산은 소나무의 갈라진 가지 사이에 끼어들었다. 잡아당겨 보니 단단하게 힘이 느껴졌다.

간신히 바위 틈새를 빠져나오고 보니 발목이 퉁퉁 부어 있었다. 뼈에 이상이 있는 것 같지는 않았고 단순한 타박상이었다. 대형 파스를 붙이고 그 위를 내복 붕대로 칭칭 동여맸다. 비는 하염없이 내리고 있었다. 백동호는 절룩이는 다리로 조심조심 움직였다. 이십 분쯤 그렇게 기다시피 했을 때 우르릉 꽝, 번개가 쳤다. 순간적으로 보이는 전경, 바로 코앞에 백사장이 펼쳐져 있었다. 바위 절벽 사이에 자리한 백사장은 사막 한가운데의 오아시스처럼 환상적인 반가움으로 다가왔다.

백사장에 도착해 퍼지르고 앉으니 살았구나 하는 안도의 한숨이 나왔다. 바다에서 잘 보이지 않을 만한 곳에 이인용 작은 텐트를 친 그는 죽은 듯 곯아떨어지고 말았다.

눈을 뜨니 해가 중천에 솟아 있었다. 아카시아 가지를 잘라서 지팡이를 만든 백동호는 절뚝절뚝 걸으며 주변을 살펴보았다. 실미도 중앙 유격사령부 683특공교육대는 뽕나무밭이 변하여 바다가 된다는 옛말 그대로였다. 가시덤불 속의 돌 축대와 시멘트 기초공사 흔적만이 옛날에 부대가 있었음을 말해줄 뿐이었다.

백동호는 우물 옆으로 텐트를 옮겼다. 늦은 아침 식사를 마치고 짐을 정리한 뒤 부대의 맨 위로 가서 담배를 피워물었다.

폐허가 된 부대 곳곳에서 그날의 처절한 비명, 아비규환의 살육이 보이는 것 같았다. 20여 년 전 대통령 되기보다 더 소원했던 비밀 특수부대원, 이제 소설가가 되어 그 허상을 파헤치는 글을 쓰는구나. 온갖 감회가 새록새록했다. 백동호는 실미도의 모든 것을 카

메라에 담기 시작했다.

이제 백동호가 박명길과 그토록 끈질긴 악연을 다시 이어가려면 적어도 10여 년의 세월이 지나야만 될 것이다. 그 얼마 후에는 또 만화방이 출소한다. 장대풍과의 관계도 똥 싸고 밑을 닦지 않은 것처럼 찜찜한 여운으로 남아 있다.

하지만 그들과 다시 대결하는 백동호의 힘은 두 배로 커져 있을 것이다. 그때는 백동호와 모든 것이 똑같은 일란성 쌍둥이 형, 황용주가 함께 할 것이 분명하니까…….

# 에필로그

철저한 독신주의를 고집하며 홀어머니의 속을 바글바글 끓게 하던 제가 어느 날 갑자기 사랑하는 사람이 생겼다며 결혼을 선언했습니다. 그이를 소개하는 자리에서 어머니는 웃음 가득한 얼굴로 장래의 사위에게 이것저것을 물으셨습니다. 잠시 후 넋을 잃고 저를 바라보시던 어머니의 눈빛을 해석하면 이렇습니다.

'아이고! 내 딸이 어려서부터 연극에 미쳐 남다른 인생을 살더니 이제는 완전히 제정신이 아니구나. 아이고! 이 일을 어찌할꼬.'

저는 비록 서른두 살의 노처녀이기는 하지만 중앙대학교 연극영화과에서도 빠지지 않던 미모와 교환학생으로 일본에 유학해서 일본대학 예술학부와 와세다 대학원을 마치고 7년 만에 귀국한 탓인지, 조건 좋은 남자의 청혼이 계속 이어졌습니다. 한데 저는 모두를 마다하고 독신을 고집하며 오태석 선생님의 극단 '목화'에서 연기 수업을 다시 시작했고, 대학 교수가 되기를 호시탐탐 노리고 있었던 것입니다. 이러한 제가 마침내 결혼을 결심하고 데려온 신랑감이 기절초풍 곱하기 황당무계는 말도 안되는 남자였으니 어머니가 어처구니없어하신 것은 당연했습니다.

그 사람은 사십 세의 이혼남, 학력 별무, 가진 재산 거의 없음, 폭력과 절도 등 전과 7범, 도합 14년의 징역살이를 한 전직 금고털이였거든요.

주위의 격렬한 반대는 물론 어머니는 그날부터 아예 식음을 전폐하셨으며, 잠을 자다가도 벌떡 일어나서 신경안정제를 드셔야 했습니다. 이런 어머니를 설득하기 위한 저의 노력은 참으로 눈물겨웠습니다. 그이가 얼마나 성실하고 가슴이 따뜻한 사람이며 능력있고 똑똑한 남자인가를 설명할 때마다, 어머니는 오히려 이 결혼의 부당성을 조목조목 짚어가며 저의 마음을 돌리려 하셨습니다.

하지만 저에게는 그이가 이 세상 최고의 남자라는 흔들림없는 믿음이 있었습니다. 저는 생각다 못해 작년 초여름 '싱글벙글 쇼'에 방송된 그 사람의 가슴 뭉클한 사연이 녹음된 테이프를 들려드렸고, 그이의 자전적 장편소설 《대도》를 드리며 읽어보시기를 권했습니다. 그리하여 마침내 '쯧쯔쯔…… 네가 행복하다면 어쩔 수 없지!'라는 체념의 반승낙을 얻어냈을 때 얼마나 기쁘던지요.

우리는 며칠 전 수원 근교의 용주사라는 절에서 18금 반지를 교환하면서 조촐한 결혼식을 올렸습니다. 때마침 주식회사 제일기획의 케이블 TV 사업부, Q채널 다큐멘터리 제작팀이 그이의 파란만장한 삶과 우리의 삶을 촬영하고 있던 참이라 결혼식은 정말 영화의 한 장면 같았습니다.

그때 주례를 섰던 스님은 우리의 결혼을 인연이라 하셨습니다. 저도 그 인연이란 말이 가슴속 깊이 와닿았습니다. 그 사람의 소설을 연극으로 하겠다는 연극 연출가 고금석 선생님의 소개로 쎄미 예술극장 이층의 생맥주집에서 합석을 하게 된 그 순간부터 우리는 서로에게 강렬한 매력을 느꼈으니까요.

하지만 오호, 통재라! 우리는 지금 꿀같이 달콤하고 깨소금같이 고소한 신혼 생활을 뒤로 미룬 채 별거중입니다. 처음 얼마 동안은 그이의 원룸에서 함께 지냈으나 너무너무 행복한 사랑에 취해 있다 보니 그 사람이 《대도》 후속편을 쓰는 데 어려움이 많기 때문입니다.

저는 지금 안양의 어머니 집에서 홀로 누워 '싱글벙글 쇼'를 듣다가 일어나 눈을 감고 기도합니다.

'제 남편 백동호가 다시는 범죄하여 교도소에 가지 않게 하소서. 우리의 사랑이 영원하게 하소서. 그리고 이 세상을 사랑하며 살아가는 가슴 따뜻한 모든 이들에게 행복이 가득하게 하소서'라고 말입니다.

마 영 올림
(MBC 라디오, '강석 김혜영의 싱글벙글 쇼'
「나의 신혼일기」 1995. 5. 24.)

〈끝〉

## 소설 《실미도》를 축하하며

"더 말하지 마라. 실미도 어쩌구 하는 걸 보니 그놈도 재수없다."

잘 아는 후배 정치인으로부터 전화가 걸려와 '실미도를 주제로 소설을 쓰는 사람이 있으니 한번 만나봐라. 똑똑하고 집념이 대단한 작가더라'는 말을 들었을 때, 나는 농반 진반으로 이렇게 대답했다. 내 인생을 송두리째 부숴버리고 평생 지팡이 신세가 되게 한 실미도란 단어가 나오자 반사적으로 거부감을 느꼈던 것이다.

후배가 하도 간곡하게 권하는 바람에 응낙한 이틀 뒤, 백동호 군이 찾아왔다. 그리고 몇 시간의 계속되는 토론 속에 나는 이 사람이라면 실미도 얘기를 제대로 쓸 것 같다는 생각과 함께 호감이 갔다.

그후 몇 번의 전화 통화와 만남, 이제는 허물없는 사이가 되었다.

소설 《실미도》는 역사의 교훈과 함께 흥미로운 인간사를 담은 글이다. 발간을 축하한다.

1999년 여름, 강 근 호
(제8대 국회의원, 반도조선 아케이트 회장)

# 실미도에 대한 감회

'실미도 군 특수범 난동 사건'의 내막에 대해 나는 많은 것을 알고 있지 못하다. 나는 그저 사건 당시 언론인 출신의 국회의원으로서 국민의 알 권리를 위해 시국 강연회에서 군 특수범들의 소속 부대를 말했을 뿐이다.

이 나라의 정치 암흑 시대를 열었던 10월 유신, 나는 그때 군 수사기관에 끌려가 5박 6일 동안 몸서리쳐지는 고문을 당했고 견디다 못해 자살을 시도했다.

벼라별 것을 다 추궁당했지만 맨 마지막 내게 씌워진 죄명은 엉뚱하게도 보안법 위반, 즉 존재의 비밀인 군 특수범의 소속 부대와 장소의 비밀인 실미도를 국민에게 알렸다는 것이 국가보안법 위반이라는 것이다. 징역 3년을 살아야 했다.

나는 출소한 후 박정희 시대가 지나도록 정치할 엄두를 낼 수 없는 보안처분자였고, 신군부 시대에도 정치 규제를 당했다. 내가 형의 실효 선고로 피선거권을 회복한 것은 유신 후 13년 만인 1984년이었다. 게다가 고문의 후유증으로 평생을 고통스럽게 보내고 있으니 실미도 사건은 내게 끈질긴 망령인 셈이다.

　백동호 씨가 실미도 사건을 소설로 하겠다며 취재차 찾아왔을 때 나는 별로 해줄 말이 없어서 안타까웠다. 백동호 씨는 어디에서 그 많은 정보와 자료를 얻었는지 나는 오히려 실미도 사건의 내막을 백동호 씨에게 듣는 형국이 되어버리고 만 것이다.

　떠나며 백동호 씨는 자신의 자전 소설 《대도》를 주고 갔는데 밤을 새워 읽을 만치 재미있고 감동적이어서 나는 그의 팬이 되었다.

　실미도가 백동호 씨의 또 다른 야심작으로 세상에 선을 보인다 하니 온갖 감회가 담긴 박수를 보낸다.

1999년 여름,　김 한 수

(제8, 12대 국회의원)